André Maman

UNION GÉNÉRALE D'ÉDITIONS
8, rue Garancière — Paris VIᵉ

LE CULTE DU MOI

Sous l'œil des Barbares
Un homme libre
Le jardin de Bérénice

Par

MAURICE BARRÈS

Préface d'Hubert Juin

Série « Fins de siècles »
dirigée par Hubert Juin

© Bibliothèque nationale.
© Union Générale d'Editions 1986
pour la préface.
ISBN - 2 - 264 - 01000 - 2

PRÉFACE

Maurice Barrès n'est jamais là où on l'attend. Il incarne à la fois le meilleur et le pire de la « littérature ». On comprend que ce soit à lui que Dada, par la voix des futurs Surréalistes, choisisse de faire un procès. Au fond, il a échoué à s'établir un paradis, et il a refusé de se construire un enfer. Il s'est contenté d'édifier un purgatoire où il s'est réfugié. Ce purgatoire, dit Jean Cocteau, « auquel il s'est condamné lui-même ». Il entraîne les jeunes gens avec lui, il les trouble, les inquiète : c'est un professeur d'inquiétudes. Ils se plaisent à découvrir en lui la pratique de l'anti-conformisme. Barrès donne alors l'impression de la légèreté, de la désinvolture. Il a mis Renan dans un livre qui déplut à Renan, et qui est un faux reportage : *Huit jours chez M. Renan*. Séchelles s'était amusé de la sorte à contrefaire l'intimité de Buffon. Cocteau, dans *la Noce massacrée*, fit subir à Barrès le même traitement. Victor Snell avait, lui aussi, composé une charge de ce genre, mais plus lourde : *Le Jardin de Marrès*, par... Bérénice, qui, lors de sa publication dans la presse, s'ornait de dessins de H.P. Gassier. Victor Snell avait des traits justes, ainsi : « Oui, Barrès est Lorrain, et il le sait mieux que personne, puisque c'est lui-même qui s'est choisi cette carrière »...

Sous l'œil des barbares permit à Paul Bourget de rendre Maurice Barrès célèbre du jour au lendemain par un long article qu'il consacra – dans *les Débats* – à ce livre d'un inconnu. Barrès rendit la pareille (si l'on peut dire) à un jeune homme qui en était à ses premières armes : François Mauriac. La presse de l'époque avait ces pouvoirs, et Octave Mirbeau, par le biais d'un article, mit Maeterlinck, qui n'était personne pour les autres, à l'avant-scène de l'intelligentsia parisienne. Lancé, Maurice Barrès fut un certain temps à se plier aux règles du jeu, mais lorsqu'il s'y plia, il ne négligea rien. On peut juger par cela du profond malaise que ressentirent des intelligences jeunes et emportées, je songe à Jacques Rivière et à Alain-Fournier, lycéens à l'époque, et en révolte contre la société, lorsqu'ils virent leur maître en liberté endosser l'habit d'académicien, et vert comme un perroquet prononcer un discours de réception qui eut le mérite d'écœurer – et pour longtemps – André Gide. A dater de ce moment, Barrès fit tout pour se perdre, n'assumant qu'en sous-main (si l'on ose dire) son véritable Moi, c'est-à-dire écrivant *Amori et dolori sacrum*, ramenant de ses errances pas mal imaginaires son *Voyage de Sparte*, ou, revenu de Tolède pour la deuxième ou la troisième fois, son *Greco*. Enfin, il y a *le Jardin sur l'Oronte*, où un jeune croisé s'est égaré dans un harem, ouvrage quasiment terminal, qui répond à ce *Jardin de Bérénice*, où, à Aigues-Mortes, un croisé boulangiste se perd dans un jardin où il y a un âne, une jeune fille morte et des canards.

Au cœur du *Culte du Moi*, il y a *Un homme libre*, et il est manifeste, avoué par l'auteur même, qu'*Un homme libre* est au cœur de l'œuvre entier. Mieux : est le cœur de l'œuvre. Barrès est un tout jeune député, et c'est un écrivain célèbre. Il avait derrière lui une revue qu'il rédigeait seul : *les Taches d'encre*. Il l'abandonna au quatrième fascicule sur un mot en forme de cabriole : « parce que la rédaction a la grippe »! Il s'est lancé dans le boulangisme avec toute sa fougue, mais il n'a rien abandonné de son désenchantement. C'est ce curieux mélange bien fragile qui séduit. La jeunesse se colle une mèche sur le front pour lui ressembler. Et ils sont nombreux ceux qui peinent sur des « exercices de style » capables – peut-être! – de leur donner le ton « Barrès ». Le *Culte du Moi* a pris une génération entière en charge. Cela risque de tourner à une mode : rien de plus dangereux. Barrès pirouette avec *l'Ennemi des lois*, qui est un pied de nez. Puis il fonce dans le roman de l'énergie nationale, réussissant ce coup d'audace : *les Déracinés*, ouvrage qui le consacre maître d'une génération *pour la seconde fois!*

Il est le dilettante d'une époque qui prend eau de toutes

6

parts. Hugo meurt en 1885, faisant de la littérature française une veuve. En 1888, la tour Eiffel commence son ascension vers le ciel. L'exposition universelle de 1889, à Paris, est la commémoration du centenaire de la grande Révolution, mais également le triomphe du progrès industriel et technique. Maurice Barrès est né à Charmes-sur-Moselle, d'une lignée auvergnate, le 19 août 1862. Au moment de ses premiers lauriers, ses jeunes lecteurs (à peine ses cadets) qui sont nés autour de l'année « maudite » 1870, arrivent à l'âge du service militaire. Ils entrent dans une armée de vaincus. Ceci ne va pas sans les dresser contre une société désoccupée de toute gloire, et qui n'a dans la tête que l'affairisme. Barrès parle autrement.

Il y a, dans *Un homme libre*, paradoxalement, un aspect *A Rebours*. On songe aux *Nourritures terrestres*, ce qui est un malentendu. Contrairement à Gide, Barrès vise au renfermement. Son héros (et son comparse) évoque Ignace de Loyola, – ce qui au terme fait que le mot « culte » qui est dans le titre général devrait s'entendre dans le sens de « culture ». Il s'agit de cela en effet : de cultiver son Moi, de le former, de le forger, de le rendre apte à sa propre direction et de lui permettre d'accueillir avec la plus grande intensité les sensations les plus diverses sans s'y perdre ni y succomber. Barrès est la direction; Gide, la disponibilité. Le futur Philippe du *Jardin de Bérénice* procède comme le des Esseintes de Joris-Karl Huysmans : une façon de Trappe machinée, où l'on ne peut bien et dignement réfléchir qu'enfoncé dans un fauteuil à oreillettes, et les pieds aux chenets. Maurice Barrès n'est pas Rancé, pas plus que son héros d'*Un homme libre* ne ressemble au commentateur d'Anacréon si durement converti. Il ne fait pas retraite hors du monde. Il se retire pour mieux accueillir les frissons du monde, d'où qu'ils viennent et quels ils soient. Après tout, la règle de saint Ignace est une règle de gouvernement. Il suffit de prendre la politique avec dédain. Le drame est que si l'on y met le doigt, on y passe tout entier.

De Rancé, Chateaubriand écrit : « Dans l'année 1648, s'ouvrit la Fronde, tranchée dans laquelle sauta la France pour escalader la liberté ». Sous les pas de Barrès s'ouvre, en ces années du *Culte du Moi*, la crise du boulangisme. Ce fut une façon de tranchée, mais petite et brève. Barrès y sauta et le glacis lui passa jusque par-dessus la tête. Il abandonna son insolence au profit de l'imprécation politique : ce sont des choses bien différentes, et qui ne s'accordent que chez ceux qui n'ont et ne suivent que leur seule politique, à eux. Barrès ne parvint pas à garder ses distances. Lui qui avait si bien commencé par faire des mots en lança dès lors de fort aigres. Heureusement, le Philippe du *Jardin de Bérénice* n'est pas encore dans le renfermé des poses électoralistes. Chacun est libre de penser que Maurice Barrès, bien qu'il se soit entièrement construit et fabriqué, valait mieux que le destin qu'il s'est taillé.

Il y a, dans *le Culte du Moi*, la recherche d'une méthode, l'auteur ne le dissimule pas, écrivant : « Quelque jour un statisticien dressera la théorie des émotions, afin que l'homme à volonté les crée toutes en lui et toutes au même moment ». On pouvait tourner cela vers l'ascèse ou le confort. Il y avait, chez Barrès, l'invincible sens et goût du confort : c'est ce que *le Culte du Moi* donne clairement à percevoir.

L'évolution de Barrès (1) est en marche. Mais la question de la sensation et de l'analyse, la découverte conjointe de ces pôles opposés et nécessaires que sont Venise et la Lorraine, la communion esthétique avec les œuvres de l'homme et les détails de l'univers, tout cela demeurera un long temps, demeure encore un souci pour l'individu. La réponse de Maurice Barrès est claire-obscure.

C'est qu'il est né dans le crépuscule d'un siècle fameux.

Hubert JUIN

NOTE

(1) Cf. la préface à *Du sang, de la volupté et de la mort*, paru dans la présente série, Nº 1808.

8

LE CULTE DU MOI

Examen
des trois romans
idéologiques

Mon cher Ami,

Ce volume, Sous l'œil des Barbares, *mis en vente depuis six semaines, était ignoré du public, et la plupart des professionnels le jugeaient incompréhensible et choquant, quand vous lui apportâtes votre autorité et votre amitié fraternelle. Vous m'en avez continué le bénéfice jusqu'à ce jour. Vous m'avez abrégé de quelques années le temps fort pénible où un écrivain se cherche un public. Peut-être aussi mon travail m'est-il devenu plus agréable à moi-même, grâce à cette courtoise et affectueuse compréhension par où vous négligez les imperfections de ces pages pour y souligner ce qu'elles comportent de tentatives intéressantes.*

Ah! les chères journées entre autres que nous avons passées à Hyères! Comme vous écriviez Un cœur de femme, *nous n'avions souci que du viveur Casal, de Poyanne, de la pliante M*me *de Tillière, puis aussi de la jeune Bérénice et de cet idiot de Charles Martin qui faisaient alors ma complaisance. Ils nous amusaient parfaitement. J'ajoute que vous avez un art incomparable pour organiser la vie dans ses moindres détails, c'est-à-dire donner de l'intelligence aux hôteliers et de la timidité aux importuns ; à ce point que pas une fois, en me mettant à table, dans ce temps-là, il ne me vint à l'esprit une réflexion qui m'attriste en voyage, à savoir qu'étant donné le grand nombre de bêtes qu'on rencontre à travers le monde*

13

il est bien pénible que seuls, ou à peu près, le veau, le bœuf et le mouton soient comestibles.

Et c'est ainsi, mon cher Bourget, que vous m'avez procuré le plaisir le plus doux pour un jeune esprit, qui est d'aimer celui qu'il admire.

Si j'ajoute que vous êtes le penseur de ce temps ayant la vue la plus nette des méthodes convenables à chaque espèce d'esprit et le goût le plus vif pour en discuter, on s'expliquera surabondamment que je prenne la liberté de vous adresser ce petit travail, où je me suis proposé d'examiner quelques questions que soulève cette théorie de la culture du moi *développée dans* Sous l'œil des Barbares, Un homme libre *et le* Jardin de Bérénice.

Oui, il m'a semblé, en lisant mes critiques les plus bien-veillants, que ces trois volumes, publiés à de larges inter-valles (de 1888 à 91), n'avaient pas su dire tout leur sens. On s'est attaché à louer ou à contester des détails; c'est la suite, l'ensemble logique, le système qui seuls importent. Voici donc un examen de l'ouvrage en réponse aux critiques les plus fréquentes qu'on en fait. Toutefois, de crainte d'offenser aucun de ceux qui me font la gracieuseté de me suivre, je procéderai par exposition, non par discussion.

Que peut-on demander à ces trois livres?

N'y cherchez pas de psychologie, du moins ce ne sera pas celle de MM. Taine ou Bourget. Ceux-ci procèdent selon la méthode des botanistes qui nous font voir comment la feuille est nourrie par la plante, par ses racines, par le sol où elle se développe, par l'air qui l'entoure. Ces véritables psycho-logues prétendent remonter la série des causes de tout frisson humain; en outre, des cas particuliers et des anecdotes qu'ils nous narrent, ils tirent des lois générales. Tout à l'encontre, ces ouvrages-ci ont été écrits par quelqu'un qui trouve l'*Imitation de Jésus-Christ* ou la *Vita nuova* du Dante infi-niment satisfaisantes, et dont la préoccupation d'analyse s'arrête à donner une description minutieuse, émouvante et contagieuse des états d'âme qu'il s'est proposés.

Le principal défaut de cette manière, c'est qu'elle laisse inintelligibles, pour qui ne les partage pas, les sentiments qu'elle décrit. Expliquer que tel caractère exceptionnel d'un personnage fut préparé par les habitudes de ses ancêtres et par les excitations du milieu où il réagit, c'est le pont aux

15

ânes de la psychologie, et c'est par là que les lecteurs les moins préparés parviennent à pénétrer dans les domaines très particuliers où les invite leur auteur. Si un bon psychologue en effet ne nous faisait le pont par quelque commentaire, que comprendrions-nous à tel livre, *l'Imitation,* par exemple, dont nous ne partageons ni les ardeurs ni les lassitudes ? Encore la cellule d'un pieux moine n'est-elle pas, pour les lecteurs nés catholiques, le lieu le plus secret du monde : le moins mystique de nous croit avoir des lueurs sur les sentiments qu'elle comporte; mais la vie et les sentiments d'un pur lettré, orgueilleux, raffiné et désarmé, jeté à vingt ans dans la rude concurrence parisienne, comment un honnête homme en aurait-il quelque lueur ? Et comment, pour tout dire, un Anglais, un Norvégien, un Russe, se pourront-ils reconnaître dans le livre que voici, où j'ai tenté la monographie des cinq ou six années d'apprentissage d'un jeune Français intellectuel ?

On le voit, je ne me dissimule pas les difficultés de la méthode que j'ai adoptée. Cette obscurité qu'on me reprocha durant quelques années n'est nullement embarras de style, insuffisance de l'idée, c'est manque d'explications psychologiques. Mais quand j'écrivais, tout mené par mon émotion, je ne savais que déterminer et décrire les conditions des phénomènes qui se passaient en moi. Comment les eussé-je expliqués ?

Et d'ailleurs, s'il y faut des commentaires, ne peuvent-ils être fournis par les articles de journaux, par la conversation ? Il m'est bien permis de noter qu'on n'est plus arrêté aujourd'hui par ce qu'on déclarait incompréhensible à l'apparition de ces volumes. Enfin ce livre — et voici le fond de ma pensée, — je n'y mêlai aucune part didactique, parce que, dans mon esprit, je le recommande uniquement à ceux qui goûtent la sincérité sans plus et qui se passionnent pour les crises de l'âme, fussent-elles d'ailleurs singulières.

Ces idéologies, au reste, sont exprimées avec une émotion communicative; ceux qui partagent le vieux goût français pour les dissertations psychiques trouveront là un intérêt dramatique. J'ai fait de l'idéologie passionnée. On a vu le roman historique, le roman des mœurs parisiennes; pourquoi une génération dégoûtée de beaucoup de choses, de tout

16

peut-être, hors de jouer avec des idées, n'essayerait-elle pas le roman de la métaphysique ?

Voici des mémoires spirituels, des éjaculations aussi, comme ces livres de discussions scolastiques que coupent d'ardentes prières.

Ces monographies présentent un triple intérêt :

1° Elles proposent à plusieurs les *formules* précises de sentiments qu'ils éprouvent eux aussi, mais dont ils ne prennent à eux seuls qu'une conscience imparfaite;

2° Elles sont un *renseignement* sur un type de jeune homme déjà fréquent et qui, je le pressens, va devenir plus nombreux encore parmi ceux qui sont aujourd'hui au lycée. Ces livres, s'ils ne sont pas trop délayés et trop forcés par les imitateurs, seront consultés dans la suite comme documents;

3° Mais voici un troisième point qui fait l'objet de ma sollicitude toute spéciale : ces monographies sont *un enseignement*. Quel que soit le danger d'avouer des buts trop hauts, je laisserais le lecteur s'égarer infiniment si je ne l'avouais. Jamais je ne me suis soustrait à l'ambition qu'a exprimée un poète étranger : « *Toute grande poésie est un enseignement, je veux que l'on me considère comme un maître ou rien.* »

Et, par là, j'appelle la discussion sur la théorie qui remplit ces volumes, sur *le culte du moi*. J'aurai ensuite à m'expliquer de mon *Scepticisme*, comme ils disent.

I. Culte du moi

M'étant proposé de mettre en roman la conception que
peuvent se faire de l'univers les gens de notre époque décidés
à penser par eux-mêmes et non pas à répéter des formules
prises au cabinet de lecture, j'ai cru devoir commencer
par une étude du *moi*. Mes raisons, je les ai exposées dans
une conférence de décembre 1890, au théâtre d'application,
et quoique cette dissertation n'ait pas été publiée il me paraît
superflu de la reprendre ici dans son détail. Notre morale,
notre religion, notre sentiment des nationalités, sont choses
écroulées, constatais-je, auxquelles nous ne pouvons emprun-
ter de règles de vie, et, en attendant que nos maîtres nous
aient refait des certitudes, il convient que nous nous en
tenions à la seule réalité, au *moi*. C'est la conclusion du
premier chapitre (assez insuffisant, d'ailleurs) de *Sous l'œil
des Barbares*.

On pourra dire que cette affirmation n'a rien de bien
fécond, vu qu'on la trouve partout. A cela, s'il faut répondre,
je réponds qu'une idée prend toute son importance et sa
signification de l'ordre où nous la plaçons dans l'appareil de
notre logique. Et le culte du *moi* a reçu un caractère prépon-
dérant dans l'exposition de mes idées, en même temps que
j'essayais de lui donner une valeur dramatique dans mon
œuvre.

Égoïsme, égotisme, *moi* avec une majuscule, ont d'ailleurs
fait leur chemin. Tandis qu'un grand nombre de jeunes

esprits, dans leur désarroi moral, accueillaient d'enthousiasme cette chaloupe, il s'éleva des récriminations, les sempiternelles déclamations contre l'égoïsme. Cette clameur fait sourire. Il est fâcheux qu'on soit encore obligé d'en revenir à des notions qui, une fois pour toutes, devraient être acquises aux esprits un peu défrichés. « Les moralistes, disait avec une haute clairvoyance Saint-Simon en 1807, se mettent en contradiction quand ils défendent à l'homme l'égoïsme et approuvent le patriotisme, car le patriotisme n'est pas autre chose que l'égoïsme national, et cet égoïsme fait commettre de nation à nation les mêmes injustices que l'égoïsme personnel entre les individus. » En réalité, avec Saint-Simon, tous les penseurs l'ont bien vu, la conservation des corps organisés tient à l'égoïsme. Le mieux où l'on peut prétendre, c'est à combiner les intérêts des hommes de telle façon que l'intérêt particulier et l'intérêt général soient dans une commune direction. Et de même que la première génération de l'humanité est celle où il y eut le plus d'égoïsme personnel, puisque les individus ne combinaient pas leurs intérêts, de même des jeunes gens sincères, ne trouvant pas, à leur entrée dans la vie, un maître, « *axiome, religion ou prince des hommes* », qui s'impose à eux, doivent tout d'abord servir les besoins de leur *moi*. Le premier point, c'est d'exister. Quand ils se sentiront assez forts et possesseurs de leur âme, qu'ils regardent alors l'humanité et cherchent une voie commune où s'harmoniser. C'est le souci qui nous émouvait aux jours d'amour du *Jardin de Bérénice*.

Mais, par un examen attentif des seuls titres de ces trois petites suites, nous allons toucher, sûrement et sans traîner, leur essentiel et leur ordonnance.

6. THÈSE DE « SOUS L'ŒIL DES BARBARES »

Grave erreur de prêter à ce mot de *barbares* la signification de « philistins » ou de « bourgeois ». Quelques-uns s'y méprirent tout d'abord. Une telle synonymie pourtant est fort opposée à nos préoccupations. Par quelle grossière obsession

19

professionnelle séparerais-je l'humanité en artistes, fabricants d'œuvres d'art et en non-artistes ? Si Philippe se plaint de vivre « sous l'œil des barbares », ce n'est pas qu'il se sente opprimé par des hommes sans culture ou par des négociants ; son chagrin c'est de vivre parmi des êtres qui de la vie possèdent un rêve opposé à celui qu'il s'en compose. Fussent-ils par ailleurs de fins lettrés, ils sont pour lui des étrangers et des adversaires.

Dans le même sens les Grecs ne voyaient que barbares hors de la patrie grecque. Au contact des étrangers, et quel que fût d'ailleurs le degré de civilisation de ceux-ci, ce peuple jaloux de sa propre culture éprouvait un froissement analogue à celui que ressent un jeune homme contraint par la vie à fréquenter des êtres qui ne sont pas de sa patrie psychique.

Ah ! que m'importe la qualité d'âme de qui contredit une sensibilité ! Ces étrangers qui entravent ou dévoient le développement de tel *moi* délicat, hésitant et qui se cherche, ces barbares sous la pression de qui un jeune homme faillira à sa destinée et ne trouvera pas sa joie de vivre, je les hais.

Ainsi, quand on les oppose, prennent leur pleine intelligence ces deux termes *Barbares* et *Moi*. Notre *moi*, c'est la manière dont notre organisme réagit aux excitations du milieu et sous la contradiction des Barbares.

Par une innovation qui, peut-être, ne demeurera pas inféconde, j'ai tenu compte de cette opposition dans l'agencement du livre. *Les concordances* sont le récit des faits tels qu'ils peuvent être relevés *du dehors*, puis, dans une contrepartie, je donne le même fait, tel qu'il est senti *au-dedans*. Ici, la vision que les Barbares se font d'un état de notre âme, là le même état tel que nous en prenons conscience. Et tout le livre, c'est la lutte de Philippe pour se maintenir au milieu des Barbares qui veulent le plier à leur image.

Notre *moi*, en effet, n'est pas immuable ; il nous faut le défendre chaque jour et chaque jour le créer. Voilà la double vérité sur quoi sont bâtis ces ouvrages. Le culte du *moi* n'est pas de s'accepter tout entier. Cette éthique, où nous avons mis notre ardente et notre unique complaisance, réclame de ses servants un constant effort. C'est une culture qui se fait par élaguements et par accroissements : nous avons d'abord à épurer notre *moi* de toutes les parcelles étrangères que la vie continuellement y introduit, et puis à lui ajouter. Quoi donc? Tout ce qui lui est identique, assimilable; parlons net : tout ce qui se colle à lui quand il se livre sans réaction aux forces de son instinct.

« Moi, disait Proudhon, se souvenant de son enfance, c'était tout ce que je pouvais toucher de la main, atteindre du regard et qui m'était bon à quelque chose; non-moi était tout ce qui pouvait nuire ou résister à moi. » Pour tout être passionné qu'emporte son jeune instinct, c'est bien avec cette simplicité que le monde se dessine. Proudhon, petit villageois qui se roulait dans les herbages de Bourgogne, ne jouissait pas plus du soleil et du bon air que nous n'avons joui de Balzac et de Fichte dans nos chambres étroites, ouvertes sur le grand Paris, nous autres jeunes bourgeois pâlis, affamés de tous les bonheurs. Appliquez à l'aspect spirituel des choses ce qu'il dit de l'ordre physique, vous avez l'état de Philippe dans *Sous l'œil des Barbares*. Les Barbares, voilà le non-moi, c'est-à-dire tout ce qui peut nuire ou résister au Moi.

Cette définition, qui s'illuminera dans *l'Homme libre* et *le Jardin de Bérénice*, est bien trouble encore au cours de ce premier volume. C'est que la naissance de notre *moi*, comme toutes les questions d'origine, se dérobe à notre clairvoyance; et le souvenir confus que nous en conservons ne pouvait s'exprimer que dans la forme ambiguë du symbole. Ces premiers chapitres des « Barbares », le *Bonhomme Système*, éducation désolée qu'avant toute expérience nous reçûmes de nos maîtres, *Premières Tendresses*, qui ne sont qu'un baiser sur un miroir, puis *Athéné*, assaillie dans une façon de tour d'ivoire par les Barbares, sont la description sincère des couches profondes de ma sensibilité... Attendez! voici qu'à Milan, devant le sourire du Vinci, le *moi* fait sa haute éducation; voici que les Barbares, vus avec une plus large compréhension, deviennent l'adversaire, celui qui contredit, qui divise. Ce sera *l'Homme libre*, ce sera *Bérénice*. Quant à ce premier volume, je le répète, point de départ et assise de la série, il se limite à décrire l'éveil d'un jeune homme à la vie consciente, au milieu de ses livres d'abord, puis parmi les premières brutalités de Paris.

Je le vérifiai à leurs sympathies, ils sont nombreux ceux de vingt ans qui s'acharnent à conquérir et à protéger leur *moi*, sous toute l'écume dont l'éducation l'a recouvert et qu'y rejette la vie à chaque heure. Je les vis plus nombreux encore quand, non contents de célébrer la sensibilité qu'ils ont d'eux-mêmes, je leur proposai de la cultiver, d'être des « hommes libres », des hommes se possédant en main.

γ. THÈSE D' « UN HOMME LIBRE »

Ce Moi, qui tout à l'heure ne savait même pas s'il pouvait exister, voici qu'il se perfectionne et s'augmente. Ce second volume est le détail des expériences que Philippe institua et de la religion qu'il pratiqua pour se conformer à la loi qu'il se posait d'être ardent et clairvoyant.

Pour parvenir délibérément à l'enthousiasme, je me félicite d'avoir restauré la puissante méthode de Loyola. Ah! que cette mécanique morale, complétée par une bonne connaissance des rapports du physique et du moral (où j'ai suivi Cabanis, quelque autre demain utilisera nos hypnotiseurs), saurait rendre de services à un amateur des mouvements de l'âme! Livre tout de volonté et d'aspect desséché comme un recueil de formules, mais si réellement noble! J'y fortifie d'une méthode réfléchie un dessein que j'avais formé d'instinct, et en même temps je l'élève. A Milan, devant le Vinci, Philippe épure sa conception des Barbares; en Lorraine, sa conception du *moi*.

Ce ne sont pas des hors-d'œuvre, ces chapitres sur la Lorraine que tout d'abord le public accueillit avec indulgence, ni ce double chapitre sur Venise, qui m'est peut-être le plus précieux du volume. Ils décrivent les moments où Philippe se comprit comme un instant d'une chose immortelle. Avec une piété sincère, il retrouvait ses origines et il entrevoyait ses possibilités futures. A interroger son *moi* dans son accord avec des groupes, Philippe en prit le vrai sens. Il l'aperçut comme l'effort de l'instinct pour se réaliser. Il comprit aussi

22

qu'il souffrait de s'agiter, sans tradition dans le passé et tout consacré à une œuvre viagère.

Ainsi, à force de s'étendre, le *moi* va se fondre dans l'Inconscient. Non pas y disparaître, mais s'agrandir des forces inépuisables de l'humanité, de la vie universelle. De là ce troisième volume, *le Jardin de Bérénice,* une théorie de l'amour, où les producteurs français qui tapageaient contre Schopenhauer et ne savaient pas reconnaître en lui l'esprit de notre dix-huitième siècle, pourront varier leurs développements, s'ils distinguent qu'ici l'on a mis Hartmann en action.

δ. THÈSE DU « JARDIN DE BÉRÉNICE »

Mais peut-être n'est-il pas superflu d'indiquer que la logique de l'intrigue est aussi serrée que la succession des idées...

A la fin de *Sous l'œil des Barbares,* Philippe, découragé du contact avec les hommes, aspirait à trouver un ami qui le guidât. Il faut toujours en rabattre de nos rêves : du moins trouva-t-il un camarade qui partagea ses réflexions et ses sensations dans une retraite méthodique et féconde. C'est Simon, ce fameux Simon (de Saint-Germain). Lassé pourtant de cette solitude, de ce dilettantisme contemplatif et de tant d'expériences menues, aux dernières pages d'*Un homme libre,* Philippe est prêt pour l'action. *Le Jardin de Bérénice* raconte une campagne électorale.

Ce que Philippe apprend, et du peuple et de Bérénice qui ne font qu'un, je n'ai pas à le reproduire ici, car je me propose de souligner l'esprit de suite que j'ai mis dans ces trois volumes, mais non pas de suivre leurs développements. Une vive allure et d'élégants raccourcis toujours me plurent trop pour que je les gâte de commentaires superflus. Qu'il me suffise de renvoyer à une phrase des *Barbares,* fort essentielle, quelques-uns qui se troublent, disant : « Bérénice est-elle une petite fille, ou l'âme populaire, ou l'Inconscient ? »

Aux premiers feuillets, leur répondais-je, on voit une jeune femme autour d'un jeune homme. N'est-ce pas plutôt l'histoire d'une âme avec ses deux éléments, féminin et mâle ? Ou encore, à côté du moi *qui se garde, veut se connaître et s'affirmer, la fantaisie, le goût du plaisir, le vagabondage, si vif chez un être jeune et sensible ? Que ne peut-on y voir ? Je sais seulement que mes troubles m'offrirent cette complexité où je ne trouvais alors rien d'obscur. Ce n'est pas ici une enquête logique sur la transformation de la sensibilité ; je restitue sans retouche des visions ou des émotions profondément ressenties. Ainsi, dans le plus touchant des poèmes, dans la* Vita nuova, *la Béatrice est-elle une amoureuse, l'Église ou la Théologie ? Dante, qui ne cherchait point cette confusion, y aboutit, parce qu'à des âmes, aux plus sensitives, le vocabulaire commun devient insuffisant. Il vivait dans une surexcitation nerveuse qu'il nommait, selon les heures, désir de savoir, désir d'aimer, désir sans nom, — et qu'il rendit immortelle par des procédés heureux.*

A-t-on remarqué que la femme est la même à travers ces trois volumes, accommodée simplement au milieu ? L'ombre élégante et très raisonneuse des premiers chapitres des *Barbares*, c'est déjà celle qui sera Bérénice ; elle est vraiment désignée avec exactitude au chapitre *Aventures d'amour*, dans *l'Homme libre*, quand Philippe l'appelle l'« Objet ». Voilà bien le nom qui lui convient dans tous ses aspects, au cours de ces trois volumes. Elle est, en effet, objectivée, la part sentimentale qu'il y a dans un jeune homme de ce temps... Et vraiment n'était-il pas temps qu'un conteur accueillît ce principe, admis par tous les analystes et vérifié par chacun de nous jusqu'au plus profond désenchantement, à savoir que l'amour consiste à vêtir la première venue qui s'y prête un peu des qualités que nous recherchons cette saison-là ?

« C'est nous qui créons l'univers », telle est la vérité qui imprègne chaque page de cette petite œuvre. De là leurs conclusions : le *moi* découvre une harmonie universelle à mesure qu'il prend du monde une conscience plus large et plus sincère. Cela se conçoit, il crée conformément à lui-même ; il suffit qu'il existe réellement, qu'il ne soit pas devenu un reflet des Barbares, et dans un univers qui n'est que l'ensemble de ses pensées régnera la belle ordonnance selon laquelle s'adaptent nécessairement les unes aux autres les conceptions d'un cerveau lucide.

Cette harmonie, cette sécurité, c'est la révélation qu'on trouve au *Jardin de Bérénice*, et en vérité y a-t-il contradiction entre cette dernière étape et l'inquiétude du départ *Sous l'œil des Barbares*? Nullement, c'était acheminement. Avant que le *moi* créât l'univers, il lui fallait exister : ses duretés, ses négations, c'était effort pour briser la coquille, pour être.

II. Prétendu scepticisme

Et maintenant au lecteur informé de reviser ce jugement de scepticisme qu'on porta sur notre œuvre.

Nul plus que nous ne fut affirmatif. Parmi tant de contradictions que, à notre entrée dans la vie, nous recueillons, nous, jeunes gens informés de toutes les façons de sentir, je ne voulus rien admettre que je ne l'eusse éprouvé en moi-même. L'opinion publique flétrit à bon droit l'hypocrisie. Celle-ci pourtant n'est qu'une concession à l'opinion elle-même, et parfois, quand elle est l'habileté d'un Spinoza ou d'un Renan sacrifiant pour leur sécurité aux dieux de l'empire, bien qu'elle demeure une défaillance du caractère, elle devient excusable pour les qualités de clairvoyance qui la décidèrent. Mais de ce point de vue intellectuel même, comment excuser des déguisés sans le savoir, qui marchent vêtus de façons de sentir qui ne furent jamais les leurs? Ils introduisent le plus grand désordre dans l'humanité; ils contredisent l'inconscient, en se dérobant à jouer le personnage pour lequel de toute éternité ils furent façonnés.

Écœuré de cette mascarade et de ces mélanges impurs, nous avons eu la passion d'être sincère et conforme à nos instincts. Nous servons en sectaire la part essentielle de nous-même qui compose notre *moi*, nous haïssons ces étrangers, ces Barbares, qui l'eussent corrodé. Et cet acte de foi, dont reçurent la formule, par mes soins, tant de lèvres qui ne savaient plus que railler, il me vaudrait qu'on me dît sceptique! J'entrevois une confusion. Des lecteurs superficiels se seront mépris sur l'ironie, procédé littéraire qui nous est familier.

26

Vraiment je ne l'employai qu'envers ceux qui vivent, comme dans un mardi gras perpétuel, sous des formules louées chez le costumier à la mode. Leurs convictions, tous leurs sentiments, ce sont manteaux de cour qui pendent avilis et flasques, non pas sur des reins maladroits, sur des mollets de bureaucrates, mais, disgrâce plus grave, sur des âmes indignes. Combien en ai-je vu de ces nobles postures qui très certainement n'étaient pas héréditaires !... Ah ! laissez-m'en sourire, tout au moins une fois par semaine, car tel est notre manque d'héroïsme que nous voulons bien nous accommoder des conventions de la vie de société et même accepter l'étrange dictionnaire où vous avez défini, selon votre intérêt, le juste et l'injuste, les devoirs et les mérites ; mais un sourire, c'est le geste qu'il nous faut pour avaler tant de crapauds. Soldats, magistrats, moralistes, éducateurs, pour distraire les simples de l'épouvante où vous les mettez, laissez qu'on leur démasque sous vos durs raisonnements l'imbécillité de la plupart d'entre vous et le remords du surplus. Si nous sommes impuissants à dégager notre vie du courant qui nous emporte avec vous, n'attendez pourtant pas, détestables compagnons, que nous prenions au sérieux ces devoirs que vous affichez et ces mille sentiments qui ne vous ont pas coûté une larme.

Ai-je eu en revanche la moindre ironie pour Athéné dans son Sérapis, pour ma tendre Bérénice humiliée, pour les pauvres animaux ? Nul ne peut me reprocher le rire de Gundry sur le passage de Jésus portant sa croix, ce rire qui nous glace dans *Parsifal*. Seulement, à Gundry non plus je ne jetterai pas la réprobation, parce que, si nerveuse, elle-même est bien faite pour souffrir. Toujours je fus l'ami de ceux qui étaient misérables en quelque chose, et si je n'ai pas l'espoir d'aller jusqu'aux pauvres et aux déshérités, je crois que je plairai à tous ceux qui se trouvent dans un état fâcheux au milieu de l'ordre du monde, à tous ceux qui se sentent faibles devant la vie.

Je leur dis, et d'un ton fort assuré :

« Il n'y a qu'une chose que nous connaissons et qui existe réellement parmi toutes les fausses religions qu'on te propose, parmi tous ces cris du cœur avec lesquels on prétend te rebâtir l'idée de patrie, te communiquer le souci social et t'indiquer une direction morale. Cette seule réalité tangible, c'est le Moi, et l'univers n'est qu'une fresque qu'il fait belle ou laide.

» Attachons-nous à notre *moi*, protégeons-le contre les étrangers, contre les Barbares.

» Mais ce n'est pas assez qu'il existe; comme il est vivant, il faut le cultiver, agir sur lui mécaniquement (étude, curiosité, voyages).

» S'il a faim encore, donne-lui l'action (recherche de la gloire, politique, industrie, finances).

» Et s'il sent trop de sécheresse, rentre dans l'instinct, aime les humbles, les misérables, ceux qui font effort pour croître. Au soleil incliné d'automne qui nous fait sentir l'isolement aux bras même de notre maîtresse, courons contempler les beaux yeux des phoques et nous désoler de la mystérieuse angoisse que témoignent dans leur vasque ces bêtes au cœur si doux, les frères des chiens et les nôtres. »

Un tel repliement sur soi-même est desséchant, m'a-t-on dit. Nul d'entre vous, mes chers amis, qui ne sourie de cette objection, s'il se conforme à la méthode que j'expose. Ce que l'on dit de l'homme de génie, qu'il s'améliore par son œuvre, est également vrai de tout analyste du *moi*. C'est de manquer d'énergie et de ne savoir où s'intéresser que souffre le jeune homme moderne, si prodigieusement renseigné sur toutes les façons de sentir. Eh bien! qu'il apprenne à se connaître, il distinguera où sont ses curiosités sincères, la direction de son instinct, sa vérité. Au sortir de cette étude obstinée de son *moi*, à laquelle il ne retournera pas plus qu'on ne retourne à sa vingtième année, je vois vous une admirable force de sentir, plus d'énergie, de la jeunesse enfin et moins de puissance de souffrir. Incomparables bénéfices! Il les doit à la science du mécanisme de son *moi* qui lui permet de varier à sa volonté le jeu, assez restreint d'ailleurs, qui compose la vie d'un Occidental sensible.

J'entends que l'on va me parler de solidarité. Le premier point c'était d'exister. Que si maintenant vous vous sentez libres des Barbares et véritablement possesseurs de votre âme, regardez l'humanité et cherchez une voie commune où vous harmoniser.

Prenez d'ailleurs le *moi* pour un terrain d'attente sur

lequel vous devez vous tenir jusqu'à ce qu'une personne énergique vous ait reconstruit une religion. Sur ce terrain à bâtir, nous camperons, non pas tels qu'on puisse nous qualifier de religieux, car aucun doctrinaire n'a su nous proposer d'argument valable, sceptiques non plus, puisque nous avons conscience d'un problème sérieux, mais tout à la fois religieux et sceptiques.

En effet, nous serions enchanté que quelqu'un survînt qui nous fournît des convictions... Et, d'autre part, nous ne méprisons pas le scepticisme, nous ne dédaignons pas l'ironie... Pour les personnes d'une vie intérieure un peu intense, qui parfois sont tentées d'accueillir des solutions mal vérifiées, le sens de l'ironie est une forte garantie de liberté.

*

Au terme de cet examen, où j'ai resserré l'idée qui anime ces petits traités, mais d'une main si dure qu'ils m'en paraissent maintenant tout froissés, je crains que le ton démonstratif de ce commentaire ne donne le change sur nos préoccupations d'art. En vérité, si notre œuvre n'avait que l'intérêt précis que nous expliquons ici et n'y joignait pas des qualités moins saisissables, plus nuageuses et qui ouvrent le rêve, je me tiendrais pour malheureux. Mais ces livres sont de telle naissance qu'on y peut trouver plusieurs sens. Une besogne purement didactique et toute de clarté n'a rien pour nous tenter. S'il m'y fallait plier, je rougirais d'ailleurs de me limiter dans une froide théorie parcellaire et voudrais me jouer dans l'abondante érudition du dictionnaire des sciences philosophiques. Aurais-je admis que ma contribution doublât telle page des manuels écrits par des maîtres de conférences sur l'ordinaire de qui j'eusse paru empiéter ? Nul qui s'y méprenne : dans ces volumes-ci, il s'agissait moins de composer une chose logique que de donner en tableaux émouvants une description sincère de certaines façons de sentir. Ne voici pas de la scolastique, mais de la vie.

De même qu'à la salle d'armes nous préférons le jeu utile de l'épée aux finesses du fleuret, de même, si nous aimons la philosophie, c'est pour les services que nous en attendons. Nous lui demandons de prêter de la profondeur aux circonstances diverses de notre existence. Celles-ci, en effet, à elles seules, n'éveillent que le bâillement. Je ne m'intéresse à mes actes que s'ils sont mêlés d'idéologie, en sorte qu'ils prennent devant mon imagination quelque chose de brillant et de passionné. Des pensées pures, des actes sans plus, sont également insuffisants. J'envoyai chacun de mes rêves brouter de la réalité dans le champ illimité du monde, en sorte qu'ils devinssent des bêtes vivantes, non plus d'insaisissables chimères, mais des êtres qui désirent et qui souffrent. Ces idées où du sang circule, je les livre non à mes aînés, non à ceux qui viendront plus tard, mais à plusieurs de mes contemporains. Ce sont des livres et c'est la vie ardente, subtile et clairvoyante où nous sommes quelques-uns à nous plaire.

En suivant ainsi mon instinct, je me conformais à l'esthétique où excellent les Gœthe, les Byron, les Heine qui, préoccupés d'intellectualisme, ne manquent jamais cependant de transformer en matière artistique la chose à démontrer.

Or, si j'y avais réussi en quelque mesure, il m'en faudrait reporter tout l'honneur à l'Italie, où je compris les formes.

Réfléchissant parfois à ce que j'avais le plus aimé au monde, j'ai pensé que ce n'était pas même un homme qui me flatte, pas même une femme qui pleure, mais Venise; et quoique ses canaux me soient malsains, la fièvre que j'y prenais m'était très chère, car elle élargit la clairvoyance au point que ma vie inconsciente la plus profonde et ma vie psychique se mêlaient pour m'être un immense réservoir de jouissance. Et je suivais avec une telle acuité mes sentiments encore les plus confus que j'y lisais l'avenir en train de se former. C'est à Venise que j'ai décidé toute ma vie, c'est de Venise également que je pourrais dater ces ouvrages. Sur cette rive lumineuse, je crois m'être fait une idée assez exacte de ces délires lucides que les anciens éprouvaient aux bords de certains étangs.

Sous l'œil
des Barbares

Voici une courte monographie réaliste. La réalité varie avec chacun de nous puisqu'elle est l'ensemble de nos habitudes de voir, de sentir et de raisonner. Je décris un être jeune et sensible dont la vision de l'univers se transforme fréquemment et qui garde une mémoire fort nette de six ou sept réalités différentes. Tout en soignant la liaison des idées et l'agrément du vocabulaire, je me suis surtout appliqué à copier exactement les tableaux de l'univers que je retrouvais superposés dans une conscience. C'est ici l'histoire des années d'apprentissage d'un *moi*, âme ou esprit.

Un soir de sécheresse, dont j'ai décrit le malaise à la page 131, celui de qui je parle imagina de se plaire parmi ses rêves et ses casuistiques, parmi tous ces systèmes qu'il avait successivement vêtus et rejetés. Il procéda avec méthode, et de frissons en frissons il se retrouva : depuis l'éveil de sa pensée, là-bas dans un de ces lits de dortoir, où pressé par les misères présentes, trop soumis à ses premières lectures, il essayait déjà d'individualiser son humeur indocile et hautaine, jusqu'à cette fièvre de se connaître qui veut ici laisser sa trace.

Dans ce roman de la vie intérieure, la suite des jours avec leur pittoresque et leurs ana ne devait rien laisser qui ne fût transformé en rêve ou émotion, car tout y est annoncé d'une conscience qui se souvient et dans laquelle rien ne demeure qui ne se greffe sur le *moi* pour en devenir une parcelle vivante. C'est aux manuels spéciaux de raconter où jette sa gourme un jeune homme, sa bibliothèque, son installa-

33

tion à Paris, son entrée aux Affaires étrangères et toute son intrigue : nous leur avons emprunté leur langage pour établir les concordances, mais le but précis que je me suis posé, c'est de mettre en valeur les modifications qu'a subies, de ces passes banales, une âme infiniment sensible.

Celui de qui je décris les apprentissages évoquerait peut-être dans une causerie des visages, des anecdotes de jadis : il les inventerait à mesure. Certaines sensibilités toujours en émoi vibrent si violemment que la poussière extérieure glisse sur elles sans les pénétrer.

J'ai repoussé ce badinage, que par fausse honte ou pour qu'on admire l'apaisement de notre maturité nous affectons souvent au sujet de « nos illusions de jeunesse »; mais je me défiai aussi de prêter l'âcreté, où il atteignit sur la fin, à ma description de ses premières années, si belles de confiance, de tendresse, d'héroïsme sentimental.

Chaque vision qu'il eut de l'univers, avec les images intermédiaires et son atmosphère, se résumant en un épisode caractéristique;

les scènes premières, vagues et un peu abstraites pour respecter l'effacement du souvenir et parce qu'elles sont d'une minorité défiante et qui poussa tout au rêve;

de petits traits choisis, plus abondants à mesure qu'on approche de l'instant où nous écrivons;

enfin dans une soirée minutieuse, cet analyste s'abandonnant à la bohème de son esprit et de son cœur :

Voilà ce qu'il aurait fallu pour que ce livre reproduisît exactement les cinq années d'apprentissage de ce jeune homme, telles qu'elles lui apparaissent à lui-même depuis cette page 131 et dernière où nous le surprenons exigeant et lassé qui contemple le tableau de sa vie.

Voilà ce que je projetais, le curieux livret métaphysique, précis et succinct, que j'aurais fait prendre en amitié par quelques dandies misanthropes, rêvant dans un jour d'hiver derrière des vitres grésillées.

Du moins ai-je décrit sans malice d'art, en bonne lumière et sobrement. Je me suis décidé à manquer d'éloquence littéraire; je n'avais pas l'onction ni l'autorité des ecclésiastiques qui parlèrent en termes fortifiants des humiliations de la conscience. Annaliste d'une éducation, je fis le tour de mon sujet en poussant devant moi des mots amoraux en des phrases conciliantes. C'est ici une façon assez rare de catalogue sentimental.

Mais pourquoi si lents et si froids, les petits traits d'analyse ? Pourquoi les mots, cette précision grossière et qui maltraite nos complications ?

Au premier feuillet, on voit une jeune femme autour d'un jeune homme. N'est-ce pas plutôt l'histoire d'une âme avec ses deux éléments, féminin et mâle ? ou encore, à côté du *moi* qui se garde, veut se connaître et s'affirmer, la fantaisie, le goût du plaisir, le vagabondage, si vif chez un être jeune et sensible ? Que ne peut-on y voir ? Je sais seulement que mes troubles m'offrirent cette complexité où je ne trouvais alors rien d'obscur. Ce n'est pas ici une enquête logique sur la transformation de la sensibilité ; je restitue sans retouche des visions ou émotions, profondément ressenties. Ainsi, dans le plus touchant des poèmes, dans la *Vita nuova*, la Béatrice est-elle une amoureuse, l'Église ou la Théologie ? Dante qui ne cherchait point cette confusion y aboutit, parce qu'à des âmes, aux plus sensitives, le vocabulaire commun devient insuffisant. Il vivait dans une excitation nerveuse qu'il nommait, selon les heures, désir de savoir, désir d'aimer, désir sans nom — et qu'il rendit immortelle par des procédés heureux.

Avec sa sécheresse, cette monographie, écrite malgré tout à deux pas de l'*Éden* où je flânai tant de soirs, est aussi une partie d'*un livre de mémoires*.

On pourra juger que ma probité de copiste va parfois jusqu'à la candeur. J'avoue que de simples femmes, agréables et gaies, mais soumises à la vision coutumière de l'univers qu'elles relèvent d'une ironie facile, me firent plus d'un soir renier à part moi mes poupées de derrière la tête. Mais quoi ! de la fatigue, une déception, de la musique, et je revenais à mes nuances.

Saint Bonaventure, avec un grand sens littéraire, écrit qu'il faut lire en aimant. Ceux qui feuillettent ce bréviaire d'égotisme y trouveront moins à railler la sensibilité de l'auteur s'ils veulent bien réfléchir sur eux-mêmes. Car chacun de nous, quel qu'il soit, se fait sa légende. Nous servons notre âme comme notre idole; les idées assimilées, les hommes pénétrés, toutes nos expériences nous servent à l'embellir et à nous tromper. C'est en écoutant les légendes des autres que nous commençons à limiter notre âme; nous soupçonnons qu'elle n'occupe pas la place que nous croyons dans l'univers.

Dans ses pires surexcitations, celui que je peins gardait quelque lueur de ne s'émouvoir que d'une fiction. Hors cette fiction, trop souvent sans douceur, rien ne lui était. Ainsi le voulut une sensibilité très jeune unie à une intelligence assez mûre.

Désireux de respecter cette tenue en partie double de son imagination, j'ai rédigé des *concordances*, où je marque la clairvoyance qu'il conservait sur soi-même dans ses troubles les plus indociles. J'y ai joint les besognes que, pendant ses crises sentimentales, il menait dans le monde extérieur. Je souhaite avoir complété ainsi l'atmosphère où ce Moi se développait sans s'apaiser et qu'on ne trouve pas de lacunes entre ces diverses heures vraiment siennes, heures du soir le plus souvent, où, après des semaines de vision banale, soudain réveillé à la vie personnelle par quelque froissement, il ramassait la chaîne de ses émotions et disait à son passé, renié parfois aux instants gais et de bonne santé : « Petit garçon, si timide, tu n'avais pas tort. »

Avec ses livres

A Stanislas de Guaïta.

Concordance.

Il naquit dans l'est de la France et dans un milieu où il n'y avait rien de méridional. Quand il eut dix ans, on le mit au collège où, dans une grande misère physique (sommeils écourtés, froids et humidité des récréations, nourriture grossière), il dut vivre parmi les enfants de son âge, fâcheux milieu, car à dix ans ce sont précisément les futurs goujats qui dominent par leur hâblerie et leur vigueur, mais celui qui sera plus tard un galant homme ou un esprit fin, à dix ans est encore dans les brouillards.

Il fut initié au rudiment par M.F., le professeur le plus fort qu'on pût voir : d'une seule main ce pédagogue arrachait l'oreille d'un élève qui de plus en devenait ridicule.

Comme son tour d'esprit portait notre sujet à généraliser, il commença dès lors à ne penser des hommes rien de bon.

Étant mal nourri, par manque de globules sanguins il devint timide, et son agitation faite d'orgueil et de malaise déplut.

Bientôt, pour relever ses humiliations quotidiennes, il eut des lectures qui lui donnèrent sur les choses des certitudes hâtives et pleines d'âcreté.

Le roi Rhamsès II est blâmé par les conservateurs du Louvre, ayant usurpé un sphinx sur ses prédécesseurs. Le jeune homme de qui je parle inscrivit de même son nom sur des troupes de sphinx qui légitimement appartenaient à des littérateurs français. Il s'enorgueillit d'étranges douleurs qu'il n'avait pas inventées.

On serait tenté de croire qu'il se donna, comme tous les jeunes esprits curieux, aux poésies de Heine, au Thomas Graindorge de Taine, à la Tentation de saint Antoine, aux Fleurs du mal; il lut cela en effet et bien d'autres littératures, des pires et des

meilleures, mais surtout dans « les bibliothèques de quartier »
du lycée, il se passionnait pour les doctrines audacieuses qui sont
mieux exposées que réfutées par la lignée classique qui va du
charmant Jouffroy à M. Caro. Là est le grand secret de l'éduca-
tion d'un jeune homme ; il s'attache aux auteurs qu'on prétendait
ne lui faire connaître que pour les accabler à ses yeux. A dix-
huit ans, il était gorgé des plus audacieux paradoxes de la
pensée humaine ; il en eût mal développé l'armature, c'est
possible, mais il s'en faisait de la substance sentimentale. Et
le tout aboutit aux visions suivantes auxquelles on a gardé
leur dessin de songe augmenté peut-être par le recul.

Départ inquiet

Il rencontra le bonhomme Système sur la bourrique Pessimisme.

Le jeune homme et la toute jeune femme dont l'heureuse parure et les charmes embaument cette aurore fleurie, la main dans la main s'acheminent et le soleil les conduit.

— Prenez garde, ami, n'êtes-vous pas sur le point de vous ennuyer ?

Sur ses lèvres, son âme exquise souriait au jeune homme, et les jonquilles s'inclinaient à son souffle léger.

— N'espérons plus, dit-il avec lassitude, que ma pâleur soit la caresse livide du petit jour ; je me trouble de ce départ. Jadis, en d'autres poitrines, mon cœur épuisa cette énergie dont le suprême parfum, qui m'enfièvre vers des buts inconnus, s'évapora dans la brume de ces sentiers incertains.

De ses doigts blancs, sur la tige verte d'un nénuphar, la jeune fille saisit une libellule dont l'émail vibre, et, jetant vers le soleil l'insecte qui miroite et se brise de caprice en caprice, ingénument elle souriait. — Mais lui contemple sa pensée qui frissonne en son âme chagrine. — Elle reprit avec honnêteté :

— Pourquoi vous isoler de l'univers ? Les nuages, les fleurs sous la rosée et parfois mes chansons, ne voulez-vous pas connaître leur douceur ?

— Ah ! près des maîtres qui concentrent la sagesse des derniers soirs, que ne puis-je apprendre la certitude ! Et que mon rêve matinal possède ce qu'il soupire !

— Qu'importe, reprit-elle, plus tendre et se penchant sur lui, votre sagesse n'est-elle pas en vous ? Et si je vous suis

41

affectionnée tel que vous m'apparaissez, ne vous plaît-il pas de persister?

Il décroisa les mains de la jeune fille, et foulant aux pieds les fleurs heureuses, il errait parmi la frivolité des libellules.

Cependant elle le suivait de loin, délicate et de hanches merveilleuses.

*

Sur l'herbe, au long d'une rivière jonchée de palmes, de palmipèdes et d'enfants troussés et vifs, près de sa maison solitaire où fraîchit la brise dans les stores, le maître, adossé à un osier mort, contemple la fuite de l'eau sous la tristesse des saules. Son lourd vêtement, sa face blême aux larges paupières, son attitude professorale et retranchée, en aucun lieu ne trouveraient leur atmosphère.

Le jeune homme s'arrête, et son cœur battait d'approcher la vérité.

Le miroir bleuâtre frissonna du plongeon des canards huppés de vert, aux becs jaunes et claquant; parmi la lumière éclatante jaillissait le rythme lourd des lavandières. Lentement et sans découvrir ses yeux, le maître lui parla :

— Contempler distrait de vivre. Chaque matin, je viens ici; 200 mètres bornent mon activité. Combien d'esprits naissent au bout du chemin; et leur sentier était terminé qu'ils marchaient encore en lisière.

Les canards balancés, les gamins avec des gestes, cancanaient sur la grève.

— Monsieur, reprit-il avec solennité, des jeunes hommes pour l'ordinaire m'entourent, qui se font habiller à Londres par des tailleurs dont ils parlent la langue. Ils suivent mes promenades où me porte un ânon qui m'économise une perte de chaleur préjudiciable à l'activité cérébrale. Voulez-vous m'accompagner aujourd'hui?

Parmi les fleurs, au pâturage, une bourrique sellée se leva, et cependant que de ses longs yeux, doucement voilés de cils, elle inspectait le jeune homme ému, sa plainte serpentait vers les cieux. « Une belle ânesse d'outre-Rhin, et, pour son moral, je vous le garantis. » C'est en ces termes qu'un vétérinaire lui proposa cette acquisition. Un moral garanti!

Jadis on dut beaucoup te battre. Que ne peux-tu entendre le maître, tandis qu'il détaille tes qualités et ton humour, juché sur ton dos et te caressant le gras du col, toi si modeste sous ta selle neuve, le poil aimable, les oreilles droites et circonspectes! Des gens courbés sur leurs champs se redressent; ils abritent leurs yeux de la main, et les plus ordinaires ricanent. Cependant le maître murmure :

— « Tout est là; répandre les fleurs préférées sous les quarante ans de vie moyenne qu'à notre majorité nous entreprîmes. Satisfaisons nos appétits, de quelque nom que les glorifie ou les invective le vulgaire. Je vous le dirai en confidence, mon ami, je n'aime plus guère à cette heure que les viandes grillées vivement cuites et les déclamations un peu courtes. Heureux le monde, s'il ne savait de passions plus envahissantes!... Un homme d'esprit se fait toujours quelque satisfaction, fût-ce à être très malheureux. La réflexion est une bonne gymnastique, de celles qui lassent le plus tard. Tâter le pouls à nos émotions, c'est un digne et suffisant emploi de la vie; du moins faut-il que rien de l'extérieur ne vienne troubler cet apaisement : *Ayez de l'argent et soyez considéré.* »

La chaleur frémissait, monotone, dans le ciel bleu ; par la prairie rousse le jeune homme au cœur bondissant voyait à la parole de son maître vaciller l'horizon connu; et des fleurs que lui donna la jeune fille, il chassait les mouches avides de cette frissonnante bourrique.

Vous fûtes sage, bourrique, à cette heure. Un fossé vous présentait son herbe drue et son eau éclatante que fendillent les genêts. Vous arrêtâtes leurs discours et votre marche; vous saviez les habitudes, la halte ombreuse, le pain tiré de la poche et qu'on se partage. Des paroles, mêmes excellentes, ne troublaient point votre judiciaire, et les yeux discrètement fermés, avec la longue figure d'un contemplateur qui dédaigne jusqu'aux méditations, vous demeuriez entre eux deux, remâchant votre goûter, et vos longues oreilles d'argent dressées comme une symbolique bannière par-dessus leurs têtes inquiètes, cependant que votre maître et le mien reprenait son enseignement :

« Je n'insisterai pas sur ces menus principes d'une enfantine simplicité et très vieux. Vous voilà installé dans l'argent et la considération; vous estimez honteux et le trait d'un barbare de brider votre naturel, hormis parfois par raffinement; vous assouvissez vos appétits, vos vices et vos vertus les plus exaspérés, et le dernier de vos caprices se détache de son objet comme la sangsue des chairs qui la gorgent et qui la tuent; alors, si vous ne gisez point dans la voiture des ramollis ou le cabanon des fous, alors, mon excellent ami, comme s'exhale des roses un parfum, un suffisant dégoût des hommes et des femmes en vous se lèvera.

» Des hommes d'abord, car près d'eux votre expérience s'instruisit de plus loin : vous eûtes leur sottise pour compagne, alors que vous grandissiez sous la brutalité des camarades et l'imbécillité des maîtres; vous méprisâtes de suite la grossièreté de leur fantaisie et la lourdeur de leurs ébats; vous répugniez à leurs plaisirs et au serrement de leurs mains gluantes; mais le hasard élut quelques-uns vos amis. — Hélas! outre qu'un si bel ouvrage, chacun tirant à soi, se déchire toujours par quelque endroit, dans une vie amie que puiser, sinon les petitesses et les tracas qui dominent au fond de tous? Certes, il est quelque agrément à consoler et confesser autrui : à s'épancher après que l'on a bu. Mais pour ces fins régals d'analyste, faut-il tant d'appareil! Et le premier venu, cette bourrique, ne seraient-ils pas de suffisants prétextes à déguster l'expansion, cette tisane du noctambule?

» Ce qui est doux, mystérieux et regrettable dans l'appétit d'amitié, c'est les premiers moments qu'elle s'éveille, alors que les parties se connaissent peu et se prisent fort, qu'elles sont encore polies et ne se piquent point de franchise. — Toutefois, considérez ceci : deux chiens se rencontrent; ils s'abordent, se félicitent, s'inspectent, et, quand ils odorent à leur gré, les jeux commencent : aimables indécences, manger qu'on partage et qu'on se vole, toutes les émulations; puis, lassés, ils s'éloignent vers leurs chenils ou des liaisons nouvelles. Je comprends que, parmi les hommes, la société est un peu mêlée pour ce mode de vivre; toutefois, avec du tact et quelque judiciaire, un galant homme saura tirer profit, je pense, de cette facile observation.

» Mais que sert de raisonner, monsieur! Les fades sensibilités, qui soupirent depuis des siècles au fond des consciences humaines, ne se lassent pas sous les arguments que nous leur jetons comme des pierres aux grenouilles crépusculaires coassant dans la campagne. A l'heure où la lune s'allume, où les bêtes féroces jadis assaillaient nos lointains aïeux, où naguère s'embuscadaient nos pères paraphant des alliances dans la chair des assassinés, à cette heure étoilée qui frissonne du gémissement des fiévreux et du perpétuel soupir des amantes, une langueur nous pénètre, un effroi de la solitude, une élévation mystique et des désirs assez vifs, — et s'avance pour triompher la femme.

» Celle-là nous tient plus longtemps que l'homme. Moins franchement personnelle, plus reposante, elle satisfait mieux notre égoisme. Et puis, très jeunes parlent les sens. Cela ne dure guère. Les sports, quels qu'ils soient, ne proposent aux intellectuels que l'occupation d'une heure oisive, qu'un spécifique aux bâillements et aux nourritures échauffantes. Mais la reposante bêtise, l'esprit tout extérieur (la finesse d'un sourire attirant, la douceur d'une voix inutile et qui caresse, l'alanguissement souple et tiède d'un corps qui se confie), c'est ce qu'ignore le jeune mâle et que ne peut oublier l'honnête homme affiné et fatigué.

» Hélas! quand il atteint cette maturité de savoir choisir ses baisers, elles sont parties les petites jeunes et fraîches, dont le caprice est délicieux, car, à la naïveté et à toute la virginité de cœur des amours pures, elles joignent des sciences et des coquetteries dont la complaisance enchante l'homme sain, le sage. Roses écloses du matin (préférables au bouton orgueilleux et intact, comme à la fleur parfumée d'essence, soutenue d'acier et malgré tout découragée), les jeunes amantes ont de l'appétit, une âme amusante à fleur de peau, une pâleur qui leur donne un caractère de passion; et leur corps est frais. Étant gourmandes de sottises, elles s'attachent à la jeunesse. Quelque Méridional bientôt les entraînera, ravies et bondissantes, vers des locaux tumultueux. — Très vite l'homme chauve se lasse à des caprices changeants, à cause des réveils trop froids et des soirées déçues, à cause aussi de la cuisine d'amour à jamais humiliante et pareille, à cause des nuques percées de la lance et des jambes qui cotonnent. Nu d'amour et d'amitié, il s'enfoncera plus avant dans la vie intellectuelle.

» Très sec, opulent et considéré, il connaît alors la douceur de tendre son esprit vers la froide science qui grise et de contracter d'égoïstes jouissances son cœur et sa cervelle. Heures exquises et rapides où, fort bien installé, l'on rêve de Baruch de Spinoza qui, lassé de méditation, sourit aux araignées dévorant des mouches, et ne dédaigne pas d'aider à la nécessité de souffrir — où l'on assiste Hypathie, la servante de Platon et d'Homère, très vieille et très pédante, — où l'on s'attendrit jusqu'aux pleurs et sur soi-même devant l'immortel trésor des bibliothèques.

» Peu à peu, jour sombre, on se l'avoue : tout est dit, redit : aucune idée qu'il ne soit honteux d'exprimer. En sorte que cette constatation même n'est qu'un lieu commun et cet enseignement une vieillerie surannée, et que rien ne vaut que par la forme du dire.

» Et cette forme, si belle que les plus parfaits des véritables dandies ont frissonné, jusqu'à la névrosthénie, de l'amour des phrases, cette forme qui consolerait de vivre, qui sait des alanguissements comme des caresses pour les douleurs, des chuchotements et des nostalgies pour les tendresses et des sursauts d'hosannah pour nos triomphes rares, cette beauté du verbe, plastique et idéale et dont il est délicieux de se tourmenter, — on l'explique, on la démonte ; elle se fait d'épithètes, de cadences que les sots apprennent presque, dont ils jonglent et qu'ils avilissent ; et tout cela écœure à la longue, comme une liqueur trop douce, comme la comédie d'amitié, comme encore les baisers que probablement vous désirez... »

(Une émotion ridicule tenait à la gorge le pauvre homme, et son compagnon connut l'orgueil d'être amer.)

Il se tut. La brume tombait avec sa fraîcheur. Ils se levèrent ; et tirant rudement la bourrique qui sommeillait, il cria, son bras tendu vers l'inconnu :

« Qu'importe ! ceux-là ont souffert que je raconte, mais ils firent chanter à leur indépendance les chansons qu'ils préféraient ; à toute heure ils pouvaient s'isoler dans leur orgueil ou dans le néant : leur vie fut telle qu'ils daignèrent. Et je ne crois pas qu'un homme raisonnable hésite jamais à mener les mêmes expériences. »

Dans l'ombre plus épaisse ils se hâtaient en silence. Lui flattait le garrot de la bourrique et même, s'étant penché, il l'embrassa. La bête approuvait de ses longues oreilles amicales et tous trois ils marchaient sous la lune apaisante.

La vieille domestique (admirable de bon sens, tout à fait dans la tradition), debout sur le chemin, guettait le retour de son maître; elle dit simplement : « Vous n'êtes guère raisonnables, messieurs », mais l'inquiétude faisait trembler sa voix. Et peu après, ils l'entendirent injurier la bourrique : « Bête d'Allemagne, sac à tristesse! », et des jurons, je crois. Le maître s'interrompit pour sourire, il haussa légèrement les épaules, en levant le bras. Non, vraiment, vieille judicieuse, ces messieurs n'étaient guère raisonnables.

Et soulevant ses paupières, il regarda le jeune homme qui s'était laissé glisser à terre. Peut-être tant de lassitude l'effraya; peut-être dans ces yeux vit-il l'aube des jours nouveaux! Il lui frappa l'épaule à petits coups : « Qui sait! — cela du moins nous fit passer une journée. — D'ailleurs, nos idées influent-elles sur nos actes? — Et quand nous savons si peu connaître nos actes, pouvons-nous apprécier nos idées? — Attachons-nous à l'unique réalité, au *moi*. — Et *moi*, alors que j'aurais tort et qu'il serait quelqu'un capable de guérir tous mes mépris, pourquoi l'accueillerai-je? J'en sais qui aiment leurs tortures et leur deuil, qui n'ont que faire des charités de leurs frères et de la paix des religions; leur orgueil se réjouit de reconnaître un monde sans couleurs, sans parfums, sans formes dans les idoles du vulgaire, de repousser comme vaines toutes les dilections qui séduisent les enthousiastes et les faibles; car ils ont la magnificence de leur âme, ce vaste charnier de l'univers. »

C'était une belle attitude, dans le couchant du premier jour de cet adolescent, qu'un homme chauve et très renseigné, d'une voix grandie, lui attestant par la poussière des traditions la détresse d'être, et reniant le passé et l'avenir et la Chimère elle-même, à cause de ses ailes décevantes. — Le jeune homme entrevit les luttes, les hauts et les bas qui vacillent, le troupeau des inconséquences; une grande fatigue l'affaissait au départ, devant la prairie des foules. Et son âme demeura parmi tant de débris, solitaire au fossé de son premier chemin.

*

Quand la jeune fille lui apparut-elle? Dans sa chevelure fleurissait toute une claire journée de prairie; la tendresse de la lune nimbait l'éclat de ses charmes; ses paroles sonnaient comme une eau fraîche sur un front brûlant.

— Pourquoi daignez-vous, mon ami, ternir vos yeux des idées qui planent et qui s'en vont? Nous autres dames, nous allons plus vite et plus loin que vous; où vous raisonnez, nous pénétrons d'un trait de notre cœur, nous pensons si fin que des nuances familières à nos âmes échappent à vos formules, peut-être même à nos soupirs.

— Ah! dit-il, l'interrompant et le cœur ému, est-ce que vous existez donc, vous, mon *amie!* et il sanglotait sur le sable.

— Cela dépend, reprit l'enfant avec tranquillité, mais tout d'abord, puisque vous avez pénétré les apparences et les convenances, courez les oublier avec nous qui savons être ignorantes. Nous respectons des voiles légers, qui n'entravent guère nos caprices; nous négligeons le triomphe ingénu de supprimer des ombres. Que des âmes un peu épaisses se débattent avec le reflet de leur vulgarité; vivons des enchantements qui n'existent pas. Viens nous enivrer parmi des fleurs inconnues; dans mes bras te sourient des songes. Et s'il était vrai que toutes choses eussent perdu leur réalité pour ta clairvoyance, garde-toi de renoncer ou d'instituer en ton rêve le mal et la laideur, mais daigne désirer, pour qu'elles naissent, les choses belles et les choses bonnes.

— Quoi, dit-il, relevant son visage lassé, aspirer à quelque but! n'est-ce pas oublier la sagesse?

— Assez conté de bêtises, aujourd'hui! fit-elle ingénument en se pendant au cou du jeune homme; tu n'auras rien perdu si je t'apprends à sourire. Pour tes désirs, mon cher enfant, nous y veillerons plus tard, et puisqu'il faut absolument à ta faiblesse un maître, daigne te guider désormais sur mon inaltérable futilité.

Et la main dans la main, le jeune homme et la jeune femme s'acheminent vers l'horizon fuyant des montagnes bleues, sous un ciel sombre constellé de pétales de roses.

CHAPITRE DEUXIÈME

Concordance.

Par luxure assurément et par désir de paraître, il fit le geste de l'amour quelquefois ; autant que leurs sourires et son hygiène s'y prêtaient.

Ces personnes à défaut d'urbanité de cœur n'offraient pas même ces lenteurs de la politesse qui seules adoucissent les séparations.

Fréquemment donc il se chagrina.

Et les soirs suivants, jusqu'à l'aube, s'échauffant l'imagination, il ennoblissait son aventure de symbolismes vagues et pénétrants, en sorte qu'elle devint digne de son désir de se désoler et de la niaiserie inévitable de son âge.

Tendresse

*Combien je t'aurais aimé si je ne savais
qu'il n'y a qu'un Dieu.*

L'Aréopagite.

C'est un baiser sur un miroir.

Au soir, une douce tiédeur emplit l'air violet où se turent enfin les oiseaux ; et parmi les saules, au bord des étangs, le jeune homme et la jeune femme s'illuminaient du soleil alangui sur l'horizon.

Elle avait de longs cils, des cheveux dénoués, des draperies flottantes et tous les charmes qui attirent les caresses. Et cependant que de sa baguette, à coups légers, elle soulevait en perles l'eau dormante, son fin visage à demi tourné souriait au jeune homme. Et lui, couché parmi les rares fleurs, il suivait avec nonchalance le reflet de son image balancée sur les étangs.

Alors, sans crainte de froisser les petites branches de lavande, elle s'agenouilla devant lui et le baisa doucement au front pour murmurer :

— Est-ce moi, mon ami, ou sont-ce vos pensées que vous voulez accueillir à cette heure ? Daignez comprendre ce qui me plaît parmi ces saules. Voulez-vous donc que je rougisse ?

Mais elle s'interrompit de sourire, inquiète de ce jeune homme si las, devinant peut-être qu'il contemplait là-bas, plus loin que tout désir, le temple de la Sagesse éternelle

51

vers qui les plus nobles s'exaltent. Elle posa sa main délicate sur les yeux du jeune homme.

— Ah! dit-elle, ne sais-tu pas que je suis faite pour qu'on m'aime? Et pourquoi faut-il donc que tu m'écartes, pourquoi te peiner de mon sourire? J'ai toujours vu que les hommes s'y complaisaient.

Mais lui répondit à cette amoureuse, avec une légère fatigue :

— Ne connais-tu pas aussi ceux-là qui dédaignent vos frissons et n'ont pas souci de vos petites prunelles sous leurs paupières lourdes?

Et comme elle ne répondait point et qu'il craignait toute tristesse, il leva les yeux de sa vague image balancée sur l'eau, pour regarder la jeune femme. Debout dans la lucidité de ce soir or et rose — un oiseau comme une flèche dans le ciel entrait, — d'un geste pur, elle entrouvrit son manteau et révéla son corps dont la ligne était franche, la chair jeune et mate. Sa nudité eût assailli tout autre; ses fortes hanches de vierge exaltaient sur sa taille une gorge fraîche et rougissante. Mais le jeune homme se souleva pour atteindre les pans de la draperie envolée dans la brise, et, l'ayant avec grâce baisée, la ramena sur les charmes de la jeune femme. Il souriait et il disait :

— J'aime les lentes tristesses, mon amie; passez-moi ce léger travers, comme je vous pardonne vos yeux, votre taille qui fléchirait et toutes ces grâces peut-être inoubliables. Je sais que la petite ligne du sourire des femmes trouble la pensée des sages et, pour nous, la nuance des nuages même. Dans vos prunelles, mon image serait plus agitée qu'au miroir de ces étangs rafraîchis par la brise.

Elle se laissa glisser sur la grève et, cachant contre lui son visage, elle gémissait :

— Ah! tu sais trop de choses avant les initiations. Je pense que tu écoutas ce qui monte du passé, et les morts t'auront mangé le cœur. Veux-tu donc être ma sœur, toi qui pourrais me commander? Mais peut-être t'inquiètes-tu par ignorance. Sache que mon corps est beau et que je défie toutes les femmes.

Et lui souriant de cette révolte ingénue :

— Les femmes, amie! crains plutôt ce désir d'amour

où je me pâme malgré mon âme. Sais-tu si nos baisers satisferaient cette agitation ? Veuille ne pas jouer ainsi de mon repos ; prends garde que ton haleine n'éveille mon cœur que nous ignorons. Mais vois donc que je suis las, las avant l'effort et que j'ai peur... Bercez, calmez mes caprices, amie, et souffrez que je ne m'échappe pas à moi-même.

Hélas ! cette musique plaintive mit une joie qui me gâte sa tendresse aux lèvres si fines et dans les cils très longs de la jeune fille. Son oreille contre la poitrine du jeune homme guettait les battements de ce cœur. Créature charmante, pouvait-elle savoir que c'est au front que bat la vie chez les élus ? Parce que le sein du jeune homme palpitait, elle bondit debout et, frappant ses mains tandis que s'envolaient ses cheveux épars, elle éparpilla dans l'ombre son rire joyeux.

*

Ils atteignirent lentement au sommet de la colline, sous un ciel de lune rougissant. Ce profond paysage d'où affleuraient des branches raides et la plainte monotone des campagnes noyées dans la nuit, fut-il si enchanteur, ou leurs âmes avaient-elles atteint ces équilibres furtifs que parfois réalisent deux illusions entrelacées ; brûlaient-elles de cette ardeur intime qui vaporise toute inquiétude ? Qu'importe le mot de leur fièvre dévorante ! Parmi cette tendresse du soir, sur les gazons onctueux, dans le silence pénétrant et la fraîcheur féconde, la même allégresse, en leurs poitrines allégées d'un même poids, rythmait leurs pensées et leur sang ; et c'est ainsi qu'étendus côte à côte, sans se mouvoir, sans un soupir, yeux perdus dans la nuit d'argent que toujours on regrettera sous la pluie dorée de midi, ils ne furent plus qu'un frissonnement du bonheur impersonnel. — Nuances des musiques très lointaines qui fondez les plus ténues subtilités ! Limites où notre vie qui va s'affaisser déjà ne se connaît plus ! Seules peut-être effleurez-vous la douceur mystique de toutes ces choses oubliées.

Et lui, le premier, murmura : « Ai-je raison de me croire heureux ? »

La jeune femme se souleva, ses seins peut-être haletaient faiblement. Un rais de lune caressait le jeune homme et deux fleurs fanées se penchaient comme des yeux mi-clos sur son visage. Elle n'avait jamais vu tant de noblesse qu'en cette lassitude précoce. A cette minute il semble qu'elle se troubla de cette pâleur et de ces lignes inquiètes. Absente, elle prononça ce mot, si vulgaire : « Que vous êtes joli, mon amour ! »

Alors soudain il eut au cœur une fêlure légère, la première fêlure d'amour, par où s'enfuit le parfum de sa félicité, et se relevant, il froissa les deux fleurs.

— Ah! combien je le prévoyais! vous daignez goûter quelques formes où j'habite, et jamais vous n'atteindrez à m'aimer moi-même, car votre caprice peut-être ne soupçonne même pas sous mes apparences mon âme. Ah! mon incertaine beauté qui n'est qu'un reflet de votre jeunesse! ma parole, ce masque que ne peut rejeter ma pensée! mes incertitudes, où trébuche mon élan! tous ces sentiers que je piétine! tout ce vestiaire, c'est donc vers cela que tu soupirais, pauvre âme ?

Et une rougeur avivait son teint délicat. Pouvait-elle comprendre! Elle attira doucement la tête du jeune homme sur son sein; elle posa sa main un peu tiède sur les yeux de l'adolescent, et doucement elle le berçait; en sorte qu'il cessa de se plaindre comme un enfant qui se réchauffe et qui s'endort... Puis il entrevit peut-être ce temple de la sagesse qui fait la nostalgie des fronts les plus nobles sous les baisers... La jeune femme, ayant cueilli les fleurs qu'il avait brisées, les plaça dans sa chevelure; et ces frêles mortes faisaient la plus touchante parure qu'une amoureuse eût jamais pour se faire aimer. Tel était son charme, et si pur l'ovale de sa figure parmi ses cheveux déroulés et fleuris, si fine la ligne de sa bouche, si subtile la caresse des cils sur ses yeux, que le jeune homme ne sut plus que penser à elle. Mais un malaise, un regret informe de la solitude flottait en son âme tandis qu'ils descendaient vers la vallée. Et comme il était ému il jugea bon de se révéler à son amie.

— Mon âme, disait-il, ces légendes où notre mémoire résume la vie des plus passionnés, ce sentiment qui m'entraîne vers toi, et même l'inexprimable douceur de tes attitudes, toutes ces délicatesses, les plus raffinées que nous puissions connaître, ne sont que frivoles papillons dont use l'Idée pour dépister les poursuites vulgaires. Ma lassitude, qui t'étonna, se complaît à sourire de ces furtives apparences et à tressaillir du frôlement de l'Inconnu. J'aime aspirer vers Celui que je ne connais pas. Il ne me tentera plus le sourire fleuri des sentiers qui s'enfuient, du jour qu'au travers du chemin mon désir aura ramassé son objet. Et puisque mon plaisir est d'aimer uniquement l'irréel, ne puis-je dire, ô mon amie, que je possède l'immuable et l'absolu, moi qui réduisis tout mon être à l'espoir d'une chose qui jamais ne sera.

» Comprends donc mon effroi. Je ne crains pas que tu me domines : obéir, c'est encore la paix; mais peut-être fausseras-tu, à me donner trop de bonheur, le délicat appareil de mon rêve ? Ta beauté est charmante et robuste, épargne mes contemplations. Que j'aie sur tes jeunes seins un tendre oreiller à mes lassitudes, un doux sentiment jamais défleuri, pareil à ces affections déjà anciennes qui sont plus indulgentes peut-être que le miel des débuts et dont la paisible fadeur est touchante comme ces deux fleurs fanées en tes cheveux. Et l'un près de l'autre, souriant à la tristesse, et souriant de notre bonheur même, fugitifs parmi toutes ces choses fugitives, nous saurions nous complaire, sans vulgaire abandon ni raideur, à contempler la théorie des idées qui passent, froides et blanches, et peut-être illusoires aussi, dans le ciel mort de nos désirs; et parmi elles serait l'amour; et si tu veux, mon âme, nous aurons un culte plus spécial et des formules familières pour évoquer les illustres amours, celles de l'histoire et celles, plus douces encore, qu'on imagine; en sorte qu'aimant l'un et l'autre les plus parfaits des impossibles amants, nous croirons nous aimer nous-mêmes. »

La chevelure de la jeune femme, soulevée par le vent, vint baiser la bouche du jeune homme, et cette odeur continuait si harmonieusement sa pensée qu'il se tut, impuissant à saisir ses propres subtilités; et seule la fraîcheur, où soupiraient les fleurs du soir, n'eût pas froissé la délicatesse de son rêve.

L'enfant si belle, n'ayant d'autre guide que la logique de

son cœur, se perdait parmi toutes ces choses; et peut-être s'étonnait-elle, étant jeune et de bonne santé.

Ah! ce sable qui gémissait sous leurs pieds dans la vallée silencieuse, pourra-t-il jamais l'oublier?

Dans cette volupté, un égoïsme presque méchant l'isolait peu à peu; jamais sa solitude ne l'avait fait si seul.

Çà et là, sous les palmes noires, des groupes obscurs s'enlaçaient, et il rougit soudain à songer que peut-être son sentiment n'était pas unique au monde.

Mais la jeune fille l'entraînait; légère parmi ses draperies et ses cheveux indiqués dans le vent, elle courait au bosquet qu'éclairent violemment les chansons et le vin. Sous les arbres très durs, sous des torches noires et rouges vacillantes, dans un cercle de parieurs gesticulants, deux lutteurs s'enlaçaient. D'une beauté choquante, ils roulèrent enfin parmi le tumulte. Alors les fleurs délicates de ses cheveux, elle les jeta contre la poitrine puissante du vainqueur... — Au reproche du jeune homme, elle répondit sans même le regarder, Dieu sait pourquoi : « J'adore la gymnastique. » D'une grâce un peu exagérée, elle n'en était que plus émouvante.

Il s'éloigna, et le souci de paraître indifférent ne lui laissait pas le loisir de souffrir. Puis la douleur brutalement l'assaillit. Comment avait-il osé cette chose irréparable, peut-être briser son bonheur?

D'où lui venait cette énergie à se perdre? — Il fut choqué de passer en arguties les premières minutes d'une angoisse inconnue. — Mais sa douleur est donc une joie, une curiosité pour une partie de lui-même, qu'il se reproche de l'oublier? — En effet, il est fier de devenir une portion d'homme nouveau. — Il se perdait à ces dédoublements. Sa souffrance pleurait et sa tête se vidait à réfléchir. Une tristesse découragée réunit enfin et assouvit les différentes âmes qu'il se sentait. Il comprit qu'il était sali parce qu'il s'était abaissé à penser à autrui.

Balançant ses bras dans la nuit, sans but, il rêva de la douceur d'être deux.

Et penché sur la plaine, il cherchait la jeune fille. Il l'entrevit debout parmi des hommes. Cette pensée lui fut une sensation si complète de sa douleur, qu'il atteignit à cette sorte de joie du fiévreux enfin seul, grelottant sous ses couvertures. Dans l'obscurité, soudain il s'entendit ricaner, et, au bout de quelques minutes, il songea que les morts, ceux-là mêmes qui lui avaient mangé le cœur, comme elle disait, riaient en lui de son angoisse. Ah! maudit soit le mouvement d'orgueil qui lui fit le bonheur impossible! Et toute la montagne, les arbres, les nuages l'enveloppaient, répétant ce mot « Jamais » qui barrera sa vie. — Combien de temps durèrent ces choses ?

Il crut sentir sur ses joues la caresse des cils très longs, et il se leva brusquement, le cou serré. Seules des larmes glissaient sur son visage.

Et je ne sais s'il s'aperçut qu'il gravissait vers le temple de la Sagesse éternelle.

*

Le soleil chassait les langueurs de l'horizon quand le jeune homme releva son front, rafraîchi par l'ombre du temple et le frisson des hymnes.

Ces éternelles sacrifiées, les mères et les amoureuses, et les blêmes enfants un peu morts, de qui les pères escomptèrent la vie pour animer une formule, toutes les victimes des égoïsmes supérieurs, transverbérées de ces flèches glorieuses qui sont les pensées des sages, gisaient sur les parvis du lieu que nous rêvons. — Lui, porteur du signe d'élection, il pénétra dans le Temple.

Là, jamais ne s'exalte la vigueur du soleil, ne s'alanguit l'astre sentimental; une froide clarté stagnante est épandue sur la foule des sages que roule le fleuve des contradictions; et ce flot immémorial effrite les groupes cramponnés à des convictions diverses; il sépare et il joint; il brise ceux-là qui se déchirent pour aider à l'Idéal, il ballotte les plus nobles qui s'abandonnent et sourient, il jette à tous les rivages des systèmes, des éloquences et des crânes fêlés; parfois une certitude, comme une furtive écume sur la vague, apparaît pour disparaître. Toutes ces choses sont l'orgueil de l'humanité; une incomparable harmonie s'en dégage pour les amateurs.

Et sa douleur reconnut en ces ténèbres la brume de son âme : ce tumulte n'était que l'écho grandi de la plainte qui, goutte à goutte, murmurait en son cœur.

Comme des spirales de vapeur qui nous baignent et s'effacent et renaissent, la monotone subtilité de son regret tournoyait en sa tête fiévreuse. Qu'ils sont noirs tes cils sur ton visage mat! Comme ta bouche sourit doucement! Qu'il flotte toujours, le rêve de ton corps et de ta gorge étroite qui me torture! Ah! notre tendresse souillée!

Affaissé dans le couchant de son souvenir, évoquant les senteurs affaiblies de ce sable humide qui criait jadis sous leurs pas, il revécut les nuances de sa tendresse dans la lamentation séculaire des sages. Tous poussaient à grands cris dans le manège les pensées domestiquées par les ancêtres, mais son regard ne se plaisait que sur les plus surannés qui, têtus de complexités, coquettent avec les mystères et sur ces sages légers qui pivotent sur leurs talons et, sachant sourire, ignorent parfois la patience de comprendre. L'esprit humain, avec ses attitudes diverses, tout autour de lui moutonnait à de telles profondeurs, qu'un vertige et des cercles oiseux l'incommodèrent. — Suprême fleur de toutes ces cultures, l'héritier d'une telle sagesse, étendu sur le dos, bâillait.

Sa jeunesse comprit les suprêmes assoupissements et combien tout est gesticulation. Flottantes images de ce bonheur! Nos mots qui sont des empreintes d'efforts évoqueraient-ils la furtive félicité de cette âme en dissolution, heureuse parce qu'elle ne sentait que le moins possible!...

Mais le prétexte de notre moi, sa chair, si lasse que son rêve fuyait à travers elle pour communier au rêve de tous, se souvint pourtant des souillures de la femme et rentra par des frissons dans la réalité familière. Il ne pouvait chasser de lui cette femme fugitive. Lui-même tenait trop de place en soi pour qu'y pût entrer l'Absolu.

Est-il parmi le troupeau des contradictions qui l'entourent, le mot qui fera sa vie une?

Les plus absorbantes douceurs qu'il eût connues ne venaient-elles pas de l'amour? Or, son amour, il l'avait fait lui-même et de sa substance : il aimait de cette façon, parce qu'il était lui, et tous les caractères de sa tendresse venaient de lui, non de l'objet où il la dispensait.

Dès lors pourquoi s'en tenir à cette femme dont il souffrait parce qu'elle était changeante ? Ne peut-il la remplacer, et d'après cette créature bornée qui n'avait pas su porter les illusions brillantes dont il la vêtait, se créer une image féminine, fine et douce, et qui tressaillerait en lui, et qui serait lui.

C'est ainsi qu'il vécut désormais parmi la stérile mélopée de tous ces sages, extasié en face la bien-aimée, aussi belle, mais plus rêveuse que son infidèle. Elle avait, sous les cils très longs, l'éclatante tendresse de ses prunelles, et sa bouche imposait dans l'ovale de sa figure parfois voilée de cheveux. Il reposait ses yeux dans les yeux de son amante, et quand, semblable aux vierges impossibles, elle baissait ses paupières bleuâtres, il voyait encore leur douce flamme transparaître.

Il s'agenouilla devant cette dame bénie et jamais extase ne fut plus affaissée que les murmures de cet amour.

De son âme, comme d'un encensoir la fumée, s'échappait le corps diaphane et presque nu de l'amante, si délicate avec ses hanches exquises, son étroite poitrine aiguë et sur ses joues l'ombre des cils. Frêle apparition ! dans ce nimbe de vapeurs légères, elle semblait un chant très bas, la monotone litanie des perfections des amours vaines, l'odeur atténuée d'une fleur lointaine, le soupir de douleur légère qui se dissipe en haleine.

« O mon âme, enseignez-moi si je souffre ou si je crois souffrir, car après tant de rêves je ne puis le savoir. Suis-je né ou me suis-je créé ? Ah ! ces incertitudes qui flottent devant l'œil pour avoir trop fixé ! J'ose dédaigner la vie et ses apparences qu'elle déroule auprès de mes sens. Le passé, je me suis soustrait à ses traditions dès mes premiers balbutiements. L'avenir, je me refuse à le créer, lui qui, hier encore, palpitait en moi au souvenir d'une femme. De mes souvenirs et de mes espoirs, je compose des vers incomparables. J'appris de nos pères que les couleurs, les parfums, les vertus, tout ce qui charme n'est qu'un tremblement que fait le petit souffle de nos désirs ; et comme eux tuèrent déjà l'être, je tuai même le désir d'être. L'harmonie où j'atteins ne me survivra pas. J'aime parce qu'il me plaît d'aimer et c'est moi seul que j'aime, pour le parfum féminin de mon âme. Ah! qu'elle vienne aujourd'hui la femme! je défie ses charmes imparfaits. »

Alors un doux murmure, le bruissement des voiles d'une vierge sur l'admiration des humbles prosternés glissa des parvis du temple dont les portes s'écartèrent lentement. Et comme la beauté est une sagesse encore, défiée, sur le seuil elle apparut. Son bras léger au-dessus de sa tête s'appuyait avec grâce aux colonnades, tandis que le charme de sa jeune gorge s'épanouissait. Des arbres rares, un pan du ciel, tout l'univers se résumait au loin à la hauteur de ses petits pieds. Si frêle, elle emplissait tout ce paysage, en sorte que les fleuves, les peupliers et les peuples n'étaient plus que des lignes menues, et au-dessus d'elle il voyait l'idéal l'approuver. Le soir bleuâtre descendait sur les campagnes.

Un grand trouble, comme un coup de vent, emporta l'âme du jeune homme. Et son cœur se gonfla de larmes et de joie. Il entendit un tumulte de tout le temple devant cette invasion des problèmes; et son émoi redoublait à sentir la terreur de tous, en sorte qu'il n'essaya point de lutter. Les yeux clos et le cou bondissant, comme si sa vie s'épuisait vers la bien-aimée, il attendit; et ses bras se tendaient vers elle, indécis comme un balbutiement...

Il frissonnait de cette haleine légère et de tous les frôlements un peu tièdes oubliés. Elle caressait maintenant ses seins nus contre ce cœur, véritable petit animal d'amour, ingénue et nerveuse, avec son regard bleu, en sorte qu'il murmura brisé : « Fais-moi la pitié de permettre que je ne t'aime point. »

Et peut-être eût-il préféré qu'elle l'aimât.

Mais elle le considérait avec curiosité et quoiqu'elle ne comprît guère, son sourire triomphait; puis elle rit dans ce lourd silence, de ce rire incompréhensible qu'elle eut toujours. Alors, soudain, à pleine main, il repousse les petits seins stériles de cette femme. Elle chancelle, presque nue, ses bras ronds et fermes battent l'air; et dans le bruit triomphal de la sagesse sauvée, au travers du temple acclamant le héros, sous les bras indignés, rapide et courbée, elle sortit. Jamais elle ne lui fut plus délicieuse qu'à cette heure, vaincue et sous ses longs cheveux.

Et les sages d'un même sursaut, délivrés, déroulèrent l'hymne du renoncement, la banalité des soirs alanguis et l'amertume des lèvres qu'on essuie, la houle des baisers, leurs frissons qu'il est malsain même de maudire, leurs fadeurs et toutes nos misères affairées. Puis ils répandirent comme une rosée les merveilles de demain, de ce siècle délicat et somnolent où des rêveurs aux gestes doux, avec bienveillance, subissant une vie à peine vivante, s'écarteront des réformateurs et autres belles âmes, comme de voluptueuses stériles qui gesticulent aux carrefours, et délaissant toutes les hymnes, ignoreront tous les martyrs.

Il leva doucement le bras puis le laissa retomber. Que lui importait le sort de la caravane, passé l'horizon de sa vie! Peut-être s'était-il convaincu que tant de querelles à la passion tournoyent comme une paille dans une seconde d'émotion! Il les quitta.

Que la stérile ordonnance de leurs cantiques se déroule éternellement!

*

Aux appels de son amant la jeune femme ne se retourna point. Elle disparut sous les feuillages entre les troncs éclatants des bouleaux. Elles ne daignait même pas soupçonner ces bras suppliants et ces désirs. Il parut au jeune homme que leur distance augmentait; peut-être seulement son cœur était-il froissé. Il reconnut l'univers; il sentit une allégresse, mais allait-il encore vivre vis-à-vis de soi-même! Une sorte de fièvre le releva, il eut un élan vers l'action, l'énergie, il aspirait à l'héroïsme pour s'affirmer sa volonté.

Vers le soir il atteignit le sable des étangs, et parmi les saules, au bord de ces miroirs, il regarda la nuit descendre sur la campagne. Là-bas apparut cette forme amoureuse, souvenir qui vacille au bord de la mémoire et qui n'a plus de nom; dans un nuage vague elle se fit indistincte, comme un désir s'apaise.

Il n'avait tant marché que pour revenir à cette petite plage où naquit sa tendresse. Son cœur était à bout. Il savait que la vie peut être délicieuse; il renonça à rêver avec elle au bois des citronniers de l'amour et cela seul lui eût souri. Ses méditations familières lui faisaient horreur comme une plaine de glace déjà rayée de ses patins. Il bâilla légèrement, sourit de soi-même, puis désira pleurer.

Du doigt, il traça sur la grève quelques rapides caractères. La brise qui rafraîchissait son âme effaça ces traits légers. — Cette légende est vraiment de celles qui sont écrites sur le sable.

Tout de son long étendu, les yeux fatigués par le couchant, seul et lassé, il parut regarder en soi...

CHAPITRE TROISIÈME

Concordance.

A vingt ans, il sentait comme à dix-huit, mais il était étudiant et à sa table d'hôte (celle des officiers à 100 francs par mois) mangeait mieux qu'au lycée ; en outre il pouvait s'isoler.

L'usage de la solitude et une nourriture tonique augmentèrent sa force de réaction. Les éléments divers qui étaient en lui : 1° culture d'un lycéen qui a passé son baccalauréat en 1880; 2° expérience du dégoût que donnent à une âme fine la cuistrerie des maîtres, la grossièreté des camarades, l'obscénité des distractions ; 3° désir et noblesse idéale, aboutirent au rêve.

En frissonnant, il s'enfonçait dans cette façon de rêve scolaire et sentimental où l'on retrouvera juxtaposées de confuses aspirations idéalistes, des tendresses sans emploi et de l'âcreté.

En vérité, ceux qui se retournent avec ferveur vers des images d'outre-tombe ne témoignent-ils pas qu'ils sont mécontents de leurs contemporains, échauffés de quelque sentiment intime, inassouvi ?

Désintéressement

Toujours triste, Amaryllis! les jeunes hommes t'auraient-ils délaissée, tes fleurs seraient-elles fanées ou tes parfums évanouis? Atys, l'enfant divin, te lasserait-il déjà de ses vaines caresses? Amaryllis, souhaite quelque objet, un dieu ou un bijou; souhaite tout, hors l'amour, où je suis désormais impuissant; — encore, que ne pourrait un sourire de celle que chérit Aphrodite!

Ainsi Lucius raillait doucement Amaryllis, la très jeune courtisane, aux yeux et aux cheveux d'une clarté d'or, tandis que glissait la barque sur le bleu canal, parmi les nénuphars bruissants. Très bas sur leurs têtes, les arbres en berceau se mirent, sans un frisson, dans l'eau profonde. La rive s'enorgueillit de ses molles villas, de ses forêts d'orangers et de sa quiétude. Entre les branches vertes, apparaît par instant le marbre vieil ivoire des dieux qui semblent de leurs attitudes immuables dédaigner les discours changeants de la facile Orientale et de son sceptique ami. — Au loin, pâle ligne rosée fondant sous la chaleur, les montagnes, refuges des solitaires et des bêtes féroces, troublaient seules la rêverie de ce ciel.

Mais déjà on approchait de la plage où, mollement couchée sous la caresse des flots et des brises, la ville étend ses bras sur l'océan et semble appeler l'univers entier dans sa couche parfumée et fiévreuse, pour aider à l'agonie d'un monde et à la formation des siècles nouveaux.

Avec une grâce lassée, Amaryllis reposait sur des coussins de soie blanche. Son lourd manteau d'argent cassé semblait voluptueusement blesser son corps souple. Ses bras ronds veinés de bleu couronnaient son visage de vierge qui trouble les adolescents, et de sa faible voix très harmonieuse :

— Riez, ô Lucius, riez. Si quelqu'un des mortels pouvait dissiper mon ennui, c'est à toi qu'irait mon espoir. Tu as aimé, Lucius, on le dit, tu pleuras près des couches trop pleines. Tu t'es lassé du rire de la femme; comprends donc que je me désespère du perpétuel soupir des hommes. Je suis jeune et je suis belle et je m'ennuie, ô Lucius. Les divines tendresses d'Atys, les inquiétants mystères d'Isis et la grandeur de Sérapis n'apaisent pas mes longs désirs; or, je sais trop ce qu'est Aphrodite pour daigner me tourner vers elle. C'est par moi que naît l'amour, et je sais ses souffrances et qu'elles lassent, car gémir même devient une habitude. Je suis une Syrienne, la fille d'une affranchie qui prophétisait; tu es un Romain, presque un Hellène, tu sais railler, ô Lucius, mais il serait plus doux et plus rare de pouvoir consoler. »

Debout contre la rampe du baldaquin pourpre et noir, le Romain jouait avec les glands d'or de sa tunique de soie jaune. L'élégance de ses mouvements révélait l'usage et la fatigue de vivre pleinement. Il évitait les mots sérieux qui sont maussades :

— Amaryllis, disait-il, laisse-moi m'étonner qu'un si petit cœur puisse tant souffrir et qu'il tienne de telles curiosités sous un front gracieux si étroit. Tu as de jeunes et riches amants, des philosophes et même des singes qui font rire. Pourquoi désirer des dieux et des choses innommées !

Sous la soie bleuâtre de sa tunique transparaissait le corps tant adoré de la jeune femme encadré de brocart. Ses doigts effilés jouaient avec la bulle de cristal jaunâtre, où sa mère jadis enferma les conjurations. On n'entendait que le bruissement de l'eau contre la barque; de loin en loin sautait un poisson avec le rapide éclat d'argent de son ventre. Mais seul un souffle triste agitait le cœur meurtri de l'enfant.

— Quel mime, quel thaumaturge, quel temple visitera aujourd'hui notre chère Amaryllis ? Je la conduirai selon ses désirs avant de me rendre au Sérapéum.

— Athéné vous convoque aujourd'hui ? interrogea, en se

soulevant et d'une voix réveillée, la jeune femme. Athéné! on dit qu'elle sait les choses et des dieux la protègent. Une fois que j'étais couronnée de fleurs et de jeunes amants, comme on sort d'une fête de nuit, je l'ai vue sur les tours de Sérapéum, extasiée et en robe blanche. Mes amis l'acclamèrent et je ne fus pas jalouse, puisqu'elle est une divinité chaste. Alors survinrent pour la huer ces hommes qui adorent un crucifié et possèdent toute certitude. Au-dessus d'elle la lune pâlissait, plus lointaine à chaque insulte; mais eux étaient trempés du soleil levant comme du sang de la victoire et je pense que c'est un présage. Comment subjugue-t-elle les âmes? Est-elle donc plus belle que moi? Elle pourrait guérir mon chagrin.

— Tu rêves toujours, Amaryllis, et tes rêves te gâtent ta vie. Daigne sourire, ma chère Lydienne, et contre ton baiser viendront se briser les faibles et dépouiller leurs dernières illusions les forts. Jouis de l'heure qui passe, des caresses des plus jeunes et de l'amitié de ceux qui sont las, et laissons vivre du passé la vierge du Sérapéum.

Et s'étant incliné, il serrait la main d'Amaryllis entre ses doigts. Mais elle se mit à pleurer.

— Au nom de nos plaisirs que tu te rappelles, par l'amour que tu aimes de mes petites fossettes, par ta haine des chrétiens qui seuls me résistent, par mes larmes qui me rendront laide, Lucius, mène-moi chez Athéné.

Le jeune homme la soutint dans ses bras et s'agenouillant devant elle:

— Le sort, lui dit-il, t'avait donné un corps sain et beau. Faut-il y introduire la pensée qui déforme tout?

Mais comme elle ne cessait de gémir et que les pleurs d'une femme attristent les plus belles journées:

— Soit, Amaryllis, souris et donne-moi la main pour que nous allions vers Athéné et que je te mène comme un jeune disciple.

L'enfant releva la tête. Un sourire joyeux éclairait son fin visage tandis qu'elle réparait l'appareil de sa beauté. Les avirons se turent, et contre la rive où circulait tout un peuple, un faible choc secoua la barque.

« Au Sérapéum », dit-elle avec orgueil. Dans une litière, à l'ombre des colonnades, ils avançaient lentement parmi toutes les races parfumées de cet Orient, que rehaussent les plus curieuses prostitutions de la femme et des jeunes hommes. Soudain, au détour d'une rue, ils rencontrèrent une populace hurlante, de figures féroces et enthousiastes : chrétiens qui couraient assommer les juifs. La courtisane, tremblante, penchait malgré elle son fin visage hors des draperies, et dans le ruissellement de sa chevelure dorée elle cherchait, en souriant un peu, le regard de Lucius. Alors du milieu de ce torrent, un homme qui les dominait tous de sa taille et de ses excitations lui cria :

— La femme des banquets ira pleurer au temple ! le dieu est venu dont le baiser délivre des caresses de l'homme !

Et tous disparurent par les rues sinueuses vers les massacres.

*

Avec la triple couronne de ses galeries effritées et les cent marches croulantes de son escalier, le Sérapéum dominait la ville, ses splendeurs, ses luxures et tous ses fanatismes. Sur ses murs déjoints fleurissaient des câpriers sauvages. Mais il apparaissait comme le tombeau d'Hellas. Les images des gloires anciennes et plus de sept cent mille volumes l'emplissaient. Ces nobles reliques vivaient de la piété d'une auguste vierge, Athéné, pareille à notre sensibilité froissée qui se retire dans sa tour d'ivoire.

Elle avait hérité des enseignements, et chaque semaine elle réunissait les Hellènes. Elle soutenait dans ces esprits, exilés de leur siècle et de leur patrie, la dignité de penser et le courage de se souvenir. Ceux-là mêmes l'aimaient qui ne la pouvaient comprendre.

Dans la grande salle, pavée de mosaïques éclatantes et tapissée des pensées humaines, Athéné, qu'entouraient des Romains, des Grecs, beaucoup de lents vieillards et quelques élégantes amoureuses des beaux diseurs et des jolies paroles, semblait une jeune souveraine ; ses yeux et tous ses mouvements étaient harmonieux et calmes.

Suivie de Lucius, Amaryllis entra pleine de trouble et de charme. La vierge les accueillit avec simplicité.

— Tu es belle, Amaryllis, il convient donc que tu sois des nôtres. Tu connaîtras ce que fut la Grèce, ses portiques sous un ciel bleu, ses bois d'oliviers toujours verts et que berçait l'haleine des dieux, la joie qui baignait les corps et les esprits sains, et ton cœur mobile comprendra l'harmonie des désirs et de la vie. Plotin, à qui les dieux se confièrent, avait coutume de dire : « Où l'amour a passé, l'intelligence n'a que faire. » Amaryllis, en toi Kypris habita, prends place au milieu de nous, comme une sœur digne d'être écoutée.

— L'amour, Athéné, dit un jeune homme, est-ce bien toi qui le salue?

Elle dédaigna d'entendre ce suppliant reproche, et fit signe qu'elle avait cessé de parler.

Un orateur communiqua de tristes renseignements sur les progrès de la secte chrétienne, qui prétend imposer ses convictions, sur le discrédit des temples indulgents et le délaissement des hautes traditions. Il évoqua le tableau sinistre des plaines où mourut un empereur philosophe parmi les légions consternées. Il dit ta gloire, ô Julien, pâle figure d'assassiné au guet-apens des religions; tu sortais d'Alexandrie, et tu t'honoras du manteau des sages sous la pourpre des triomphateurs; tu sus railler, quand tous les hommes comme des femmes pleuraient; au milieu des flots de menaces et de supplications qui battaient ton trône, tu connus les belles phrases et les hautes pensées qui dédaignent de s'agenouiller.

Tous applaudirent cette glorification de leur frère couronné, et quand le vieillard, grandi par son sujet, salua de termes anciens et magnifiques ceux qui meurent pour la paix du monde devant les barbares, et ceux-là, plus nobles encore, qui combattent pour l'indépendance de l'esprit et le culte des tombeaux, tous, les femmes et les hommes, les jeunes gens que grise le sang et ceux qui tremblent de froid, se levèrent, glorifiant l'orateur et le nom de Julien, et déclarant tout d'une voix que le discours fameux de Périclès avait été une fois égalé.

L'orateur était vieux, il ne sut s'arrêter.

— Laissez, disait un poète, laisser agir les dieux et la

poésie, nous triompherons de la populace comme, jadis, nos pères, de tous les barbares. Quelques-uns de leurs chefs ne sont-ils pas des nôtres ?

— Moi, je vous dis, interrompit un Romain, ancien chef de légion, que leurs chefs ne peuvent rien, je dis que tous vous aimez et comprenez trop de choses, que la foule vous hait, comme elle hait le Sérapis pour ce qu'elle l'ignore, et que si vous n'agissez en barbares, ces barbares vous écraseront.

Un murmure s'éleva, et des femmes voilèrent leur visage. Cependant Amaryllis disait aux jeunes hommes d'une voix chantante et assez basse :

— Nous sommes des Hellènes d'orgueil, mais où va notre cœur ? De Phrygie, de Phénicie nous vinrent Adonis que les femmes réveillent avec des baisers, Isis qui régnait et la grande Artémis d'Éphèse, qui fut toujours bonne. D'Orient encore nous viennent les amulettes, et les noms de leurs dieux, étant plus anciens, plaisent davantage à la divinité.

Un autre se récitait des idylles, et une douce joie inondait son visage.

L'ombre maintenant envahissait la salle. Par les portes ouvertes des terrasses un peu d'air pénétrait. Sur la mosaïque, les jeunes hommes traînèrent leurs escabeaux d'ébène près des coussins des femmes. La ligne sombre des armoires encadrait la soie et les brocarts ; les fresques s'éteignaient, plus religieuses dans ce demi-jour ; la salle semblait plus haute, et les dieux de marbre étaient plus des dieux.

La vierge, debout, considérait ce petit monde, le seul qu'elle connût parmi les vivants, le seul qui pût la comprendre et la protéger ; si elle souffrait des phrases inutiles, de l'intrigue et de la vanité de son entourage, ou si elle vaguait loin de là dans le sein de l'Être, sa noble figure ne le disait point. Alors des siècles de grossièreté n'avaient pas modelé le visage humain à grimacer comme font mes contemporains.

A ce moment une clameur monta de la place, et pénétra en tourbillons indistincts dans l'assemblée, qu'elle balaya et fit se dresser inquiète. Une bande impure vociférait au pied du Sérapéum. Les plus hardis avaient gravi les premières marches du temple. On les voyait dégoûtants de haillons, la tête renversée en arrière, la gorge et la poitrine gonflées d'insultes. Et le nom d'Athéné montait confusément de cette tourbe, comme une buée d'un marais malsain.

Sans faiblir, la vierge s'appuyait au marbre effrité des balustrades. Sur la plaine uniforme des toits, les raies noires des rues aboutissant au Sérapéum lui paraissaient les égouts qui charriaient la fange de la cité dans cette populace ignominieuse.

Un vieillard, avec respect, prit la main de la jeune fille et lui dit :

— Tu ne dois pas les écouter ni les craindre.

Elle l'écarta doucement.

Amaryllis se demandait : « Est-il vrai que leurs temples sont pleins de femmes ? Quel charme infini émane du bel adolescent qu'ils servent ! » Elle se sentait attirée vers cet inconnu, et plus sœur de ces hommes ardents et redoutables que de ces Romains altiers, de ces railleurs et de ces pédantismes secs.

Elle entendait à demi l'accent ironique de Lucius :

— Dédaignons-les ! un léger dédain est encore un plaisir. Mais gardons-nous de les mépriser ; le mépris veut un effort et nous rapprocherait de ces curieux fanatiques.

A ce moment, sous l'effort de la foule, un des Anubis qui décoraient la place chancela, s'abattit, et une clameur triomphale flotta par-dessus les décombres.

Lentement Athéné se retourna. Une haute dignité s'imposait de cette vierge indifférente à la colère d'un peuple, et d'une voix ample et douce, semblable sur les clameurs de la foule à la noblesse d'un cygne sur des vagues orageuses, elle déclama un hymne héroïque des ancêtres.

Quand elle s'arrêta, le cou gonflé, haletante, transfigurée sous le baiser de l'astre qui, là-bas, dans l'or et la pourpre s'inclinait, les jeunes gens palpitaient de sa beauté. Un silence majestueux retomba derrière ses paroles. Elle haussait les âmes médiocres. Lucius, accoudé aux débris de quelque immortel, goûtait une profonde et délicieuse mélancolie.

Le soleil disparut de ce jour dans une tache de pourpre et de sang, comme un triomphateur et un martyr. Il avait plongé dans la mer toute bleue, mais de son reflet il illuminait encore le ciel, semblable à toutes ces grandes choses qui déjà ne sont plus qu'un vain souvenir quand nous les admirons encore.

Athéné maintenant contemplait les jardins, leur stérilité, la ruine des laboratoires, et une fade tristesse la pénétrait comme un pressentiment. Elle leva la main, et d'une voix basse et précipitée, tandis qu'au loin les cloches de Mithra et celles des chrétiens convoquaient leurs fidèles, tandis que les hurleurs s'écoulaient et que seul le soir bruissait dans la fraîcheur :

— Je jure, dit-elle, je jure d'aimer à jamais les nobles phrases et les hautes pensées, et de dépouiller plutôt la vie que mon indépendance.

Et d'une voix calme, presque divine : « Jurez tous, mes frères ! »

— Athéné, sur quoi veux-tu que nous jurions ?

— Sur moi, dit-elle, qui suis Hellas.

Et tous étendirent la main.

Mais déjà, la représentation finie, ils s'empressaient à rajuster leurs tuniques, à draper les plis de leurs manteaux, pour sortir par les jardins.

Amaryllis à l'écart pleurait; après cette journée tant émue, ses nerfs avaient faibli sous la suprême invocation de la vierge. Athéné promenait ses lents regards, et rien dans sa sérénité ne trahissait l'impatience de solitude que ces longues séances lui laissaient. Elle vit la courtisane et l'embrassa devant tous, et la tendre Lydienne s'abandonnait à cette étreinte. On applaudit. Ces fils artistes de la Grèce trouvaient beau la vierge aux contours divins enlacée de la souple Orientale : pure colonne de Paros où s'enroule le pampre des ivresses.

Lucius songeait : « Hélas ! Athéné, vous voulez nous élever jusqu'à l'intelligence pure et nous défendre toutes les illusions, celles qui nous font pleurer et celles dont nous rêvons; craignez qu'il ne vous enlève encore cette enfant, celui qui abaissa les pensées de nos sages jusqu'au peuple, et qui, dans sa mort comme dans sa vie, évoque tous les troubles de la passion. »

71

L'agitation persista, car les ennemis d'Athéné gagnaient de l'audace à demeurer impunis, et la foule se prenait à haïr celle qu'on insultait tout le jour.

Quand revint le cours de la vierge, le Romain, avec une bienveillante ironie, lui conduisit l'Orientale :

— Je te présentai une servante d'Adonis, c'est une chrétienne qu'il faut dire aujourd'hui.

Athéné, avec la lassitude de son isolement et de son élévation, répondit :

— Qu'importe, peut-être, Lucius ! Ne pas sommeiller dans l'ordinaire de la vie, être curieux de l'inconnaissable, c'est toute la douloureuse noblesse de l'esprit ; tu la possèdes, Amaryllis. Et pouvons-nous te reprocher, à toi qui naquis d'une affranchie orientale, le malheur d'ignorer la forme sereine et définitive, que surent donner à cette inquiétude nos aïeux, les penseurs d'Hellas ?

Dans cette excuse se dressait un peu de fierté, et ce fut tout son reproche à la chrétienne. Puis en peu de mots elle les remercia d'être venus. Ses amis le plus affichés, jugeant le péril imminent, s'étaient excusés. Seul, un vieillard rejoignit, auprès de la vierge, Amaryllis et Lucius. Il était poète et chancelant. Il affirma que la populace, un peu égarée, se garderait de tous excès. Lucius et Athéné empêchèrent Amaryllis de lui dessiller les yeux : cette vierge ignorante de la vie et ce débauché trop savant estimaient cruel et inutile de rompre l'harmonie d'un esprit, et que les plus beaux caractères sont faits du développement logique de leurs illusions.

Cependant, avec simplicité, Athéné commença son enseignement au petit groupe attentif :

— « Je comptais sur vous, mes amis, car toujours il me sembla que les poètes et les amis du plaisir, disposant, les uns du cœur des grandes héroïnes, les autres du cœur des jeunes hommes et des jeunes femmes, n'ont point à user de leur propre cœur pour les frivolités passagères, et qu'ainsi, aux heures troublées, ils le trouvent intact dans leur poitrine.

» Et puis les poètes et les voluptueux ne savent-ils pas se

comporter plus dignement qu'aucun envers la mort, car ceux-ci n'en parlent jamais, et les hommes inspirés la chantent en termes magnifiques, avec tout le déploiement de langage qui convient aux choses sacrées.

» Elle est la félicité suprême, l'inconnue digne de nos méditations, la patrie des rêves et des mélancolies. Elle est le seul, le vrai bonheur. Quelques sueurs et des contractions la précèdent qu'il faut couvrir d'un voile, mais aussitôt nous nous fondons dans l'Être, nous sommes soustraits aux douleurs du corps; plus d'angoisse, plus de désir, nous nous absorbons dans l'un, dans le tout... »

Sa voix était un peu cadencée et, par moments, s'envolait avec l'ampleur d'un hymne aux dieux. Au milieu des huées d'un peuple, il y avait une rare dignité dans cette vierge si jeune et belle, déployant, comme un riche linceul, l'apothéose de la mort.

Elle vit le vieillard qui considérait la salle vide avec des yeux touchés de larmes, car ces nobles paroles le faisaient songer plus amèrement encore à cet abandon. Et s'interrompant :

« Je veux laisser là, dit-elle, les pensées des sages, puisque aujourd'hui elles t'attristent, ô mon poète! mais garde-toi de mêler de mauvaises pensées au regret des absents. Ce n'est pas sans doute faute de courage qu'ils se refusent à braver la populace, mais songez, mes amis, combien justement les hommes raisonnables pourraient vous traiter d'insensés, vous qui préférez vous joindre aux femmes plutôt que de suivre les principaux; et toutes deux, Amaryllis, ne devons-nous pas rougir, quand ces autres supportent avec une telle fermeté la vie qui nous est si lourde ? »

A cet instant une rumeur monta de la place, un bruit de course, des cris d'effroi : dans le lointain, un nuage de poussière s'élevait, comme la marche d'un grand troupeau. Les Solitaires! Ainsi étaient déchaînés les plus féroces des hommes contre une femme.

Lucius et ses amis voulurent entraîner Athéné.

— Ils n'ont que moi, répondit-elle en indiquant d'un

geste les armoires, les bibliothèques et les statues des ancêtres. Je ne délaisserai pas les exilés.

Amaryllis se jeta à genoux, et elle baisait les mains de la vierge héroïque.

— Jamais! reprit-elle.

La grandeur du sacrifice lui donnait à cette heure une beauté inconnue des vivants. Elle reprit :

— Quittons-nous, mes frères. Le passage des jardins est libre encore.

Elle devina leurs refus, et ses lèvres qu'allait sceller la mort consentirent au mensonge.

— Seuls, dit-elle, leurs chefs peuvent arrêter ces fanatiques; ils nous savent innocents et nobles; hâtez-vous de les prévenir...

» Mais s'il advenait ce que vous craignez, garde-toi, Lucius, de toute amertume. Transmets à nos frères ma suprême pensée, et que toujours ils se souviennent des ancêtres. Et toi, Amaryllis, puisque tu es belle, console les jeunes hommes; s'il se trouvait, — je puis, à cette extrémité, supposer une chose pareille, — s'il se trouvait que quelqu'un d'entre eux ait soupiré auprès de moi, et que ma froideur l'ait contristé, prie-le qu'il veuille me pardonner, dis-lui qu'il n'est rien de vil dans la maison de Jupiter, mais qu'il m'a paru que, à la dernière d'une race, cela convenait de demeurer vierge et de se borner à concevoir l'immortel; et comme je n'avais pas la large poitrine des femmes héroïques, mon cœur gonflé pour Hellas l'emplissait toute. »

Amaryllis, qui pleurait depuis longtemps déjà, éclata de sanglots et déchira ses vêtements avec des cris qui faisaient mal. Le vieillard et Lucius ne purent retenir leurs larmes.

Athéné leur dit doucement :

— Je vous prie, amis.

Puis Amaryllis tremblait d'effroi.

Dehors un silence sinistre pesait. On sentait l'attente de toute une ville et comme l'embuscade d'un grand crime.

La vierge dit au vieillard, qui seul était demeuré : « Père, laisse-moi. »

Il répondit en sanglotant :

— Je t'ai connue quand tu étais petite... Je suis très vieux, et toi seule m'aime parmi les vivants...

74

Soudain ils se turent.

En bas, une marche cadencée retentissait sur les dalles.
« Les légions! » cria-t-il. Et tous deux se sentirent une
immense joie, et cependant quelque chose comme une
déception de martyrs. C'étaient les Barbares à la solde de
l'Empire, casqués d'airain et leurs épées sonnant à chaque
pas. Honte! ils protègent la ville seule! ils sacrifient le Sérapis
aux fanatiques qui accourent, farouches, sous leurs peaux
de bêtes, avec des piques.

Elle répéta : « Père, laisse-moi, car il n'est pas convenable
qu'une femme meure devant un homme. »

Il cessa de pleurer, et relevant la tête :

— Linus fut déchiré par des chiens enragés, mais Orphée
enchantait les bêtes féroces. Le dernier de leurs pieux
disciples s'enorgueillit de tenter un destin semblable.

La jeune fille n'essaya pas de le retenir. Peut-être convenait-
il que des vers fussent déclamés devant la mort de la petite-
fille de Platon et d'Homère.

De la terrasse, elle vit le doux vieillard s'avancer vers la
populace. A peine il ouvrait la bouche qu'une pierre lui
fendit le front, où chante le génie des poètes. Et la vierge
immaculée dédaigna d'en voir davantage. De ce peuple
vautré dans la bestialité elle haussa son regard jusqu'au
ciel et jusqu'au divin Hélios, qu'environne l'éther immense
où se meuvent, sur le rythme des astres, les âmes les plus
nobles.

On entendait le bruit des poutres contre les portes vermou-
lues, et des voix hurlant la mort.

Comme une prêtresse, avec une lente sérénité, dans un
jour solennel, accomplit selon les rites anciens les prescrip-
tions sacrées, ainsi Athéné se tourna vers la lointaine, vers
la pieuse patrie d'Hellas :

— Adieu, disait-elle, ô ma mère! ô la mère de mes aïeux!
Athènes qui n'es plus qu'une ruine harmonieuse, près de
dépouiller l'existence, je te salue de ma dernière invocation!

» Tu m'adoucis ma jeunesse, tu m'instituas un refuge

dans ta gloire contre les choses viles, contre la médiocrité et la souffrance, et s'il n'avait tenu qu'à toi, j'eusse connu la douceur du sourire.

» Tu déposas en moi tes plus nobles pensées et tes rythmes les plus harmonieux, et tu ne craignis point que ma faiblesse, de femme et de vierge, alanguît ton génie. Et maintenant, mère, puisqu'il te plaît de me délivrer, enseigne-moi l'antique secret de mourir avec simplicité. »

Puis s'adressant aux statues d'Homère et de Platon :
— Un jour, dit-elle, que je rêvais à vos côtés, j'appris de mon cœur qu'une belle pensée est préférable même à une belle action. Et pourtant je dois me contenter de bien mourir. Le corps est beau, mais il vaut mieux qu'il souffre que l'esprit ; et m'exiler de vous ne serait-ce pas chagriner à jamais mon âme ?

» Ma mort toutefois n'offensera point votre sérénité, et mon sang pâli lavera les parvis de votre demeure. »

Elle se pencha encore vers les cours intérieures. Çà et là, des pigeons y sautillaient de grains en grains. Rêveuse, elle demeura un instant à regarder les plantes, les bêtes, la vie qu'elle avait toujours dédaignée, et cette dernière seconde lui parut délicieuse.

Cependant elle couvrit son noble visage d'un long voile, puis elle apparut aux regards de la foule sur les hauts escaliers. Le flot d'abord s'entrouvrit devant elle, car sa démarche était d'une déesse, et nul ne voyait ses lèvres pâlies. Mais ses forces faillirent à son courage, elle s'évanouit sur les dalles. — Alors, comme les mâchoires d'une bête fauve, la foule se referma, et les membres de la vierge furent dispersés, tandis que, impassibles sous leurs casques et sous leurs aigles, les Barbares ricanaient de cet assassinat, éclaboussant la majesté de l'Empire et le linceul du monde antique.

*

Au soir, tandis qu'Alexandrie ayant trahi les siècles anciens se tordait dans l'épouvante et le délire avec les cris d'une agonisante et d'une femme qui enfante, Amaryllis et Lucius recherchèrent les restes divins de la vierge du Sérapis.

Ainsi mourut pour ses illusions, sous l'œil des Barbares, par le bâton des fanatiques, la dernière des Hellènes; et seuls, une courtisane et un débauché frivole, honorèrent ses derniers instants. Mais que t'importe, ô vierge immortelle, ces défaillances passagères des hommes! ton destin mélancolique et ta piété traversèrent les siècles douloureux, et les petits-fils de ceux-là qui ricanaient à ton martyre s'agenouillent devant ton apothéose, et, rougissant de leurs pères, ils te demandent d'oublier les choses irréparables, car cette obscure inquiétude, qui jadis excita les aïeux contre ta sérénité, force aujourd'hui les plus nobles à s'enfermer dans leur tour d'ivoire, où ils interrogent avec amour ta vie et ton enseignement; et ce fut un grand bonheur, pour un des jeunes hommes de cette époque, que ces quelques jours passés à tes genoux, dans l'enthousiasme qui te baigne et qui seul eût pu rendre ces pages dignes de ton héroïque légende.

LIVRE II

A Paris

A Henry de Verneville.

CHAPITRE QUATRIÈME

Concordance.

Quelques mois avant d'être majeur, il quitta sa province pour terminer de niaises études, probablement son droit, à Paris. Il y vécut la vie des conversations interminables qui est toute l'existence d'un étudiant français un peu intelligent.

Il fréquenta habituellement :

1º Des cafés où se retrouvaient des jeunes gens ambitieux ou artistes ;

2º Quelques cabinets de travail de littérateurs connus ;

3º La Bibliothèque nationale, l'École des hautes études, des concerts le dimanche, des musées.

Dans cette vie où il se dispersait, il apportait en somme assez de clairvoyance. A Paris, il ne trouva pas ces hommes d'exception qu'il imaginait et à cause desquels il s'était méprisé pendant des années. Quant à l'aimable plaisir qu'on y rencontre à chaque heurt de rue ou de conversation, il estimait qu'il en faudrait davantage pour que cela suffît.

Paris à vingt ans

En ces rêves (chapitre III), l'adolescent parait de noms pompeux ses premières sensibilités. Durant trente jours et davantage, il gonfla son âme jusqu'à l'héroïsme. De sa tour d'ivoire — comme Athéné, du Sérapis — son imagination voyait la vie grouillante de fanatiques grossiers. Il s'instituait victime de mille bourreaux, pour la joie de les mépriser. Et cet enfant isolé, vaniteux et meurtri, vécut son rêve d'une telle énergie que sa souffrance égalait son orgueil.

Solitaires promenades jusqu'à l'aube dans l'ombre de Notre-Dame!

C'était une philosophie abandonnée qu'il venait là pieusement servir. Que lui importait alors une vaine architecture! Ces pierres, si ingénieux qu'il en sût l'agencement, ne paraissaient à son esprit que le manteau d'un dieu. Sa dévotion, soulevant ce linceul qu'elle eût jugé grossier de trop admirer, frissonnait chaque soir d'y trouver l'enthousiasme.

Quartier déchu! ruelles décriées, qui ombragèrent la chrétienté d'incomparables métaphysiques! sa fièvre vous parcourait, insatiable de vos inspirations, et ses pieds à marcher sur tant de souvenirs ne sentaient plus leurs meurtrissures.

Soirées glorieuses et douces! Son cerveau gorgé de jeunesse dédaignait de préciser sa vision; ainsi son génie lui parut infini, et il s'enivrait d'être tel.

La réaction fut violente. A ces délices succéda la sécheresse. Tant de nobles aspirations anéanties lui parurent soudain convenues et froides. Et son cerveau anémié, ses nerfs surmenés s'affolèrent pour évoquer immédiatement, dans cet horizon piétiné comme un manège, quelque sentier où fleurît une ferveur nouvelle.

Il avait horreur de la monotone solitude de ses méditations, comme d'une débauche quand notre tête et les bougies vacillent au vent de l'aube. Une fraîche caresse et de distrayantes niaiseries l'eussent reposé. Mais son amie, enfoncée dans la brume finale du chapitre II, n'avait pas reparu. Aussi, las et désespéré de ne s'être plus rien de neuf, il détesta de vivre, parce qu'il ne savait pas de façon précise se construire un univers permanent.

Toute la journée, il somnolait d'un vague à l'estomac; il fumait sans plaisir et bâillait. Il visita des gens, et leurs conversations poisseuses l'écœurèrent.

*

Or un jour, dans une fête, au soleil sec, où Paris s'épanouissait, dont le parfum enfièvre un peu et dissipe les songes pleureurs, parmi des marbres d'art, des corbeilles colorées et un tumulte poli, il la rencontra, elle, la jeune femme, jadis son amie.

De ses sourires et de ses cils elle guidait une troupe de jeunes gens charmés. Elle avait mis à sa libre allure de jeune fille le masque frivole d'une mondaine, et ennuagé son corps souple du fouillis des choses à la mode. Toujours délicieuse, il la reconnut, elle dont il ne put définir le sourire ni les yeux pleins de bonté, et qui, couronnée de fleurs, réconfortait les premières mélancolies dont il soupira — elle dont il souffrit d'amour, — elle encore qui fut Amaryllis, parfumée et près de qui l'on se plaît à gaspiller le temps, la sensualité et la métaphysique.

Il lui sembla qu'une partie de soi-même, depuis longtemps fermée, se rouvrait en lui. De suite s'agrandit sa vision de l'univers.

Fontaine de vie, figure mystérieuse de petit animal nubile, et dont un geste, un sourire, un profil parfois mettent sur la voie d'une émotion féconde. Lueur qui nous apparaît aux heures rares d'échauffement, et qui revêt une forme harmonieuse au décor du moment, pour offrir à notre âme, chercheuse de dieux, comme un résumé intense de tous nos troubles. — Son désir à nouveau se cristallisait devant lui.

Sous les feuillages, parmi la foule qui s'écarte et admire, elle papote, capricieuse et reine, tandis que les attitudes rares, les vocalises convenues et ironiques, les gestes qui s'inclinent, tout l'appareil de son entourage, irritent notre adolescent qui envie. Mais elle le regarde avec une gravité subite, avec des yeux plus beaux que jamais. Et il aspire à dominer le monde pour mépriser tout et tous, et que son mépris soit évident.

Cependant auprès de lui, ses camarades, des buveurs de bière, discourent d'une voix assurée où sonnent à chaque phrase des mots d'argent, tandis que le garçon, balancé sur un pied et qui serre contre son cœur une serviette, approuve. — Mais pourquoi indiquerais-je les certitudes grossières qu'ils affichent sur l'amour! Leur faconde, leurs prouesses et leurs rires ne sont pas plus choquants que le fait seul qu'ils existent.

Sur son cœur un instant échauffé, du ciel las, la pluie tombe fine. Le soleil, sa joie, toute la fête se terminent.

La jeune femme serre la main de ses amis, avec un geste sec et bien gai; elle se prête gracieusement au baiser d'un personnage âgé et considérable, — à qui elle chuchote quelques mots, en désignant le jeune homme. Puis le coupé, glaces relevées, s'éloigne; et s'efface sous la pluie le cocher, rapide et dédaigneux.

*

Le vieillard demeure seul. Il semble l'ombre découpée sur la vie par cette voluptueuse image de jeune fille; il est l'apparence, la forme de l'âme furtive qu'elle signifie. Ses lèvres, trop mobiles et déconcertantes, sont pareilles au rire léger de cette mondaine créature; et, comme elle nous enchante par les ondulations de sa taille pliante, il nous conquiert tous par l'approbation perpétuelle de sa tête qui s'incline. C'est M. X... M. X..., causeur divin, maître qui institua des doubles à toutes les certitudes, et dont le contact exquis amollit les plus rudes sectaires. Ses paupières sont alourdies, car sur elles repose la vierge fantaisie. Mais le jeune homme, parce qu'il aimait, sut voir les prunelles bleues du sophiste rêveur. Il l'aborda sans hésiter ; il lui dit son inquiétude, qu'une bourrique pessimiste et un théoricien ne surent apaiser, ses amours anémiques, ses rêves et ses piétinements. Il le pria de lui indiquer le but de la vie, en peu de mots, dans ce décor d'une fête de Paris.

Le philosophe voulut bien sourire et le comprendre tout d'abord.

« Je pense que nous pourrons vous tirer de peine, mon ami, et vous procurer le bonheur puisque, en vos successives incertitudes, vous respectâtes la division des genres. Vous connûtes l'amour, et hier encore vous frissonniez des plus nobles enthousiasmes. De telles expériences bien conduites sont précieuses... Vous avez sans doute vingt et un ans ? »
Il sourit et se frotta les mains.

« S'il vous plaît, reprit-il, goûtons quelque absinthe. Voilà des années que je célèbre les jouissances faciles sans les connaître. A mon âge, imaginer ne suffit plus ; de petits faits, de menues expériences me ravissent. »
En battant son absinthe avec une délicieuse gaucherie, l'illustre vieillard se complut encore à quelques compliments ingénieux, tandis qu'à chaque gorgée leur soir se teintait de confiance.

« Mon jeune ami, permettez que je retouche légèrement votre univers. Il est assez du goût récent le meilleur, je voudrais seulement le préciser çà et là.
» Vos maîtres, leur livres et leurs pensées diffuses vous firent une excellente vision, un monde d'où est absente l'idée du devoir (l'effort, le dévouement), sinon comme volupté raffinée ; c'est un verger où vous n'avez qu'à vous satisfaire, ingénument, par mille gymnastiques (je vous suppose quelques rentes et de la santé).
« Et pourtant vous vous plaignez ! Certes, tant de tendresse, dont vous me disiez les soupirs, n'assouvit pas votre cœur,

et vos bras sont rompus pour avoir haussé dessus les barbares un rêve héroïque. Mais quoi! faut-il, à cause de ces lendemains désabusés, que votre cœur méfiant oublie des instants délicieux? Une femme ne fit-elle pas votre poitrine pleine de charmes? Le spectacle de la vertu piétinée par la plèbe ne vous a-t-il pas monté jusqu'à l'enthousiasme? — Siècle lourdaud! Logique détestable! Ils disent : « Ni la femme, » ni la vertu, que nous engendrons dans la joie, n'ont de » lendemain. » Qu'importe! Une âme vraiment amoureuse ou héroïque bondit à de nouvelles entreprises. C'est à vous-même qu'il faut vous attacher et non aux imparfaites images de votre âme : femmes, vertus, sciences, que vous projetez sur le monde.

» Les petits enfants, entre deux travaux de leur âge, jouent au voleur; ils goûtent avec intensité les plaisirs de l'astuce, de l'indépendance et du péché, entre quatre murs, de telle à telle heure. Ainsi faites, et créez-vous mille univers. Que votre pensée vous soit une atmosphère aimable et changeant à l'infini. Lord Beaconsfield, qu'il nous faut honorer, écrit : « S'il chercha un refuge dans le suicide, ce fut, » comme tant d'autres, parce qu'il n'avait pas assez « d'imagi- »nation.» Sûtes-vous jouer de l'amour; en tresser des guirlandes à votre vie et à votre rêve? Je vous vis à l'écart, froissé... »

Le jeune homme frissonna sous ce dernier contact trop intime, et le vieillard qui s'en aperçut fit obliquer son discours :

« Hélas! je négligeai moi-même les mimiques d'amour. Je serai plus compétent à vous décrire un autre synonyme du bonheur, c'est la recherche de la notoriété que je veux dire : réputation, gloire, toute publicité suivie d'avantages flatteurs. Des hommes mûrs, et des jeunes même, s'y complurent, que l'amour n'avait su retenir. Sans doute, à tendre la main derrière ces instants aimables que je veux vous indiquer, vous ne trouverez rien de plus qu'après le baiser de votre amie ou l'enivrement de votre vertu, mais, pour créer cette troisième illusion, les méthodes sont très amusantes.

« Jeune, infiniment sensible et parfois peut-être humilié, vous êtes prêt pour l'ambition. Permettez que je vous trace un itinéraire sûr, que je vous signale les tournants pittoresques, que je vous tende la gourde et le manteau, à cause des désillusions et du soir où, lassé, on bâille dans l'auberge solitaire. — Donc qu'un garçon me verse et l'absinthe et la gomme, puis parlons librement et sans crainte de commettre des solécismes, comme faisaient jadis deux cuistres discutant de la grammaire en cabinet particulier.

» Et d'abord instituez-vous une spécialité et un but.

» Si votre esprit timide ne sait pas, dès sa majorité, embrasser toute une carrière, qu'il jalonne du moins l'avenir, comme le sage coupe sa vie de légers repas, d'épaisses fumeries et de nocturnes abandons où l'amitié, l'amour et soi-même lui sourient. C'est d'étape en étape que votre jeune audace s'enhardira.

» Dénombrez avec scrupule vos forces : votre santé, votre extérieur, vos relations. Craignez de vous dissimuler vos tares : votre sécheresse rarement surchauffée, vos flâneries et cette délicatesse qui pourra vous nuire.

» Ayant dressé ce que vous êtes et ce qu'il vous faut devenir, vous posséderez la formule précise de votre conduite. A la rectifier, chaque jour consacrez quelques minutes, dans votre voiture si lente et qui vous énerve, dans l'embrasure des fenêtres mondaines, tandis que passent les valseurs.

» Mais gardez de laisser cet agenda sur l'oreiller d'une amie qui s'étonne et admire, ou dans le verre d'un camarade qui s'écrie : « Moi aussi... »

» Que désormais chacun *découvre*, et à votre attitude seule, combien vous êtes né pour ce but même que secrètement vous vous fixez. Vos fréquentations, la coupe de vos vêtements contribueront à créer l'opinion. Soignez vos manies, vos partis pris et vos ridicules; c'est l'appareil où se trahit un spécialiste. De là sera déduit votre caractère. Je glisse sur le détail, mais que d'exemples, instructifs et charmants, à tirer de la vie parisienne : si cela n'était impudent.

» Votre attitude composée, reste, pour réaliser votre formule, à vous faire aider.

» Par qui?

» Les jeunes gens vous choqueront, car personnels et

bruyants. Comment d'ailleurs les trier ? parmi eux des enfants dominateurs pétaradent et disparaîtront bientôt. Puis vos intérêts et les leurs, identiques, se contrecarrent. Voyez-les le moins possible, et surtout écartez toute familiarité.

» Des personnes âgées vous seront une meilleure ressource : du premier jour leur amitié vous recommandera. La suite ne vous vaudra rien de plus, sinon des besognes peut-être et gratuites. Comment, retirés sur les sommets de la vie, aideraient-ils à ces petites combinaisons dont ils sourient ? ils ont oublié leurs efforts ! — Plus qu'aucun toutefois, leur commerce vous donnera de l'agrément. La vie, si bouffonne, enseigne ces hautes intelligences à jouir de la notoriété avec ce détachement que je vous prêche dès votre départ. Enfin, ayant un noble esprit, ils y joignent le plus souvent des mœurs douces. Mais le vieillard, songez-y, très égoïste, ne veut pas qu'on se relâche.

» L'excellente société pour vos projets, ce sont vos aînés immédiats ; j'entends qu'ils ont trente à trente-cinq ans et vous vingt-trois. Pour activer leur succès ils tiennent entre les mains beaucoup de fils ; ils ont un pied encore dans les chemins où vous entrez, ils s'inquiètent de qui les talonne, ils cherchent qui les appuie. Ils sont encore flattés d'obliger.

» Pour user des personnes âgées et de ceux-ci, faites-vous agréable, plaisez. Gardez de prétendre à quelque supériorité ; le mérite ne suffit pas à conquérir les plus honnêtes. Ayez souci d'approuver et non qu'on vous applaudisse. Il est humiliant de flatter, mais dans l'âme la plus vulgaire vous trouverez, je vous assure, quelque mérite réel à mettre en relief. Quête amusante, d'ailleurs, où il ne faut qu'un peu d'ingéniosité. Tenez encore pour certain que vos affaires ne poignent pas plus les autres que les leurs ne vous font, et que, si vous bornez votre rôle à écouter chacun en tête à tête et à le révéler à soi-même, on vous goûtera infiniment.

» A la faveur de cette inclination (et non plut tôt, car celui qui prétend nous obliger dès le premier jour souvent nous blesse et toujours se déprécie), apparaissez utile. A aider autrui, bien que le tarif des voitures soit assez élevé à Paris, nul jamais ne se nuit. Pour la jalousie, étouffez-la minutieusement en vous, parce qu'elle torture et qu'elle naît de cette conviction, bonne pour des niais ou des indigents, qu'il est au monde quelque chose d'important.

» J'ajouterai et j'y appuie : Ne t'arrête jamais à mi-chemin dans ce jeu d'ambition. Réalise ou parais réaliser ta formule entière; acquiers toute la gloire que tu t'es ouvertement proposée. Ceci est une nécessité : il ne s'agit plus seulement de te réjouir, en un coin de toi-même, de tes contenances savantes; il s'agit d'être ou de ne pas être battu quand tu seras vieux.

» Pour moi, jeune homme — il vida son verre et prit sa voix grave, — à cause qu'étant jeune j'eus des besoins d'expansion sur l'exégèse et la morale, je me vis contraint de pousser jusqu'à cette notoriété considérable où l'on m'honore. Je ne songeais guère à rire. J'avais dès mon départ avoué des buts trop hauts. Il me fallut y atteindre ou qu'on me bâtonnât. Aujourd'hui, ayant satisfait à ma formule, je salue et j'aime qui je veux, je souris et je m'attriste à mon plaisir; tout le monde, et même des personnes convenables, raffolent de mes petits mouvements de tête, de mon grand mouchoir et des ironies, où j'excelle. Je dîne tous les soirs en ville avec des dames décolletées, un peu grasses comme je les préfère, qui m'entreprennent sur la divinité, et avec des messieurs qui rient tout le temps par politesse. Voilà quelle belle chose est la notoriété! Ah, jeune homme! soyons optimistes! »

Le vénérable M. X... se prit à rire un peu lourdement, puis se leva et sur le talon, malgré sa corpulence, pirouetta : ce fut presque une gambade. Ensuite, excusez-moi, il porta les mains à son cœur, en ouvrant brusquement la bouche, comme un homme incommodé qui va vomir. D'un trait pourtant il vida son verre. Et, après un silence :
« Oui, reprit-il, c'est le paradis, cette nouvelle vision de la vie : les hommes convaincus qu'on se crée ses désirs, ses incertitudes et son horizon, et acquérant chaque jour un doigté plus exquis à vouloir des choses plus harmonieuses. — Hélas! il y aura toujours la maladie. — Oh! je suis bien souffrant (et il appuyait son front dans sa main, son coude

sur la table). C'est toujours l'extériorité qui nous oppresse. Mais vivons en dedans. Soyons idéalistes... (Il s'essuyait le visage.) A l'alcool qui n'est décidément qu'une vertu vulgaire, préférez la gloire, jeune homme... (Il s'éventait avec *le Figaro*.) Elle te permettra tout au moins, sur le tard, de donner des conseils, de te raconter, d'être affectueux et simple, car le grand idéaliste se plaît à tresser chaque soir une parure de héros pour sa patrie. — Mais buvons à ceux qui nous succéderont et qui, soit dit sans te rabaisser, produiront des problèmes d'une complexité autrement coquette que tes mélancolies, s'ils ajoutent au vieux fonds de la nature humaine la curiosité et la science de tous ces jeux que nous entrevoyons. » (Et le vieillard un peu chancelant se leva.)

Mais j'abrège ce pénible incident. Le jeune homme, naïf, inculte ou piqué ? ne sut comprendre l'agrément de cette philosophie, et poussé, je suppose, par un respect, peut-être héréditaire, pour l'impératif catégorique, il passa tout d'un trait les bornes mêmes du pyrrhonisme qu'on lui enseignait : jusqu'à soudain administrer à ce vieillard compliqué une volée de coups de canne. Celui-ci s'affligea bruyamment, mais lui triomphait disant : « Eh bien! grattez l'ironiste, vous trouvez l'élégiaque. » Même il eût répliqué par les choses de la morale et de la métaphysique aux arguments de M. X... si les garçons et le maître d'hôtel ne les avaient poussés dehors.

Et le peuple ricanait.

De ce jardin, véritable printemps de Paris, élégant et sec et plein de malaise, le jeune homme sortit fort énervé. Il élevait jusqu'à la haine de tout son mécontentement intime. Ardeur étrange et dont je le blâme, il eût volontiers consenti à la dynamite, car sa confiance dans ce qu'il désirait s'écroulait, et au même instant il revoyait toutes les déceptions et humiliations déjà amassées.

Après s'être ainsi meurtri, s'inquiétant d'avoir battu le glorieux vieillard qui fait partout autorité, il cherchait une justification raisonnable à cet excès injurieux de sensibilité. Et il disait :

« Si la gloire (académie, tribune française, notoriété, Panama) n'est que cette combinaison qu'il m'indiqua, pourquoi la respecterais-je ?

» S'il mentait, je fis bien de le châtier, car il salissait un des premiers mobiles de la vertu humaine.

» Enfin s'il n'était qu'ivre, joueur de flûte ou corybante, je ne l'endommageai guère, car les os de l'ivrogne sont élastiques, nous enseigne la science, qui est une belle chose aussi. »

*

C'est ainsi que, tout à la fois trop grossier et trop sensible, il s'éloigna de cette prairie, la plus riante qu'ouvre ce siècle aux viveurs délicats. — En vain crut-il entendre la jeune fille qui soupirait derrière lui, c'était la plainte des lampes électriques se dévorant dans le soir, entre Paris et les étoiles.

CHAPITRE CINQUIÈME

Concordance.

Quand saint Georges a sauvé la vierge de Beryte et qu'il est près de l'épouser, Carpaccio a bien soin de la faire plus belle que dans les tableaux précédents. — Tout au contraire, la sentimentale, dont nous peignons les aventures, devient décidément peu séduisante dans ce chapitre et sous ce ciel de Paris, où il semble qu'elle eût pu s'accorder pleinement avec Lui.

Aussi Carpaccio, nous disent les historiens, fut pleuré de ses concitoyens, et il jouit dans le ciel de la béatitude éternelle. — Mais ici Lui s'agite ; et le désaccord s'accentue entre ses goûts mal définis et les conditions de la vie.

L'imperfection des plus distingués, la niaiserie de quelques notoires, le tapage d'un grand nombre lui donnaient l'horreur de tous les spécialistes et la conviction que, s'il faut parfois se résigner à paraître fonctionnaire, commerçant, soldat, artiste ou savant, il convient de n'oublier jamais que ce sont là de tristes infirmités, et que seules deux choses importent :
1° se développer soi-même pour soi-même ;
2° être bien élevé. Principes auxquels il prêtait une excessive importance.

Dandysme

*Et sa poitrine atténuée ne m'est plus
qu'une poitrine maigre.*

Son cigare rougeoya soudain avec ce petit crépitement
dont le souvenir désespère le dyspeptique à jamais privé
de tabac; une fumée se fondit vers le ciel : la couronne blanc
cendré apparut.

Il espérait dans son fauteuil être tranquille et ne penser
à rien, seulement, avant son troisième cigare, se distraire
à feuilleter l'*Indicateur Chaix*.

— Ah! dit-il en rougissant un peu de dépit.

Elle s'était posée sur le bras d'un fauteuil, et, sans ôter
son chapeau, déjà développait ce thème : J'ai des ennuis
d'argent.

Il fut excessivement choqué de l'impudeur de ce propos;
puis, résigné à revenir encore sur le passé, il parla, naturellement avec mélancolie :

— Votre parole, modeste jadis, m'était douce, madame;
vous êtes née le même jour que moi; vous me permettiez
de regarder dans votre cœur, comme au miroir qui conseil-
lait ma vie. Nous étions deux enfants amis... Faut-il qu'aujourd'hui tes besoins vulgaires m'attristent?...

Mais elle l'interrompit, lui passant lentement sa main
sur la figure...

— Des phrases pareilles, mon ami, sont encore le vocabulaire de l'amour sentimental; ce n'est pas ce bonheur-là

93

que je sollicite aujourd'hui. Mon épicier, mon tailleur, mon cocher et tous fournisseurs ne me veulent parler que d'argent. C'est un vilain mot et seul tu saurais l'ennoblir.

Avec cette grâce dégagée qui subjuguait les cœurs, elle lui tendit du papier timbré. Il le refusa gravement.

Elle eut un mouvement de violente impatience.

— L'argent! dit-elle. Que ce mot déchire enfin le voile usé de ton univers. Par l'argent, imagines-tu combien je serais belle? Lui seul peut me parer de la suprême élégance, de cette bienveillance qui sied aux jeunes femmes, de ces sourires hospitaliers, de cet art délicat qui est de flatter presque sincèrement, de tous ces charmes enfin qui flottent impalpables dans tes désirs. Ils sont en toi qui aspirent à être, qui te troublent, et que tu ignores. Combien d'images tremblantes sous tes soupirs, dont le sens se dérobera toujours à ta jeunesse, isolée dans son altière indigence, si la fortune ne me permet de les consolider!... De l'argent! Et ces bonheurs obscurs et magnifiques, je les déroulerai nettement sur ton horizon, comme si mon doigt, posé sur ta sensibilité, en avait trouvé le secret. C'est alors qu'intimidé par le cortège de ma beauté, dominé par ma séduction hautaine et qui pose le désir dans la prunelle de tous, tu ne te lasseras point de chercher ma bouche.

Elle remuait de menues anecdotes pour lui prouver quelle importance lui-même, dans sa médiocrité, il prêtait à la fortune. Elle disait :

— Celui-ci te manqua gravement; tu le sus petit, jaunâtre, et qu'il mangeait au Bouillon Duval; dès lors ton mécontentement se dissipa. — Une belle fille, qu'un soir tu allais aimer, t'inspira de la répulsion, quand tu compris que réellement sa bouche avait faim. — Tu supportes, ton âme en frissonne, mais tu supportes (même ne les recherches-tu pas?) les rudes familiarités d'un homme gras, bruyant et vulgaire, parce que considérable et secrétaire d'État.

Il n'aimait guère qu'on brusquât les convenances. Il rougit qu'elle lui jetât des opinions personnelles aussi crues. Mais, selon sa coutume, agrandissant son déplaisir par des considérations philosophiques, il répondit avec gravité :

— Cela me choque beaucoup, mon amie, que tu aies des certitudes. Je n'approuve ni ne blâme l'indépendance de tes observations; je regrette simplement que tu troubles mon hygiène spirituelle car la mathématique des banquiers m'importune.

Elle, alors, s'émouvant et d'une douleur contagieuse :

— Je vois bien que tu ne veux plus m'aimer sous aucune forme, et pourtant, petite fille, je te consolais à l'aurore de ta vie, au fossé de ton premier chagrin. Te souviens-tu qu'ensuite je te fis presque aimer l'amour ? C'est encore sous mon reflet que tu dévidas tes sentiments choisis, quand tu me nommais Athéné ou Amaryllis, à cause de tes lectures !

— Ah ! — dit-il en frissonnant, ramené par cette douceur à une vision de l'univers plus banale et coutumière, — je ne suis qu'un attaché de seconde classe aux Affaires étrangères, et les restaurants sont fort dispendieux... Ainsi, je dois aimer le beau et tous les dieux, sans chercher à les placer dans la poitrine fraîche des femmes.

— Mais sais-tu ce que tu négliges ?

Il craignit qu'elle ne recommençât la scène du chapitre II, et qu'elle ne se dévêtît. Elle ouvrit simplement la fenêtre tout au large :

De ce cinquième d'un numéro impair du boulevard Haussmann s'étendaient à l'infini les vagues de Paris, sombres, où sont enfouis les tapis de jeux éclatants, tachés d'or; — les nappes, les bougies, les fruits énormes et délicats, dans les restaurants où l'on rit avec le malaise de désirer; — les abandons, où la femme est jeune, dans les hôtels de tapisserie, de soie et silencieux; — les immenses bibliothèques, où s'alignent à perte de vue ces choses, si belles et qui font trembler de joie, cinq cent mille volumes bien catalogués; — les musiques qui nous modèlent l'âme et nous font le plaisir de tout sentir, depuis les héroïsmes jusqu'aux émotions les plus viles, tandis qu'immobiles nous sommes convenables dans notre cravate blanche; — les salons tièdes et fleuris, où, à 5 heures, nous causons finement avec trois dames et un monsieur, qui sourient et se regardent et nous admirent, tandis qu'avec aisance nous buvons une tasse de thé, et que, sans crainte, nous allongeons la jambe, ayant des chaussettes de soie très soignées; — puis des rues plates et solitaires et sèches, où des voitures rapides nous emportent vers des affaires, dont il est amusant de débrouiller, avec une petite fièvre, la complexité.

Rumeur troublante sous ce ciel profond! vie facile! Là enfin, il se dessaisirait de s'épier sans trêve; et toutefois, fréquentant mille sociétés différentes, il ne connaîtrait personne en quelque sorte; il serait pour tous également aimable, et aucun ne le meurtrirait.

Son cœur se gonflait d'envie et d'une enivrante mélancolie, mais soudain il songea qu'il pensait à peu près comme les jeune gens de brasserie et autres Rastignacs. Et un flot d'âcreté le pénétra. « Désormais, dit-il, je ne prendrai plus en grâce les prières, les sourires et autres lieux communs. Je n'y trouvai jamais que des visions vulgaires. »

Et (toujours accoudé devant Paris) sa pensée se mit à courir sans relâche hors de cette immense plaine où campent les Barbares.

Alors il se trouva penché sur son propre univers, et il vaguait parmi ses pensées indécises. Il se rappelait qu'à la petite fenêtre d'Ostie qui donnait sur le jardin et sur les vagues (ce fut une des heures les plus touchantes de l'esprit humain que ce soir de la triste plage italienne) Augustin et Monique, sa mère, qui mourut des fièvres cinq jours après, s'entretinrent de ce que sera la vie bienheureuse, la vie que l'œil n'a point vue, que l'oreille n'a pas entendue, et que le cœur de l'homme ne conçoit pas. Avec une intensité aiguë, il entrevit qu'il n'avait, lui, rien à chercher, et que, seul, le vide de sa pensée, sans trêve lui battait dans la tête.

*

— Mais, lui dit-elle, réapparaissant comme une idée obsédante qui traverse nos méditations, ne t'ai-je pas envoyé M. X...? Ses opinions sont la formule exacte de ce que conseille mon sourire obscur; il est le dictionnaire du langage que tiennent mes gestes à l'univers. Puisque tu naquis ailleurs, il devait te préparer à ma venue, te commenter le nouveau rêve de la vie, qui, par moi, doit naître en toi.

Le jeune homme, la fenêtre fermée, s'assit, baissa un peu l'abat-jour car la lumière blessait ses yeux, puis il s'expliqua posément.

— Veuillez, madame, m'écouter. M. X..., dont je ne conteste ni les séductions, ni la logique délicieuse, m'installait dans un univers à l'usage des fils de banquiers. Il bornait mon horizon à ces apparences que, pour la facilité des relations mondaines ou commerciales, tous les Parisiens admettent, et dont les journaux à quinze centimes nous tracent chaque matin la géographie.

Cette conception de l'existence, qui n'est en somme que l'hypothèse la plus répandue, c'est-à-dire la plus accessible à toutes les intelligences, il me condamnait à la tenir pour la règle certaine et m'engageait à n'y pas croire à part moi. « Limite exactement ton âme à des idées, des sentiments, des espoirs fixés par le suffrage universel, me disait-il, mais quand tu es seul ne te prive pas d'en rire. »

Puis dans ce monde ainsi réglé il me chercha un but de vie. Comme il avait surpris, parmi tant de susceptibilités qui s'inquiètent en moi, un désir d'être différent et indépendant, il me proposa la domination. Grossière psychologie!

J'eus tort de m'emporter. Ce rôle qu'il me proposait, si déplaisant, était du moins composé par un homme de goût. Plus apaisé, je reconnais qu'avec de bien légères retouches le palais qu'il offrait à mes rêves me paraîtrait assez coquet — si l'horizon, hélas! n'en était irrémédiablement vulgaire.

« La gloire ou notoriété flatteuse est uniquement, me disait-il, une certaine opinion que les autres prennent de nous, sous prétexte que nous sommes riches, artistes, vertueux, savants, etc. » — Pour moi, j'entrevois la possibilité de modifier la cote des valeurs humaines et d'exalter pardessus toutes un pouvoir sans nom, vraiment fait de rien du tout. Ainsi la gloire toute rajeunie deviendrait peu fatigante.

C'est une rude chose, en effet, que de se faire tenir pour spécialiste, à la mode d'aujourd'hui! Le soir, devisant avec un ami sur le mail en province, ou s'exaltant vers minuit dans la tabagie solitaire de Montmartre, la complexité des intrigues, les étapes d'où l'on voit chaque semaine le chemin parcouru s'allonger, les journées décisives, les victoires, les échecs même, tout cela paraît gai, ennobli de fièvre et d'imprévu; mais, en fait, il faut dîner avec des imbéciles; on prend des rendez-vous par milliers pour ne rien dire; on entretient ses relations! On épie toujours le facteur; on s'amasse un passé écœurant, et le présent ne change jamais. Et je t'en parle sciemment; pendant trois mois j'ai connu l'ambition, j'ai demandé des lettres pour celui-ci et pour celle-là, et l'on me vit, qui méditais dans des antichambres les romans de Balzac avec la vie de Napoléon.

O gloire! voilà les épreuves par où l'on t'approche, maintenant que tu ne t'abandonnes qu'au vainqueur heureux t'apportant fortune, science ou quelque talent! Quel repos n'aurais-je pas donné à tes amants, si je leur enseigne à te conquérir *avec rien du tout!*

RECETTE POUR SE FAIRE
AVEC RIEN DE LA NOTORIÉTÉ

Il vous faut d'abord une opinion pleinement avantageuse de vous-même :

Prenez donc une idée exacte; joignez-y un relevé des qualités qu'il leur faut, plus la liste des adresses où l'on se procure ces qualités, avec le temps et l'argent qu'elles coûtent; agitez le tout avec vos pensées, vos sentiments familiers; laissez reposer, — votre opinion est faite.

N'y touchez pas. Elle vous pénètre lentement, elle dépose dans votre âme la conviction qu'il n'est rien de merveilleux dans les plus belles réussites du monde, et qu'ainsi vous atteindriez où il vous plairait. Dès lors les hommes vous paraissent des agités, qui tâtonnent dans une obscurité où tout vous est net et lumineux.

Peu à peu cette fatuité intime exsude; elle adoucit et transforme vos attitudes; comme une vapeur, elle vous baigne d'une atmosphère spéciale ; cette confiance superbe que vous respirez subjugue, dès l'abord, les timides et les incertains. Les forts se cabrent, puis affectent de vous ignorer, puis vous contestent ; mais des enterrements les font monter au grade qui vous élèvent aussi, vous, objet de leurs soucis. Pour mieux accabler leurs émules qui les pressent, ils imaginent de vous attirer ; ils respectent, admettent, consacrent enfin votre fatuité. Vous pensez bien que la foule les suit.

Alors si vous avez évité avec soin d'exceller en quoi que ce soit, d'être raffiné de parure et de savoir-vivre, ou simplement d'être à la mode, si l'on ne peut vous déclarer un Brummel, un don Juan, un viveur, non plus qu'un Rothschild, un Lesseps ou un Pasteur, votre supériorité demeure incomparable, puisque, faite de rien, elle n'est limitée par aucune définition.

Et vraiment, madame, j'admire assez ce plan de vie, où m'eût conduit M. X... pour regretter de ne pouvoir m'y plaire.

Mais je suis tout ensemble un maître de danse et sa première danseuse. Ce pas du dandysme intellectuel, si piquant par l'extrême simplicité des moyens, ne saurait satisfaire pleinement une double vie d'action et de pensée.

Tandis qu'applaudirait le public, moi qui bats la mesure et moi la ballerine, n'aurais-je pas honte du signe misérable que j'écrirais ? C'est trop peu de borner son orgueil à l'approbation d'une plèbe. Laisse ces Barbares participer les uns des autres.

Qu'on le classe vulgaire ou d'élite, chacun, hors moi, n'est que barbare. A vouloir me comprendre, les plus subtils et bienveillants ne peuvent que tâtonner, dénaturer, ricaner, s'attrister, me déformer enfin, comme de grossiers dévastateurs, auprès de la tendresse, des restrictions, de la souplesse, de l'amour enfin que je prodigue à cultiver les délicates nuances de mon *moi*. Et c'est à ces Barbares que je céderais le soin de me créer chaque matin, puisque je dépendrais de leur opinion quotidienne ! Petit philosophe, s'il imagine que cette risible vie m'allait séduire !

Mon esprit, qui ne s'émeut que pour bannir les visions fausses, se retrouve, après ces beaux raisonnements stériles, en face du vide. J'ai du moins gagné une lumière sur moi-même; j'ai compris que rien n'est plus risible que la forme de ma sensibilité, c'est-à-dire les dialogues où, toi et moi, nous nous dépensons. Respectons dorénavant les adjectifs de la majorité. Nous allions, dans un tel appareil et sur un rythme si touchant, qu'avec les âmes les plus neuves nous paraissions les pastiches des bonshommes de jadis. Descends de ta pendule pour voir l'heure!

Ma bien-aimée, jamais je n'oserai relire les quatre chapitres précédents; c'est le plus net résultat de l'éducation de Paris. J'ignore quel univers me bâtir, mais je rougis de mon passé mélancolique. — Et voilà pourquoi, madame, je désire que vous cessiez d'exister, et je retire de dessous vous mon désir, qui vous soutenait sur le néant.

*

Ces paroles judicieuses où vibrait une nuance amère, nouvelle en lui, n'étaient qu'un jargon pédant pour une créature aussi dénuée de métaphysique que cette amoureuse. Elle y trouva le temps de reprendre empire sur soi-même; elle se souvint des convenances. Quand il parlait de dandysme et de s'imposer à la mode, elle approuvait avec un sérieux exagéré et de petits coups d'œil sur les grands murs nus; quand il conclut sur le néant de ses recherches, elle trouva un sourire mélancolique comme une page de *l'Eau de Jouvence*.

Puis, quels que fussent ses sentiments intérieurs, avec une audace merveilleuse, elle fut gaie et agaçante jusqu'à dire, soudain transformée :

— Si tu veux, j'ai vingt-trois ans et j'habite le quartier de l'Europe, je te verrai deux fois par semaine.

Il marchait dans la chambre à grands pas, irrésolu, les deux mains enfoncées dans son large pantalon. Avec un joli sourire, un peu embarrassé, presque timide, il répondit.

— Oui, je ne dis pas que nous ne nous verrons plus. Envoie-moi ton adresse. Mais faut-il y penser à l'avance, et précisément à l'heure de la journée où je suis le plus capable d'atteindre à l'enthousiasme et par suite à la vérité?

La jeune femme se leva; elle estimait que la scène devenait un peu excessive et sa nouvelle nature sentait le petit froid du ridicule. Elle lui rendit son léger sourire de moquerie ou de simplicité pour qu'il l'embrassât.

Mais lui, avec rapidité, comprenant la situation et qu'il n'avait plus le droit d'être de Genève : « Sans doute, dit-il, ce que nous faisons est assez particulier; mais serait-ce la peine d'avoir lu tant de volumes à 7,50 pour aimer comme tout le monde ? »

CHAPITRE SIXIÈME

Concordance.

C'est une souffrance, après que par la pensée on a embrassé tous les degrés du développement humain, de commencer soi-même la vie par les plus bas échelons.

Pendant six mois il fut à son affaire. Il prit des apéritifs avec des publicistes, même il s'exerça sur trois jeunes gens à manier les hommes. C'est pourquoi des personnes bienveillantes disaient au moment du cigare : « Hé, voilà que ce jeune homme se fait sa place au soleil. » Ce que l'on nomme encore : il se pousse.

Et quoiqu'il n'eût qu'à se louer de tout le monde et de soi-même, son horreur pour ces contacts était chaque jour plus nerveuse. Peut-être aussi se surchargeait-il, étant attaché aux Affaires étrangères, secrétaire d'un sous-secrétaire d'État, avec d'autres broutilles.

Extase

Qu'on me rende mon moi !
Michelet.

A cette époque, pour quelque besogne, une enquête sans doute, il fut à Bicêtre. Et dans la verdure d'un parc immense, par une belle matinée de soleil, il vit les fous joyeux et affairés qu'un professeur, vieux maître décoré, et des jeunes gens sérieux et simples interrogeaient discrètement et toujours approuvaient.

Le jeune homme était las : fatigué de cette course matinale et humilié de sa besogne prétentieuse. Ce palais de plein air, cette imprévue hospitalité où, dans un cadre parfait, dans une exquise régularité de confort, ces hommes, *si différents* cependant, suivaient leur rêve et se construisaient des univers, l'émurent. Il les voyait, ces idéalistes, se promener en liberté, à l'écart, fronts sérieux, mains derrière le dos, s'arrêtant parfois pour saisir une impression. Nul ne raillait leur stérile activité, nul ne les faisait rougir; leurs âmes vagabondaient, et vêtus de vêtements amples, ils laissaient aller leurs gestes.

Isolé dans ce délicieux séjour, tandis que personne ne daignait s'intéresser à lui, sinon d'un œil interrogateur et dédaigneux, il fit un retour sur lui-même, poussiéreux, incertain du lendemain, hâtif et n'ayant pas trouvé son atmosphère...

De ces nobles préaux où une sage hygiène prend soin de ces rêveurs, il sortit bras ballants, éreinté par le soleil de

103

midi, sans voiture, sans restaurants voisins, convaincu des difficultés inouïes qu'on rencontre à vivre au plus épais des hommes.

Tout le jour, dans les intervalles de sa misérable besogne, il revit la douce image de ces jeunes gens de Platon se promenant, se reposant, se réjouissant soudain à cause d'un geste obscur qui se lève en leur âme, et toujours penchés sur le nuage qu'a soulevé en eux quelque grande idée tombée de Dieu.

Que dites-vous? qu'il avait mal vu? N'importe! C'est cette vision, inexacte peut-être, qu'il s'attriste de ne pouvoir vivre. Sous les feuillages un peu bruissants, se coucher, rêver, ne pas prévoir, ne plus connaître personne, et cependant que soit machiné avec précision le décor de la vie : manger, dormir, avoir chaud et regarder sous des arbres des eaux courantes.

Au soir, nourriture et besogne accomplies, le long des rues poussiéreuses où le jour trop sali devient noir, parmi la foule gesticulante et qui cagne, vers son appartement quelconque il serpenta.
Sur les horribles boulevards, comme il flairait, pour leur échapper, les bruyants et les ressasseurs, il aperçut, pareille à sa marche, la fuite grêle d'un avec qui volontiers, des nuits entières, il avait théorisé. Celui-là tient toute affirmation pour le propre des pédants et n'en use que pour des effets de pittoresque. Il est incapable de convenu et, quand il est soi, ne trouve jamais ridicules les choses sincères.
Il l'abordait d'un premier élan, plein d'une délectation fébrile à l'idée que, dans un coin, tout bas, l'un et l'autre, ils allaient longuement et pour rien :
1. — Insulter la société, les hommes et surtout les idées.
2. — Se rouler soi-même et leur sotte existence dans la boue.

Pourquoi celui-ci lui dit-il, avec une chaleur feinte et un air pressé, d'une voix humble où vibrait une nuance amère : « Ah! vous voilà un grand homme, maintenant... mais si...

mais si... » Et le ton de cette phrase était difficile à rendre. Pourquoi celui-ci se tournait-il contre lui? Pourquoi ne pouvaient-ils plus s'entendre? Il n'eut pas la force de paraître indifférent. Mais il s'abandonnait, car son cœur, et jusque la salive de sa bouche étaient malades, son avenir dégoûtant et son passé plein d'humiliation.

*

Harassé, affaibli de sueurs, il monte l'escalier presque en courant. Il ferme les persiennes, allume sa lampe et rapidement jette dans un coin ses vêtements pour enfiler un large pantalon, un veston de velours, puis rentré dans son cabinet, dans son fauteuil, dans l'atmosphère familière :

— Enfin, dit-il, je vais m'embêter à mon saoul, tranquillement.

Un petit rire nerveux de soulagement le secoue, tant il avait besoin de cette solitude. Il se renverse, il cache son visage dans ses mains. Deux, trois fois, et sans qu'il s'entende, la même interjection lui échappe. Il a dans sa gorge l'étranglement des sanglots. Il n'ose même pas regarder sa situation et l'avenir. Il s'abandonne à ses imaginations, — et toutes idées l'envahissent.

Et d'abord le désir, le besoin presque maladif d'oublier les gens, ceux surtout qui sont quelque part des chefs et qui se barricadent de dédain ou de protection.

J'oublierai aussi les événements, haïssables parce qu'ils limitent (et cependant si j'étais bon et simple, avec l'énergie un peu grossière des héros, je pourrais remonter cette tourbe des conseils, des exemples, des prudences et toutes ces mesquineries où je dérive).

Je veux échapper encore à tous ces livres, à tous ces problèmes, à toutes ces solutions. Toute chose précise et définie, que ce soit une question ou une réponse, la première étape ou la limite de la connaissance, se réduit en dernière analyse à quelque dérisoire banalité. Ces chefs-d'œuvre tant vantés, comme aussi l'immense délayage des papiers nouveaux, ne laissent, après qu'on les a pressés mot par mot, que de maigres affirmations juxtaposées, cent fois discutées, insipides et sèches. Je n'y trouvai jamais qu'un prétexte à m'échauffer;

105

quelques-uns marquent l'instant où telle image s'éveilla en moi. Anecdotes rétrécies, tableaux fragmentaires d'après lesquels je crois plier mon émotion, moi qui suis le principe et l'universalité des choses.

Quelque filet d'idées que je veuille remonter, fatalement je reviens à moi-même. Je suis la source. Ils tiennent de moi qui les lis, tous ces livres, leur philosophie, leur drame, leur rire, l'exactitude même de leurs nomenclatures. Simples casiers où je classe grossièrement les notions que j'ai sur moi-même! Leurs titres admis de tous servent d'étiquettes sottement précises à diverses parties de mon appétit. Nous disons Hamlet, Valmont, Adolphe, Dominique, et cela facilite la conversation. Ainsi en pleine pâte; à l'emporte-pièce, on découpe des étoiles, les signes du zodiaque et cent petites images de l'univers, délicieuses pour le potage et qui facilitent aux enfants la cosmographie; mais tout ce firmament dans une assiette éclaire-t-il le ciel inconnaissable et qui nous trouble?

Il alluma un cigare énorme, noir et sableux. Et il contemplait les associations d'idées qui s'amassaient des lointains de sa mémoire pour lui bâtir son univers.

... Déjà les murs avec leur tapisserie de livres secs, jaunes, verts, souillés, trop connus, ont disparu. Plus rien qu'une masse profonde de pensées qui baignent son âme, aussi réelles, quoique insaisissables, que le parfum répandu dans tout notre être par le souvenir d'une femme et que nous ne saurions préciser. Des bouffées d'imagination indéfinies et puissantes le remplissent : désirs d'idées, appétits de savoir, émotions de comprendre; il est ivre comme de la pleine fumée presque pâteuse de son cigare. Il halète de tout embrasser, s'assimiler, harmoniser. Son mécanisme de tête puissamment échauffé ne s'arrête pas à se renseigner, à déduire, à distinguer, à rapprocher; son regard n'est tendu vers rien de relatif, de singulier, — c'est toute besogne de fabricant de dictionnaire. Il aspire à l'absolu. Il se sent devenir l'idée de l'idée; ainsi dans le monde sentimental le moment suprême est l'amour de l'amour : aimer sans objet, aimer à aimer.

Cependant une fois encore, dans cette atmosphère de son *moi*, là-bas sur l'horizon de cet univers volontaire qui n'est que son âme déroulée à l'infini, il devine la jeune femme ou plutôt le lieu où jadis elle lui apparut; — parfois dans un éclair de recueillement nous retrouvons les longs chagrins qui nous faisaient pleurer. Jadis c'était une acuité profonde; tout l'être transpercé. Aujourd'hui, une notion, une froide chose de mémoire.

Cette femme, ce moment pleureur de sa vie, belle et rose et qu'encensaient ces fleurs courbées, la tendresse et la volupté, jadis le troubla jusqu'au deuil. Puis elle apparut, subtile et railleuse, dans un décor de tentations délicates; elle me soufflait les hardiesses qui domptent les hommes. Mais le soir, assis près d'elle et me rongeant l'esprit, je l'ai salie à la discuter. — Et il bâille devant cette fade et perpétuelle revenante, sa sentimentalité.

— Tu fus le précurseur, songe-t-il, tu me rendis attentif à ce fluide et profond univers qui s'étend derrière les minutes et les faits. Mais pourquoi plus longtemps nommer femme mon désir ? Je ne goûtai de plaisir par toi qu'à mes heures de bonne santé et d'irréflexion; gaieté bien furtive puisqu'il n'en reste rien sur ces pages ! C'est quand tu m'abandonnais que je connus la faiblesse délicieuse de soupirer. Mon rêve solitaire fut fécond, il m'a donné la mollesse amoureuse et les larmes. D'ailleurs tu *compares* et tu *envies*, ainsi tu autorises les accidents, les apparences et toutes les petitesses de l'ambition à nous préoccuper. Je ne veux plus te rêver et tu ne m'apparaîtras plus. J'entends vivre avec la partie de moi-même qui est intacte des basses besognes.

Alors dans la fumée, loin du bruit de la vie, quittant les événements et toutes ces mortifications, le jeune homme sortit du sensible. Devant lui fuyait cette vie étroite pour laquelle on a pu créer un vocabulaire. Un amas de rêves, de nuances, de délicatesses sans nom et qui s'enfoncent à l'infini, tourbillonnent autour de lui : monde nouveau, où sont inconnus les buts et les causes, où sont tranchés ces mille liens qui nous rattachent pour souffrir aux hommes et aux choses, où le drame même qui se joue en notre tête ne nous est plus qu'un spectacle.

Quand, porté par l'enthousiasme, il rentrait ainsi dans son royaume, qu'auraient-ils dit de cette transfiguration, ses familiers, qui toujours le virent vêtu de complaisance, de médiocres ambitions, de futilités et s'énervant à des plaisanteries de café-concert? Au jour les besognes chasseront de son cœur ces influences sublimes. Qu'importe! Cette nuit célèbre la résurrection de son âme; il est soi, il est le passage où se pressent les images et les idées. Sous ce défilé solennel il frissonne d'une petite fièvre, d'un tremblement de hâte : vivra-t-il assez pour sentir, penser, essayer tout ce qui l'émeut dans les peuples, le long des siècles ?

Il se rejette en arrière pour aspirer une bouffée de tabac, et sa pensée soudain se divise; et tandis qu'une partie de soi toujours se glorifiait, l'autre contemplait le monde.

Il se penchait du haut d'une tour comme d'un temple sur la vie. Il y voyait grouiller les Barbares, il tremblait à l'idée de descendre parmi eux; ce lui était une répulsion et une timidité, avec une angoisse. En même temps il les méprisait. Il reconnaissait quelques-uns d'entre eux; il distinguait leur large sourire blessant, cette vigueur et cette turbulence.

Nous sommes les Barbares, chantent-ils en se tenant par le bras, nous sommes les convaincus. Nous avons donné à chaque chose son nom; nous savons quand il convient de rire et d'être sérieux. Nous sommes sourds et bien nourris, et nous plaisons — car de cela encore nous sommes juges, étant bruyants. Nous avons au fond de nos poches la considération, la patrie et toutes les places. Nous avons créé la notion du ridicule (contre ceux qui sont *différents*), et le type du bon garçon (tant la profondeur de notre âme est admirable).

— Ah! songeait-il, se mettant en marche, tout en flambant son quatrième cigare, petite chose le plus triomphant de ces repus! Oui, je me sens le frère trébuchant des âmes fières qui se gardent à l'écart une vision singulière du monde. Les choses basses peuvent limiter de toutes parts ma vie, je ne veux point participer de leur médiocrité. Je me reconnais; je suis toutes les imaginations et prince des univers que je puis évoquer ici par trois idées associées. Que toutes les forces de mon orgueil rentrent en mon âme. Et que cette âme dédaigneuse secoue la sueur dont l'a souillée un indigne labeur. Qu'elle soit bondissante. J'avais hâte de cette nuit, ô mon bien-aimé, ô moi, pour redevenir un dieu.

— Mon pauvre ami, que pensez-vous donc de jouer ainsi les jeunes dieux! Hier vous parûtes encore un enfant; vos reins s'étaient courbaturés pendant que vous interrogiez les contradictions des penseurs; à l'aube, on vous a vu la peau fripée et dans les yeux de légères fibrilles rouges après des expériences sentimentales.

— Qu'importe mon corps! Démence que d'interroger ce jouet! Il n'est rien de commun entre ce produit médiocre de mes fournisseurs et mon âme où j'ai mis ma tendresse. Et quelque bévue où ce corps me compromette, c'est à lui d'en rougir devant moi.

— Mon pauvre ami, que pensez-vous donc? Vos idées, votre âme enfin, cinquante que vous connaissez les possédèrent et les ont exprimées avec des mots délicieux. Sachez donc que, n'étant pas neuf, vous paraissez encore sec, essoufflé, fiévreux; qui donc pensez-vous charmer?

— Mes pensées, mon âme, que m'importe! Je sais en quelle estime tenir ces représentations imparfaites de mon moi, ces images fragmentaires et furtives où vous prétendez me juger. Moi qui suis la loi des choses, et par qui elles existent dans leurs différences et dans leur unité, pouvez-vous croire que je me confonde avec mon corps, avec mes pensées, avec mes actes, toutes vapeurs grossières qui s'élèvent de vos sens quand vous me regardez!

Il serait beau, dites-vous, d'être petit-fils d'une race qui commanda, et l'aïeul d'une lignée de penseurs; — il serait beau que mon corps offrît l'opulence des magnifiques de Venise, la grande allure de Van Dyck, la morgue de Velasquez; — il serait beau de satisfaire pleinement ma sensibilité contre une sensibilité pareille, et qu'en cette rare union l'estime et la volupté ne fussent pas séparées. Misères, tout cela! Fragments éparpillés du bon et du beau! Je sais que je vous apparais intelligent, trop jeune, obscur et pas vigoureux; en vérité, je ne suis pas cela, mais simplement j'y habite. J'existe, essence immuable et insaisissable, derrière ce corps, derrière ces pensées, derrière ces actes que vous me reprochez; je forme et déforme l'univers, et rien n'existe que je sois tenté d'adorer.

Je me désintéresse de tout ce qui sort de moi. Je n'en suis pas plus responsable que du ciel de mon pays, des maladies de la chose agraire et de la dépopulation.

Après quoi si l'on me dit : « Prouvez-vous donc, témoignez que vous êtes un dieu. » Je m'indigne et je réponds : « Quoi! comme les autres! me définir, c'est-à-dire me limiter! me refléter dans des intelligences qui me déformeront selon leurs courbes! Et quel parterre m'avez-vous préparé? Ma tâche, puisque mon plaisir m'y engage, est de me conserver intact. Je m'en tiens à dégager mon *moi* des alluvions qu'y rejette sans cesse le fleuve immonde des Barbares. »

Ainsi se retrouvait-il façonné selon son désir.

Et peu à peu l'amertume mêlée à ce tourbillon de pensées se fondait. Abandonné dans un fauteuil, les pieds sur le marbre de la cheminée parmi les paperasses, immobile ou bien ayant des gestes lents comme s'il maniait des objets explosifs, il tenait son regard tendu sur ces idées qui ne se révèlent que dans un éclair. La solennité et la profondeur de son émotion semblaient emplir la chambre comme un chœur. Son ivresse n'était pas de magnificence et d'isolement sur le Grand Canal au pied des palais de Venise; elle ne venait pas non plus portée, sous un ciel bas, par un vent âpre, sur la bruyère immense de l'océan breton; mais entre ces murs nus et désespérants, ses moindres pensées prenaient une intensité poussée jusqu'à un degré prodigieux. Il s'enfonçait avec passion à en contempler en lui l'involontaire et grandiose procession... Plénitude, sincérité d'ardeur, que ne peut vous faire sentir l'analyse.

Porté sur ce fleuve énorme de pensées qui coule resserré entre le coucher du soleil et l'aube, il lui semblait que, désormais débordant cet étroit canal d'une nuit, le fleuve allait se répandre et l'emporter lui-même sur tout le champ de la vie. Délices de comprendre, de se développer, de vibrer, de faire l'harmonie entre soi et le monde, de se remplir d'images indéfinies et profondes : beaux yeux qu'on voit au-dedans de soi pleins de passion, de science et d'ironie, et qui nous grisent en se défendant, et qui de leur secret disent seulement : « Nous sommes de la même race que toi, ardents et découragés. »

Et ce ne sont pas là les pensées familières, les chères pensées domestiques, de flânerie ou d'étude, que l'on protège, que l'on réchauffe, qu'on voit grandir. A celles-là, le soir, comme à des amoureuses nous parlons sur l'oreiller; nous leur ajoutons un argument comme une fleur dans les cheveux; elles sont notre compagne et notre coquetterie, et nous enlevons d'elles la moindre poussière d'imperfection. Bonheur paisible! mais dans leurs bras j'entends encore le monde qui frappe aux vitres. Et puis, trop souvent cette angoisse terrible : « Sont-elles bonnes? et leur beauté? » Un nuage passe : « D'autres les ont possédées; demain elles me paraîtront peut-être froides, vides, banales. » Ah! cette sécheresse! ces harassements de reprendre, à froid et d'une âme rétrécie, des théories qui hier m'échauffaient! Ah! presser une imagination, systématiser, synthétiser, éliminer, affiner, comparer! besogne d'écœurement! dégoût! d'où l'on atteint la stérilité. Et devant cet amas de rêves gâchés, le cerveau fourbu demeure toujours, affamé jusqu'au désespoir et ne trouvant plus rien, plus une rognure de système à baratter. — Vraiment, je me soucie peu de connaître ces angoisses.

Ce que j'aime et qui m'enthousiasme, c'est de créer. En cet instant je suis une fonction. O bonheur! ivresse! je crée. Quoi? peu importe; tout. L'univers me pénètre et se développe et s'harmonise en moi. Pourquoi m'inquiéter que ces pensées soient vraies, justes, grandes? Leurs épithètes varient selon les êtres qui les considèrent; et moi, je suis tous les êtres. Je frissonne de joie, et, comme la mère qui palpite d'un monde, j'ignore ce qui naît en moi.

Lourds soirs d'été, quand sorti de la ville odieuse, pleine de buée, de sueur et de gesticulations, j'allais seul dans la campagne et, couché sur l'herbe jusqu'au train de minuit, je sentais, je voyais, j'étais enivré jusqu'à la migraine d'un défilé sensuel d'images faites de grands paysages d'eau, d'immobilité et de santé dolente, doucement consolée parmi d'immenses solitudes brutalisées d'air salin. — Ainsi dans cette chambre sèche roulait en moi tout un univers, âpre et solennisé.

*

Comme il se promenait dans l'appartement à demi obscur, parlant tout haut et par saccades et gesticulant, il heurta ses bottines jetées là négligemment, avec la hâte de sa rentrée, et soudain il se rappela qu'il devait passer chez son cordonnier, puisqu'à midi recommençait son labeur. Déjà sonnaient 3 heures du matin ; un découragement épouvantable l'envahit : il fallait maintenant tâcher de dormir jusqu'à l'heure de rentrer dans la cohue parmi les gens. Pour rafraîchir l'atmosphère enfiévrée, il ouvrit sur l'énorme Paris, qui, repu, lui sembla se préparer au lendemain. Il se dévêtit avec ce calme presque somnambulique qui naît, après une violente surexcitation, de la certitude de l'irrémédiable. Et longtemps avant de s'endormir il se répétait, en la grossissant à chaque fois, l'horreur de la vie qu'il subissait. Son sommeil fut agité et par tronçons, à cause qu'il avait trop fumé : « Nous autres analyseurs, songeait-il, rien de ce qui se passe en nous ne nous échappe. Je vois distinctement de petits morceaux de rosbif qui bataillent, hideux et rouges, dans mon tube digestif. » Et, le corps fourmillant, il pliait et repliait ses oreillers pour élever sa tête brûlante.

CHAPITRE SEPTIÈME

Concordance.

De longs affaissements alternaient avec ces surexcitations, mais son anxiété, parfois adoucie, jamais ne s'apaisait.

Certes il ne prétendait son dégoût universel justifié que contre l'espèce; il reconnaissait qu'appliquée à l'individu sa méfiance avait souvent tort, car les caractères spécifiques se témoignent chez chacun dans des proportions variables.

Seulement il était craintif de toute société.

Certes il estimait que sa vie, pour ceci et cela, pouvait paraître enviable, mais il méprisait les âmes médiocres qui peuvent se satisfaire pleinement.

C'est malgré lui qu'il manifestait avec cette violence le fond de sa nature, que nous avons vu se former par cinq années d'efforts, deux hors du monde, trois à Paris. Silencieux et affaissé, il cachait le plus possible ses sentiments, mais la meilleure réfutation qu'il leur connût consistait en un long bain vers 10 heures du soir et une préparation de chloral.

Affaissement

C'était, sur le bois de Boulogne, le ciel bas et voilé des chansons bretonnes. Il revint doucement, en voiture, sur le pavé de bois, un peu grisé du luxe abondant des équipages, et satisfait de n'avoir aucun labeur pour cette soirée ni le lendemain. Il dîna sans énervement, dans un endroit paisible et frais, servi par un garçon incolore. Il n'eut pas conscience des phénomènes de la digestion, et, attablé devant le café élégant et désert d'une silencieuse avenue, il goûta sans importuns le léger échauffement des vingt minutes qui suivent un sage repas. Dans le soir tombant, un peu froid pour faire plus agréable son londrès blond parfaitement allumé, il contemplait de vagues métaphysiques, charmantes et qu'il ne savait trop distinguer des fines et rapides jeunes filles s'échappant à cette heure de leurs ateliers ingénieux de couture. Étaient-elles dans son âme, ou les voyait-il réellement sous ses yeux ? Pour qu'il prît souci de l'éclairer cet affaissement rêveur était trop doux.

Bientôt, mortifié des durs bâtons de sa chaise, il se leva et dut se choisir une occupation, un lieu où il eût sa raison d'être ce soir dans cet océan mesquin de Paris.

... A dix minutes de marche, il sait un endroit certainement plein de camarades. On arrive, on est surpris et illuminé de se revoir ; on se serre cordialement la main, chacun selon son tic (deux doigts avec nonchalance, ou cordialement *en camarade loyal*, ou d'une main humide, ou sans lever les yeux *à l'homme préoccupé*, ou en disant : « mon vieux »). Puis quoi ! les bavardages connus, les doléances, de petites envies. Auprès de ces braves gaillards, identiques hier et demain, je n'irai pas risquer ma quiétude. Tandis que les muscles de leurs visages et les secrètes transitions de leurs discours révèlent qu'ils mettent leur honneur et leur joie dans les médiocres sommes et faveurs où ils se hissent, ils n'arrêtent pas de stigmatiser, avec emportement et naïveté, les concessions de leurs aînés. Le plus agaçant est que, cramponnés à des opinions fragmentaires qu'ils reçurent du hasard, ils s'indignent contre celui qui tient d'égale valeur ce qu'ils méprisent et ce qu'ils exaltent, comme si toutes attitudes n'étaient pas également insignifiantes et justifiées.

... Dans le monde, à ce début de l'été, plus de réceptions tapageuses. Aux salons reposés et frais, quinze à vingt personnes se succèdent doucement, qui approuvent quelque chose en prenant une tasse de thé. Que n'allait-il s'y délasser ? On rencontre dans la société, à défaut d'affection, des gens affectueux et bien élevés. Les impressions qu'on y échange, prévues, un peu trop lucides, du moins n'éveillent jamais ce malaise que nous fait la verve heurtée des jeunes gens. « Peu répandu, je sais mal, avouait-il, l'intrigue de ces banquiers, fonctionnaires, politiciens et mondaines ; je ne distingue guère leurs petitesses, et, dans un milieu de bon ton, je tiens volontiers galant homme tout causeur bienveillant et bref. » — Hélas ! sa douloureuse sensibilité lui fermait ces élégants loisirs. Il le confessait avec clairvoyance : « Je n'ai pas souvenir d'une connaissance de salon, la plus frivole et furtive, qui ne m'ait mortifié dès l'abord par quelque parole, insignifiante mais où je savais trouver, malgré que je me tinsse, de la peine et de l'irritation. J'excepte deux ou trois femmes, qui me distinguèrent avec un goût charmant, et leur accueil m'eût transporté, si l'impuissance de paraître en une seule minute tout ce que je puis être n'avait alors gâté mon naïf épanouissement et si profondément qu'aujourd'hui encore, dans mes instants de fatuité, la soudaine évocation de ces circonstances me resserre. » Imagination pénible qu'à part soi il comparait à la vanité pointilleuse des campagnards, mais enfoncée si avant dans sa chair qu'il pouvait la cacher mais non point ne pas en souffrir.

... Une troisième distraction s'offrait : la musique. Amie puissante, elle met l'abondance dans l'âme, et, sur la plus sèche, comme une humidité de floraison. Avec quelle ardeur, lui, mécontent honteux, pendant les noires journées d'hiver, n'aspirait-il pas cette vie sentimentale des sons, où les tristesses mêmes palpitent d'une si large noblesse! La musique ne lui faisait rien oublier; il n'eût pas accepté cette diminution; elle haussait jusqu'au romantisme le ton de ses pensées familières. Pour quelques minutes, parmi les nuages d'harmonie, le front touché d'orgueil comme aux meilleures ivresses du travail nocturne, il se convainquait d'avoir été *élu* pour des infortunes spéciales. — Mais dans cette molle soirée de tiédeur il répugnait à toute secousse. « Je me garderai, quand mon humeur sommeille, de lui donner les violons; leur puissance trop implorée décroît, et leur vertu ne saurait être mise en réserve qui se subtilise avec le soupir expirant de l'archet. »

*

Il alla simplement se promener au parc Monceau.

Quoique le soir elle sente un peu le marécage, il aimait cette nursery. Là, solitaire et les mains dans ses poches, il se permettait d'abandonner l'air gaillard et sûr de soi, uniforme du boulevard. Tant était douce sa philosophie, il estimait que choquer les mœurs de la majorité ne fut jamais spirituel. « Les gens m'épouvantent, ajoutait-il, mais à la veille d'un dimanche où je pourrai m'enfermer tout le jour, j'ai pour l'humanité mille indulgences. Mes méchancetés ne sont que des crises, des excès de coudoiement. Je suis, parmi tous mes agrès admirables et parfaits, un capitaine sur son vaisseau qui fuit la vague et s'enorgueillit uniquement de flotter... Oh! je me fais des objections; petites phrases de Michelet si pénétrantes, brûlantes du culte des groupes humains! amis, belles âmes, qui me communiquez au dessert votre sentiment de la responsabilité! moi-même j'ai senti une énergie de vie, un souffle qui venait du large, le soir, sur le mail, quand les militaires soufflaient dans leurs trompettes retentissantes. — Ce n'est donc pas que je m'admire tout d'une pièce, mais je me plais infiniment. »

Dans son épaule, une névralgie lancina soudain, qui le guérit sans plus de sa déplaisante fatuité. Humant l'humidité, il se hâta de fuir. Puis reprenant avec pondération sa politique :

« La réflexion et l'usage m'engagent à ensevelir au fond de mon âme ma vision particulière du monde. La gardant immaculée, précise et consolante pour moi à toute heure, je pourrai, puisqu'il le faut, supporter la bienveillance, la sottise, tant de vulgarités des gens. — Je saurai que moi et mes camarades, jeunes politiciens, nous plairons, par quelles approbations! dans les couloirs du Palais-Bourbon. Et si l'on agrandit le jeu, j'imagine qu'on trouvera, dans cette souplesse à se garder en même temps qu'on paraît se donner, un plaisir aigu de mépris. Équilibre pourtant difficile à tenir! L'homme intérieur, celui qui possède une vision personnelle du monde, parfois s'échappe à soi-même, bouscule qui l'entoure et, se révélant, annule des mois merveilleux de prudence; s'il se plie sans éclat à servir l'univers vulgaire, s'il fraternise et s'il ravale ses dégoûts, je vois l'amertume amassée dans son âme qui le pénètre, l'aigrit, l'empoisonne. Ah! ces faces bilieuses, et ces lèvres séchées, avec bientôt des coliques hépatiques! »

Il s'arrêta dans on raisonnement, un peu inquiet de voir qu'une fois encore, ayant posé la vérité (qui est de respecter la majorité), les raisonnements se dérobaient, le laissant en contradiction avec soi-même. Toujours atteindre au vide! Il reprit opiniâtrement par un autre côté sa rhapsodie :

« Avec quoi me consoler de tout ce que j'invente de tourner en dégoût? (Et cette petite formule, déplaisante, trop maigre, désolait sa vie depuis des mois.)

» Un jour viendra où ce système, d'après lequel je plie ma conduite, me déplaira. Aux heures vagues de la journée, souvent, par une fente brusque sur l'avenir, j'entrevois le désespoir qui alors me tournera contre moi-même, alors qu'il sera trop tard.

» C'est pitié que dans ce quartier désert je sois seul et indécis à remuer mes vieilles humeurs, que fait et défait le hasard des températures. Et ce soir, avec ce perpétuel resserrement de l'épigastre et cette insupportable angoisse d'attendre toujours quelque chose et de sentir les nerfs qui se montent et seront bientôt les maîtres, ressemble à tous mes soirs, sans trêve agités comme les minutes qui précèdent un rendez-vous.

« Ceux de mon âge, *éversores*, des ravageurs, dit saint Augustin, ont une jactance dont je suis triste; ils sont sanguins et spontanés; ils doivent s'amuser beaucoup, car ils se donnent en s'abordant de grands coups sur les épaules et souvent même sur le plat du ventre, avec enthousiasme. Moi qui répugne à ces pétulances et à leurs gourmes, plus tard, impotent, assis devant mes livres, ne souffrirai-je pas de m'être éloigné des ivresses où des jeunes femmes, avec des fleurs, des parfums violents et des corsages délicats, sont gaies puis se déshabillent. Et voilà mon moindre regret près de tant de succès proposés, autorité, fortune, qu'irrévocablement je refuse. Refusés! qui le croira. Où m'arrêterais-je si je me décidais à vouloir?... Hélas! quelque vie que je mène, toujours je me tourmenterai d'une âcreté mécontente, pour n'avoir pu mener parallèlement les contemplations du moine, les expériences du cosmopolite, la spéculation du boursier et tant de vies dont j'aurais su agrandir les délices. »

Cependant, par de rapides frottements il échauffait son rhumatisme, et il circulait dans ce pâté de maisons mornes, rue de Clichy, square Vintimille, rue Blanche, parmi lesquelles il ressentait alors un singulier mélange de dégoût et de timidité, jusqu'à ne pouvoir prononcer leurs noms sans malaise, car il y avait récemment habité. Et le souvenir des espoirs, des échecs, des angoisses, tant de dégoûts subis des Barbares! précisant sa pensée, il tente, une fois encore, de reconnaître sa position dans la vision commune de l'univers :

« A certains jours, se disait-il, je suis capable d'installer, et avec passion, les plans les plus ingénieux, imaginations commerciales, succès mondains, voie intellectuelle, enviable dandysme, tout au net, avec les devis et les adresses dans mes cartons. Mais aussitôt par les Barbares sensuels et vulgaires sous l'œil de qui je vague, je serai contrôlé, estimé, coté, toisé, apprécié enfin; ils m'admonesteront, reformeront, redresseront, puis ils daigneront m'autoriser à tenter la fortune; et je serai exploité, humilié, vexé à en être étonné moi-même, jusqu'à ce qu'enfin, excédé de cet abaissement et de me renier toujours, je m'en revienne à ma solitude, de plus en plus resserré, fané, froid, subtil, aride et de moins en moins loquace avec mon âme.

» Oui, c'est trop tard pour renoncer d'être l'abstraction qu'on me voit. Je fus trop acharné à vérifier de quoi était faite mon ardeur. Pour m'éprouver, je me touchai avec ingéniosité de mille traits aigus d'analyse jusque dans les fibres les plus délicates de ma pensée. Mon âme en est toute déchirée. Je fatigue à la réparer. Mes curiosités, jadis si vives et agréables à voir : tristesse et dérision. Et voilà bien la guitare démodée de celui qui ne fut jamais qu'un enfant de promesse! Tristesse, tu n'intéresses plus aujourd'hui que des fabricants de pilules, qui te vaincront par la chimie. Dérision! m'étant mangé la tête comme un œuf frais, il ne reste plus que la coquille; juste l'épaisseur pour que je sourie encore.

» Mon sourire a perdu sa fatuité. Je pensais me sourire à moi-même, et j'ai perdu pied dans l'indéfini à me hasarder hors la géographie morale. La tâche n'était pas impossible. J'ai trop voulu me subtiliser. Fouillé, aminci, je me refuse désormais à de nouvelles expériences.

» Je ne sais plus que me répéter; mes dégoûts mêmes n'ont plus de verve : simples souvenirs mis en ordre! Chemins d'anémie, misères du passé, je vous vois mesquins du haut de la loi que j'ébauchai, ridicules avec les yeux du vulgaire.

» Ce que j'appelais mes pensées sont en moi de petits cailloux, ternes et secs, qui bruissent et m'étouffent et me blessent.

» Je voudrais pleurer, être bercé; je voudrais désirer pleurer. Le vœu que je découvre en moi est d'un ami, avec qui m'isoler et me plaindre, et tel que je ne le prendrais pas en grippe.

» J'aurais passé ma journée tant bien que mal sous les besognes. Le soir, tous les soirs, sans appareil j'irais à lui. Dans la cellule de notre amitié fermée au monde, il me devinerait; et jamais sa curiosité ou son indifférence ne me feraient tressaillir. Je serais sincère; lui affectueux et grave. Il serait plus qu'un confident : un confesseur. Je lui trouverais de l'autorité, ce serait « mon aîné »; et, pour tout dire, il serait à mes côtés moi-même plus vieux. Telle sensation dont vous souffrez, me dirait-il, est rare même chez vous; telle autre que vous prêtez au monde, vous est une vision spéciale; analysez mieux. Nous suivrions ensemble du doigt la courbe de mes agitations; vous êtes au pire, dirait-il; l'aube demain vous calmera. Et si mon cerveau trop sillonné par le mal se refusait à comprendre, et, cette supposition est plus triste encore, si je méprisais la vérité par orgueil de malade, lui, sans méchantes paroles, modifierait son traitement. Car il serait moins un moraliste qu'un complice clairvoyant de mon âcreté. Il m'admirerait pour des raisons qu'il saurait me faire partager; c'est quand la fierté me manque qu'il faut violemment me secourir et me mettre un dieu dans les bras, pour que du moins le prétexte de ma lassitude soit noble. Dans mes détestables lucidités et expansions il saurait me donner l'ironie pour que je ne sois pas tout nu devant les hommes. La sécheresse, cette reine écrasante et désolée qui s'assied sur le cœur des fanatiques qui ont abusé de la vie intérieure, il la chasserait. A moi qui tentai de transfigurer mon âme en absolu, il redonnerait peut-être l'ardeur si bonne vers l'absolu. Ah! quelque chose à désirer, à regretter, à pleurer! pour que je n'aie pas la gorge sèche, la tête vide et les yeux flottants, au milieu des militaires, des curés, des ingénieurs, des demoiselles et des collectionneurs. »

Marcher dans les rues, céder le trottoir, heurter celui-ci et respecter son propre rhumatisme secoue et coupe les idées. Au milieu de son émotion, ce jeune homme se mit tout à coup à rêver de la vie qu'il s'installerait, s'il parvenait à supporter le contact des Barbares :

« Je serais, pour qu'on ne m'écrase pas, bon, aimable, rare et sans y paraître très circonspect.

» Puis j'aurais un bon cuisinier pour lestement me préparer des mets légers et qui, dans une office fraîche, où j'irais près de lui parfois m'instruire en buvant un verre de quinquina, se distrairait le long du jour à feuilleter des traités d'hygiène.

» J'aurais encore quelque voiture, luisante et douce et de lignes nettes, pour visiter commodément certaines curiosités du vieux Paris, où il faut apporter le guide Joanne, gros format.

» Chaque année, de rapides voyages de trente jours me mèneraient à Venise pour ennoblir mon type, à Dresde pour rêver devant ses peintures et ses musiques, au Vatican et à Berlin pour que leurs antiques précisent mes rêves. Enfin, à tous instants, je monterais en wagon; c'est le temps de dormir, et je me réveille, loin de tous, grelottant dans la brise, en face du va-et-vient admirable de l'héroïque océan breton, mâle et paternel. »

Rentré chez lui, il calcula sur papier le revenu nécessaire à ce train de vie et les besognes qu'il lui en coûterait. Puis il sourit de cet enfantillage — qui pourtant ne laissa pas de l'impressionner.

Ensuite accablé, il ne trouva plus la moindre réflexion à faire... ô maître qui guérirait de la sécheresse.

C'est ce soir-là que décidément incapable de s'échauffer sans un bouleversement de son univers intérieur, toujours possible mais que depuis des mois il espérait en vain, timide et affaissé devant l'avenir, tourmenté d'insomnies, il eut le goût de se souvenir, de répéter les émotions, les visions du monde dont jadis il s'était si violemment échauffé. Il lui souriait de se caresser et de se plaindre dans cette monographie, aux heures que lui laissaient libres son patron et les solliciteurs de ce député sous-secrétaire d'État.

Il ne s'efforça nullement de combiner, de prouver, ni que ses tableaux fussent agréables. Il copiait strictement, sans ampleur ni habileté, les divers rêves demeurés empreints sur sa mémoire depuis cinq ans. Seulement à cette heure de stérilité, il s'étonnait parfois de retrouver dans son souvenir certains accès de tendresse ou de haine. Est-il possible que j'aie déclamé! J'espérais cela! O naïveté! Il rougissait. Et malgré sa sincérité, çà et là vous devinerez peut-être qu'il a mis la sourdine, par respect pour le lecteur et pour soi-même.

Souvent, très souvent, fatigué, perdu dans cette casuistique monotone, touché du soupçon qu'il n'avait connu que des enfantillages, plus effrayé encore à l'idée de recommencer une vraie vie sérieuse, ferme, utile, il s'interrompait :

« O maître, maître, où es-tu, que je voudrais aimer, servir, en qui je me remets ! »

Oraison

O maître,

Je me rappelle qu'à dix ans, quand je pleurais contre le poteau de gauche, sous le hangar au fond de la cour des petits, et que les cuistres, en me bourradant, m'affirmaient que j'étais ridicule, je m'interrogeais avec angoisse! « Plus tard, quand je serai une grande personne, est-ce que je rougirai de ce que je suis aujourd'hui? » — Je ne sais rien que j'aime autant et qui me touche plus que ce gamin, trop sensible et trop raisonneur, qui m'implorait ainsi, il y a quinze ans. Petit garçon, tu n'avais pas tort de mépriser les cuistres, dispensateurs d'éloge et ordonnateurs de la vie, de qui tu dépendais; tu montrais du goût de te plaire, de fois à autre, par les temps humides, à pleurer dans un coin plutôt que de jouer avec ceux que tu n'avais pas choisis. Crois bien que les soucis et les prétentions des grandes personnes ont continué à m'être souverainement indifférents. Aujourd'hui comme alors, je sens en elles l'ennemi; près d'elles je retrouve le dédain et la timidité que t'inspirait la médiocrité de tes maîtres.

Rien de mes émotions de jadis ne me paraîtrait léger aujourd'hui. J'ai les mêmes nerfs; seul mon raisonnement s'est fortifié, et il m'enseigne que j'avais tort, quand, tous m'ayant blessé, je disais en moi-même : « Ils verront bien, un jour. » Chaque année, à chaque semaine presque, j'ai pu répéter : « Ils verront bien », ce mot des enfants sans défense qu'on humilie. Mais je n'ai plus le désir ni la volonté de manifester rien qui soit digne de moi. L'effort égoïste et âpre m'a stérilisé. Il faut, mon maître, que tu me secoures.

Je n'ai plus d'énergie, mais compte qu'à la sensibilité violente d'un enfant je joins une clairvoyance dès longtemps avertie. Et je te dis cela pour que tu le comprennes, ce n'est pas de conseils mais de force et de fécondité spirituelle que j'ai besoin.

Je sais que ce fut mon tort et le commencement de mon impuissance de laisser vaguer mon intelligence, comme une petite bête qui flaire et vagabonde. Ainsi je souffris dans ma tendresse, ayant jeté mon sentiment à celle qui passait sans que ma psychologie l'eût élue. Le secret des forts est de se contraindre sans répit.

Je sais aussi — puisque le décor où je vis m'est attristé par mille souvenirs, par des sensations confuses incarnées dans les tables du boulevard, dans les souillures de ce tapis d'escalier, dans l'odeur fade de ce fiacre roulant, — je sais des endroits intacts où veillent mille chefs-d'œuvre, et quoique j'aie toujours éprouvé que les choses très belles me remplissaient d'une âcre mélancolie par le retour qu'elles m'imposent sur ma petitesse, je pense qu'une syllabe dite doucement les passionnerait.

Je sais, mais qui me donnera la grâce? qui fera que je veuille? O maître, dissipe la torpeur douloureuse, pour que je me livre avec confiance à la seule recherche de mon absolu.

Cette légende alexandrine, qui m'engendra autrefois à la vie personnelle, m'enseigne que mon âme, étant remontée dans sa tour d'ivoire qu'assiègent les Barbares, sous l'assaut de tant d'influences vulgaires se transformera, pour se tourner vers quel avenir?

Tout ce récit n'est que l'instant où le problème de la vie se présente à moi avec une grande clarté. Puisqu'on a dit qu'il ne faut pas aimer en paroles mais en œuvres, après l'élan de l'âme, après la tendresse du cœur, le véritable amour serait d'agir.

Toi seul, ô mon maître, m'ayant fortifié dans cette agitation souvent douloureuse d'où je t'implore, tu saurais m'en entretenir le bienfait, et je te supplie que par une suprême tutelle, tu me choisisses le sentier où s'accomplira ma destinée.

Toi seul, ô maître, si tu existes quelque part, axiome, religion ou prince des hommes.

Un Homme libre

Dédicace

A QUELQUES COLLÉGIENS
DE PARIS ET DE LA PROVINCE
J'OFFRE CE LIVRE

J'écris pour les enfants et les tout jeunes gens. Si je contentais les grandes personnes, j'en aurais de la vanité, mais il n'est guère utile qu'elles me lisent. Elles ont fait d'elles-mêmes les expériences que je vais noter, elles ont systématisé leur vie, ou bien elles ne sont pas nées pour m'entendre. Dans l'un et l'autre cas, cette lecture leur sera superflue.

Les collégiens sont à peu près les seuls êtres qu'on puisse plaindre. Encore la moitié d'entre eux sont-ils des petits goujats qui empoisonnent la vie de leurs camarades. Nous autres adultes, nous nous isolons, nous nous distrayons selon le système qui nous paraît convenable. Au collège, ils sont soumis à une discipline qu'ils n'ont pas choisie : cela est abominable. J'ai relevé avec piété, depuis six à sept ans, les noms des enfants qui se sont suicidés. C'est une longue liste que je n'ose pas publier. J'aurais aimé dédier à leur mémoire ce petit livre, mais il m'a paru que j'irais contre leurs intentions, en répandant leurs noms dans la vie.

S'ils m'avaient lu, je crois qu'ils n'auraient pas pris une réso-lution aussi extrême. Ces âmes délicates et paresseuses étaient évidemment mal renseignées. Elles crurent qu'il y a du sérieux au monde. Elles attachaient de l'importance à cinq ou six choses : en ayant éprouvé du désagrément, elles reculèrent hors de la vie. L'essentiel est de se convaincre qu'il n'y a que des manières de voir, que chacune d'elles contredit l'autre, et que nous pouvons, avec un peu d'habileté, les avoir toutes sur un même objet.

Ainsi nous amoindrissons nos mortifications à penser qu'elles sont causées par rien du tout, et nous arrivons à souffrir très peu.

Parce qu'il détaille ces principes et les illustre de petits exemples empruntés à l'ordinaire de l'existence, mon livre, je crois, est appelé à rendre service.

Quelques amis que j'ai dans la politique m'ont affirmé qu'aux siècles derniers les esprits de notre race, je veux dire les esprits religieux, se plaisaient déjà à faire des prosélytes. Ils enfermaient parfois les esprits épais dans une chambre de fer chauffée au rouge. Le matérialiste en était réduit à sauter précipitamment sur l'un et l'autre pied, jusqu'à ce qu'il eût modifié sa conception de l'univers. C'est ainsi que la Providence en agit encore aujourd'hui pour nous rendre idéalistes. Notre sentiment élevé du problème de la vie est fait de notre inquiétude perpétuelle. Nous ne savons sur quel pied danser.

Dans cette disgrâce je goûte un plaisir réel. Chercher continuellement la paix et le bonheur, avec la conviction qu'on ne les trouvera jamais, c'est toute la solution que je propose. Il faut mettre sa félicité dans les expériences qu'on institue, et non dans les résultats qu'elles semblent promettre. Amusons-nous aux moyens, sans souci du but. Nous échapperons ainsi au malaise habituel des enfants honorables, qui est dans la disproportion entre l'objet qu'ils rêvaient et celui qu'ils atteignent.

Jérôme Paturot désirait un peu vivement une position sociale. C'est d'une petite âme. Il eût été plus heureux s'il avait suivi ma méthode, s'égayant de ses recherches et n'attachant jamais la moindre importance aux buts qu'il poursuivait ! Il eut de curieuses aventures : il n'y prit pas de plaisir. C'est faute d'avoir possédé ma philosophie. Je vais parmi les hommes, le cœur défiant et la bouche dégoûtée ; j'hésite perpétuellement entre les rêves de Paturot et ceux des mystiques : les uns et les autres comme moi s'agitent, parce que l'ordinaire de la vie ne peut les satisfaire. Mais j'ai souvent pensé qu'entre tous, Ignace de Loyola avait montré le plus de génie, et je le dis le prince des psychologues, parce qu'il déclare à la dernière ligne de ses Exercices spirituels, *ou suite de mécaniques pour donner la paix à l'âme :* « Et maintenant le fidèle n'a plus qu'à recommencer. »

Cela est admirable. Vous travaillez depuis des mois à trouver le bonheur, vous pensez l'avoir enfin conquis ; c'est quand vous le désiriez si fort que vous l'avez le plus approché ; recommencez maintenant ! Faisons des rêves chaque matin, et avec une extrême énergie, mais sachons qu'ils n'aboutiront pas. Soyons ardents et sceptiques. C'est très facile avec le joli tempérament que nous avons tous aujourd'hui.

Cette méthode, je l'ai exposée et justifiée, je crois, dans la fiction qu'on va lire. Il m'aurait plu de la ramasser dans quelque symbole, de l'accentuer dans vingt-cinq feuillets très savants, très obscurs et un peu tristes ; mais soucieux uniquement de rendre service aux collégiens que j'aime, je m'en tiens à la forme la plus enfantine qu'on puisse imaginer : un journal.

En état de grâce

CHAPITRE PREMIER

La journée de Jersey

Je suis allé à Jersey avec mon ami Simon.

Je l'ai connu bébé, quand je l'étais moi-même, dans le sable de sa grand'mère, où déjà nous bâtissions des châteaux. Mais nous ne fûmes intimes qu'à notre majorité. Je me rappelle le soir où, place de l'Opéra, vers 9 heures, tous deux en frac de soirée, nous nous trouvâmes : je m'aperçus, avec un frisson de joie contenue, que nous avions en commun des préjugés, un vocabulaire et des dédains.

Nous nous sommes inscrits à l'école de M. Boutmy, rue Saint-Guillaume. Mais voyais-je Simon trois mois par année ? Il était mondain à Londres et à Paris, puis se refaisait à la campagne. Il passe pour excentrique, parce qu'il a de l'imprévu dans ses déterminations et des gestes heurtés. C'est un garçon très nerveux et systématique, d'aspect glacial. « Mérimée, me disait-il, est estimable à cause des gens qui le détestent, mais bien haïssable à cause de ceux qu'il satisfait. »

Simon, qui ne tient pas à plaire, aime toutefois à paraître, et cela blesse généralement. Très jeune, il était faiseur ; aujourd'hui encore, il se met dans des embarras d'argent. C'est un travers bien profond, puisque moi-même, pour l'en confesser, je prends des précautions ; pourtant notre délice, le secret de notre liaison, est de nous analyser avec minutie, et si nous tenons très haut notre intelligence, nous flattons peu notre caractère.

Sa dépense et son souci de la bonne tenue le réduisent à de longs séjours dans la propriété de sa famille sur la Loire. La cuisine y est intelligente, ses parents l'affectionnent ; mais, faute de femmes et de secousses intellectuelles, il s'y ennuie par les chaudes après-midi. Je note pourtant qu'il me disait un jour : « J'adore la terre, les vastes champs d'un seul tenant et dont je serai propriétaire ; écraser du talon une motte en lançant un petit jet de salive, les deux mains à fond dans les poches, voilà une sensation saine et orgueilleuse. »

L'observation me parut admirable, car je ne soupçonnais guère cette sorte de sensibilité. Voilà huit ans que, *pour être moi*, j'ai besoin d'une société exceptionnelle, d'exaltation continue et de mille petites amertumes. Tout ce qui est facile, les rires, la bonne honorabilité, les conversations oiseuses me font jaunir et bâiller. Je suis entré dans le monde du Palais, de la littérature et de la politique sans certitudes, mais avec des émotions violentes, ayant lu Stendhal et très clairvoyant de naissance. Je puis dire qu'en six mois je fis un long chemin. J'observais mal l'hygiène, je me dégoûtai, je partis ; puis je revins, ayant bu du quinquina et adorant Renan. Je dus encore m'absenter ; les larmoiements idéalistes cédèrent aux petits faits de Sainte-Beuve. En 86, je pris du bromure ; je ne pensais plus qu'à moi-même. Dyspepsique, un peu hypocondriaque, j'appris avec plaisir que Simon souffrait de coliques néphrétiques. De plus, il n'estime au monde que M. Cokson, qui a trois yachts, et, dans les lettres, il n'admet que Chateaubriand au congrès de Vérone : ce qui plaît à mon dégoût universel. Enfin à Paris, quand nous déjeunons ensemble, il a le courage de me dire vers les 2 heures : « Je vous quitte » ; puis, s'il fume immodérément, du moins blâme-t-il les excès de tabac. Ces deux points m'agréent spécialement, car moi, je demeure sans défense contre des jeunes gens résolus qui m'accaparent et m'imposent leur grossière hygiène.

C'est dans quelques promenades de santé, coupées de fraîches pâtisseries au rond-point de l'Étoile, que je touchai les pensées intimes de Simon, et que je découvris en lui cette sensibilité, peu poussée mais très complète, qui me ravit, bien qu'elle manque d'âpreté.

Nous décidâmes de passer ensemble les mois d'été à Jersey.

Cette villégiature est méprisable : mauvais cigares, fadeurs des pâturages suisses, médiocrités du bonheur.

Nous eûmes la faiblesse d'emmener avec nous nos maîtresses. Et leur vulgarité nous donnait un malaise dans les petits wagons jersiais bondés de gentilles misses.

A Paris, nos amies faisaient un appareillage très distingué : belles femmes, jolis teints ; ici, rapidement engraissées, elles se congestionnèrent. Elles riaient avec bruit et marchaient sottement, ayant les pieds meurtris. Dans notre monotone chalet, au bord de la grève, le soir, elles protestaient avec une sorte de pitié contre nos analyses et déductions, qu'elles déclaraient des niaiseries (à cause que nous avons l'habitude de remonter jusqu'à un principe évident) et inconvenantes (parce que nous rivalisons de sincérité froide).

Ah ! ces homards de digestion si lente, dont nous souffrîmes, Simon et moi, durant les longues après-midi de soleil, en face de l'Océan qui fait mal aux yeux ! Ah ! ce thé dont nous abusâmes par engouement !

Un soir, au casino, nous rencontrâmes cinq camarades qui avaient bien dîné et qui riaient comme de grossiers enfants. Ils se réjouissaient à citer le nom familial de tel commerçant de la localité, et patoisaient à la jersiaise. Ils invitèrent le capitaine du bâtiment de *Granville-Jersey* à boire de l'alcool, puis ils parlèrent de la territoriale.

Ils furent cordiaux ; nos femmes leur plurent ; Simon n'ouvrit pas la bouche. Moi, par urbanité, je tâchais de rire à chaque fois qu'ils riaient.

Avant de nous coucher, mon ami et moi, seuls sur le petit chemin, près de la plage où se reflétait l'immense fenêtre brutalement éclairée de notre salon, dans la vaste rumeur des flots noirs, nous goûtâmes une réelle satisfaction à épiloguer sur la vulgarité des gens, ou du moins sur notre impuissance à les supporter.

« O *moi*, disions-nous l'un et l'autre, *Moi* cher enfant que je crée chaque jour, pardonne-nous ces fréquentations misérables dont nous ne savons t'épargner l'énervement. »

A déjeuner, le lendemain, Simon, qui est très dépensier, mais que les gaspillages d'autrui désobligent, fit remarquer à son amie qu'elle mangeait gloutonnement. Déjà le même défaut de tenue m'avait choqué chez ma maîtresse, et je pris texte de l'occasion pour faire une courte morale. Elles s'emportèrent, et tous deux, par des clignements d'yeux, nous nous signalions leur grossièreté.

Vers 2 heures, tandis qu'elles allaient dans les magasins, une voiture nous conduisit jusqu'à la baie de Saint-Ouen.

Nous eûmes d'abord la sensation joyeuse de voir, pour la première fois, cette plage étroite et furieuse, et nous nous assîmes auprès de l'écume des lames brisées. Puis une tasse de thé nous raffermit l'estomac. Nous étions bien servis, par un temps tiède, sur la façade nette d'un hôtel très neuf, parmi cinq ou six groupes élégants et modérés. Je surveillais le visage de Simon; à la troisième gorgée, je vis sa gravité se détendre. Moi-même je me sentais dispos.

— N'est-ce pas, lui dis-je, la première minute agréable que nous trouvons à Jersey? Il n'était pourtant pas difficile de nous organiser ainsi. Quoi en effet? un joli temps (c'est la saison), de l'inconnu (le monde en est plein), une tasse de thé qui encourage notre cerveau (1 fr. 50).

— Tu oublies, me dit-il, deux autres plaisirs : l'analyse que nous fîmes, hier soir, de notre ennui, et l'éclair de ce matin, à table, quand nous nous sommes surpris à souffrir, l'un et l'autre, de l'impudeur de leurs appétits.

— Arrête! mécriai-je, car j'entrevois une piste de pensée.

Et, riant de la joie d'avoir un thème à méditer, nous courûmes nous installer sur un rocher en face de l'Océan salé. Au bout d'une heure, nous avions abouti aux principes suivants, que je copiai le soir même avant de m'endormir :

PREMIER PRINCIPE : *Nous ne sommes jamais si heureux que dans l'exaltation.*

DEUXIÈME PRINCIPE : *Ce qui augmente beaucoup le plaisir de l'exaltation, c'est de l'analyser.*

La plus faible sensation atteint à nous fournir une joie considérable, si nous en exposons le détail à quelqu'un qui nous comprend à demi-mot. Et les émotions humiliantes elles-mêmes, ainsi transformées en matière de pensée, peuvent devenir voluptueuses.

CONSÉQUENCE : *Il faut sentir le plus possible en analysant le plus possible.*

Je remarque que, pour analyser avec conscience et avec

joie mes sensations, il me faut à l'ordinaire un compagnon.

Je me rappelle les détails et toute la physionomie de cette longue séance que nous fîmes, couchés dans la brise purifiante et virile de l'Océan. Nos intelligences étaient lucides, tonifiées par le bel air, soutenues par le thé. J'ajouterai même que Simon s'éloigna un instant sous les roches fraîches, ce dont je le félicitai, en l'enviant, car la nourriture et l'air des plages entravaient fort la régularité de nos digestions, où nous nous montrâmes toujours capricieux.

Le même soir, vers 11 heures, réunis auprès de nos femmes dans le petit salon de notre frêle villa, je disais à Simon, avec la franchise un peu choquante des heures de nuit :

— Je t'avouerai que souvent je songeai à entrer en religion pour avoir une vie tracée et aucune responsabilité de moi sur moi. Enfermé dans ma cellule, résigné à l'irréparable, je cultiverais et pousserais au paroxysme certains dons d'enthousiasme et d'amertume que je possède et qui sont mes délices. Je fus détourné de ce cher projet par la nécessité d'être extrêmement énergique pour l'exécuter. Même je me suis arrêté de souhaiter franchement cette vie, car j'ai soupçonné qu'elle deviendrait vite une habitude et remplie de mesquineries : rires de séminaristes, contacts de compagnons que je n'aurais pas choisis et parmi lesquels je serais la minorité.

Nos femmes, en m'entendant, se mirent à blasphémer, par esprit d'opposition, et à se frapper le front, pour signifier que je déraisonnais.

— C'est étrange, répondit Simon, que je ne t'aie pas connu ce goût pendant des années. Je pensais : il est aimable, actif, changeant, toutes les vertus de Paris, mais il ne sent rien hors de cette ville. Moi, c'est la campagne, des chiens, une pipe et les notions abondantes et froides de Spencer à débrouiller pendant six mois.

— Erreur ! lui dis-je, tu t'y ennuyais. Nous avons l'un et l'autre vêtu un personnage. J'affectai en tous lieux d'être pareil aux autres, et je ne m'interrompis jamais de les dédaigner secrètement. Ce me fut toujours une torture d'avoir la physionomie mobile et les yeux expressifs. Si tu me vis, sous l'œil des barbares, me prêter à vingt groupes bruyants et divers, c'était pour qu'on me laissât le répit de me construire une vision personnelle de l'univers, quelque rêve à ma taille, où me réfugier, moi, homme libre.

Ainsi revenions-nous à nos principes de l'après-midi, et à convenir que nous avons été créés pour analyser nos sensations, et pour en ressentir le plus grand nombre possible qui soient exaltées et subtiles. J'entrai dans la vie avec ce double besoin. Notre vertu la moins contestable, c'est d'être clairvoyants, et nous sommes en même temps ardents avec délire. Chez nous, l'apaisement n'est que débilité; il a toute la tristesse du malade qui tourne la tête contre le mur.

Nous possédons là un don bien rare de noter les modifications de notre moi, avant que les frissons se soient effacés sur notre épiderme. Quand on a l'honneur d'être, à un pareil degré, passionné et réfléchi, il faut soigner en soi une particularité aussi piquante. Raffinons soigneusement de sensibilité et d'analyse. La besogne sera aisée, car nos besoins, à mesure que nous les satisfaisons, croissent en exigences et en délicatesses, et seule, cette méthode saura nous faire toucher le bonheur.

C'est ainsi que Simon et moi, par emballement, par oisiveté, nous décidâmes de tenter l'expérience.

Courons à la solitude! Soyons des nouveau-nés! Dépouillés de nos attitudes, oublieux de nos vanités et de tout ce qui n'est pas notre âme, véritables libérés, nous créerons une atmosphère neuve, où nous embellir par de sages expérimentations.

Dès lors, nous vécûmes dans le lendemain; et chacune de nos réflexions accroissait notre enivrement. « Désormais nous aurons un cœur ardent et satisfait », nous affirmions-nous l'un à l'autre sur la plage, car nous avions sagement décidé de procéder par affirmation. « Cette sole est très fraîche...; votre maîtresse, délicieuse... », me disait jadis un compagnon d'ailleurs médiocre, et grâce à son ton péremptoire la sauce passait légère, je jouissais des biens de la vie.

Dans la liste qu'une agence nous fit tenir, nous choisîmes, pour la louer, une maison de maître, avec un vaste jardin planté en bois et en vignes, sise dans un canton délaissé, à 5 kilomètres de la voie ferrée, sur les confins des départements de Meurthe-et-Moselle et des Vosges. Originaires nous-mêmes de ces pays, nous comptions n'y être distraits ni par le ciel, ni par les plaisirs, ni par les mœurs. Puis nous n'y connaissions personne, dont la gentillesse pût nous détourner de notre généreux égotisme.

C'est alors que, corrects une suprême fois envers nos tristes amies, qui furent tour à tour ironiques et émues, nous passâmes à Paris liquider nos appartements et notre situation sociale. Nous sortîmes de la grande ville avec la joie un peu nerveuse du portefaix qui vient de délivrer ses épaules d'une charge très lourde. Nous nous étions débarrassés du siècle.

Dans le train qui nous emporta vers notre retraite de Saint-Germain, par Bayon (Meurthe-et-Moselle), nous méditions le chapitre xx du livre Ier de l'*Imitation*, qui traite « De l'amour de la solitude et du silence ». Et pour nous délasser de la prodigieuse sensibilité de ce vieux moine, nous établissions notre budget (14 000 francs de rente). Malgré que l'odeur de la houille et les visages des voyageurs, toujours, me bouleversent l'estomac, l'avenir me paraissait désirable.

CHAPITRE II

Méditation
sur la journée de Jersey

Cette journée de Jersey fut puérile en plus d'un instant, et pas très nette pour moi-même. Comment accommoder cette haine mystique du monde et cet amour de l'agitation qui me possèdent également! C'est à Jersey pourtant, nerveux qui chicanions au bord de l'Océan, que j'approchai le plus d'un état héroïque. Je tendais à me dégager de moi-même. L'amour de Dieu soulevait ma poitrine.

Je dis Dieu, car de l'éclosion confuse qui se fit alors en mon imagination, rien n'approche autant que l'ardeur d'une jeune femme, chercheuse et comblée, lasse du monde qu'elle ne saurait quitter et qui, dévote, s'agenouille en vous invoquant, Marie Vierge et Christ Dieu! Ces créatures-là, puisqu'elles nous troublent, ne sont pas parfaites, mais la civilisation ne produit rien de plus intéressant. Les vieux mots qui leur sont familiers embelliront notre malaise, dont ils donnent en même temps une figure assez exacte.

Hélas! les contrariétés d'où sortit mon *état de grâce*, je vois trop nettement leur médiocrité pour que mon rêve de Jersey n'ait très vite perdu à mes yeux ce caractère religieux que lui conservent mes vocables. Jamais rien ne survint en mon âme qui ne fût embarrassé de mesquineries. Amertume contre ce qui est, curiosité dégoûtée de ce que j'ignore, voilà peut-être les tiges flétries de mes plus belles exaltations!

*

Avant cette journée décisive, déjà la grâce m'avait visité. J'avais déjà entrevu mon Dieu intérieur, mais aussitôt son émouvante image s'emplissait d'ombre. Ces flirts avec le divin me ternissaient le siècle, sans qu'ils modifiassent sérieusement mon ignominie. C'est par le dédain qu'enfin j'atteignis à l'amour. Certes, je comprenais que seul le dégoût préventif à l'égard de la vie nous garantit de toute déception, et que se livrer aux choses qui meurent est toujours une diminution; mais il fallut la révélation de Jersey, pour que je prisse le courage de me conformer à ces vérités soupçonnées, et de conquérir par la culture de mes inquiétudes l'embellissement de l'univers. C'est en m'aimant infiniment, c'est en m'embrassant, que j'embrasserai les choses et les redresserai selon mon rêve.

Oui, déjà j'avais été traversé de ce délire d'animer toutes les minutes de ma vie. Sur les petits carnets où je note les pointes de mes sensations pour la curiosité de les éprouver à nouveau, quand le temps les aura émoussées, je retrouve une matinée de juillet que, malade, vraiment épuisé, tant mon corps était rompu et mon esprit lucide d'insomnie, je m'étais fait conduire à la bibliothèque de Nancy, pour lire les *Exercices spirituels* d'Ignace de Loyola. Livre de sécheresse, mais infiniment fécond, dont la mécanique fut toujours pour moi la plus troublante des lectures; livre de dilettante et de fanatique. Il dilate mon scepticisme et mon mépris; il démonte tout ce qu'on respecte, en même temps qu'il réconforte mon désir d'enthousiasme; il saurait me faire homme libre, tout-puissant sur moi-même.

Alors que j'étais ainsi mordu par ce cher engrenage, des militaires passèrent sur les 10 heures, revenant de la promenade matinale, avec de la poussière, des trompettes retentissantes et des gamins admirateurs. Et nous, ceux de la bibliothèque, un prêtre, un petit vieux, trois étudiants, nous nous penchâmes des fenêtres de notre palais sur ces hommes actifs. Et l'orgueil chantait dans ma tête : « Tu es un soldat, toi aussi; tu es mille soldats, toute une armée. Que leurs trompettes levées vers le ciel sonnent un hallali! Tiens en main toutes les forces que tu as, afin que tu puisses, par des commandements rapides, prendre soudain toutes les figures en face des circonstances. » Et, frémissant jusqu'à serrer les poings du désir de dominer la vie, je me replongeai dans l'étude des moyens pour posséder les ressorts de mon âme comme un capitaine possède sa compagnie. — Quelque jour, un statisticien dressera la théorie des émotions, afin que l'homme à volonté les crée toutes en lui et toutes en un même moment.

Et puis ce fut la vie, car il fallut agir; et je me rappelle cette douloureuse matinée où je vis un de ma race, mais ayant toujours résisté à l'appétit de se détruire, qui me disait dans un accès d'orgueil : « Ma tête est une merveilleuse machine à pensées et à phrases; jamais elle ne s'arrête de produire avec aisance des mots savoureux, des images précises et des idées impérieuses; c'est mon royaume, un empire que je gouverne. » Et moi, tandis qu'il marchait dans l'appartement, j'étais assombri et congelé par le bromure, au point que je n'avais pas la force de lui répondre, et je me raidissais, avec un effort trop visible, pour sourire et pour paraître alerte. Et je revins à midi, seul, par la longue rue Richelieu (une de ces rues étroites qui me donnent un malaise), plus accablé et plus inconscient, mais convaincu, au fond de mon découragement, que le paradis c'est d'être clairvoyant et fiévreux.

*

Je m'écarte parmi ces souvenirs. C'est que j'y apprends à connaître mon tempérament, ses hauts et ses bas. Voilà les soucis, les nuances où je reviens, sitôt que j'ai quelques loisirs. Je veux accueillir tous les frissons de l'univers; je m'amuserai de tous mes nerfs. Ces anecdotes qui vous paraissent peu de chose, je les ai choisies scrupuleusement dans le petit bagage d'émotions qui est tout mon moi. A certains jours, elles m'intéressent beaucoup plus que la nomenclature des empires qui s'effrondrent. Elles me sont Hélène, Cléopâtre, la Juliette sur son balcon et Mlle de Lespinasse, pour qui jamais ne se lasse la tendre curiosité des jeunes gens.

Belle paix froide de Saint-Germain! C'est là que mon cœur échauffé sans trêve retrouvera et s'assurera la possession de ces frissons obscurs qui, parfois, m'ont traversé pour m'indiquer ce que je devais être! Ma faiblesse jusqu'à cette heure n'a pu forcer à se réaliser cet esprit mystérieux qui se dissimule en moi. Mais je le saisirai, et je départirai sa beauté à l'univers, qui me fut jusqu'alors médiocre comme mon âme.

— Mais, dira-t-on, Simon, qu'intéressent la vie (amour des forêts et du confort) et la précision scientifique (philosophie anglaise), comment s'associait-il à vos aspirations ?

Je pense qu'étant fort nerveux et compréhensif, il vibrait avec mes énergies quelles qu'elles fussent. Puis il bâillait de sa vie sans argent ni ambition...

Mais pourquoi m'inquiéterais-je d'expliquer cette âme qui n'est pas la mienne ? Il suffit que je vous la fasse voir, aux instants où, me comparant à lui, vous y gagnerez de me mieux connaître.

L'Église militante

CHAPITRE III

Installation

Le lendemain de notre arrivée, vers les 9 heures, quand le paysage, dans la franchise de son réveil, n'a pas encore revêtu la splendeur du midi ou ces mollesses du couchant qui toublent l'observateur, nous étudiâmes la propriété, et sa saine banalité nous agréa.

Bâtie sur un vieux monastère dont les ruines l'enclosent et l'ennoblissent, elle occupe le sommet et les pentes pelées d'une côte volcanique. Et cette légende de volcan, dans nos promenades du soir, nous invitait à des rêveries géologiques, toujours teintées de mélancolie pour de jeunes esprits plus riches d'imagination que de science. Nos fenêtres dominaient une vaste cuvette de terres labourées, sans eau, et dont la courbe solennelle menait jusqu'à l'horizon des fenêtres silencieuses. Dans la transparence du soleil couchant, parfois, les Vosges minuscules et tristes apparaissaient tassées dans le lointain. Sur un autre ballon très proche, le village déployait sa rue morne; et l'église au milieu des tombes dominait le pays.

Cette mise en scène, si complètement privée de jeunesse, devait mieux servir nos sévères analyses que n'eussent fait les somptuosités énergiques de la grande nature, la mollesse bellâtre du littoral méditerranéen, ou même ces plaines d'étangs et de roseaux dont j'ai tant aimé la résignation grelottante. Les vieilles choses qui n'ont ni gloire, ni douceur, par leur seul aspect, savent mettre toutes nos pensées à leur place.

En une semaine nous fûmes organisés.

Un gars du village, ancien ordonnance d'un capitaine, suffit à notre service.

Quand il s'agit de choisir les chambres de sommeil et de méditation, Simon, que je crois un peu apoplectique, voulut avoir de grands espaces sous les yeux. Pour moi, uniquement curieux de surveiller mes sensations, et qui désire m'anémier, tant j'ai le goût des frissons délicats, je considérai qu'une branche d'arbre très maigre, frôlant ma fenêtre et que je connaîtrais, me suffirait.

La salle à manger nous parut parfaite, dès qu'un excellent poêle y fut installé. Dans la bibliothèque où nous agitâmes des problèmes par les nuits d'hiver, on mit un grand bureau double où nous nous faisions vis-à-vis, avec chacun notre lampe et notre fauteuil Voltaire, pour faire nos recherches ou rédiger, puis, au coin de la cheminée, deux ganaches pour la métaphysique des problèmes.

La pièce voisine était tapissée de livres, mêlés et contradictoires comme toutes ces fièvres dont la bigarrure fait mon âme. Seul Balzac en fut exclu, car ce passionné met en valeur les luttes et l'amertume de la vie sociale; et, malgré tout, romanesques et de fort appétit, nous trouverions dans son œuvre, à certains jours, la nostalgie de ce que nous avons renoncé.

Je m'opposai avec la même énergie à ce qu'aucune chaise pénétrât dans la maison : ces petits meubles ne peuvent qu'incliner aux basses conceptions l'honnête homme qu'ils fatiguent. Je ne crois pas qu'un penseur ait jamais rien combiné d'estimable hors d'un fauteuil.

Tous nos murs furent blanchis à la chaux. J'aime le mutisme des grands panneaux nus; et mon âme, racontée sur les murs par le détail des bibelots, me deviendrait insupportable. Une idée que j'ai exprimée, désormais, n'aura plus mes intimes tendresses. C'est par une incessante hypocrisie, par des manques fréquents de sincérité dans la conversation, que j'arrive à posséder encore en moi un petit groupe de sentiments qui m'intéressent. Peut-être qu'ayant tout avoué dans ces pages il me faudra tenter une évolution de mon âme, pour que je prenne encore du goût à moi-même.

Nous fîmes des visites aux notables et quelques aumônes aux indigents. Et pour acquérir la considération, chose si nécessaire, nous répandîmes le bruit que, frères de lits différents, nous étions nés d'un officier supérieur en retraite.

Enfin, sur l'initiative de Simon, nous causâmes des femmes. La femme, qui, à toutes les époques, eut la vertu fâcheuse de rendre bavards les imbéciles, renferme de bons éléments qu'un délicat parfois utilise pour se faire à soi-même une belle illusion. Toutefois, elle fait un divertissement qui peut nuire à notre concentration et compromettre les expériences que nous voulons tenter. Simon, ayant réfléchi, ajouta :

— Le malheur! c'est que nous avons perdu l'habitude de la chasteté!

— Avec son tact de femme, Catherine de Sienne, lui dis-je, a très bien vu, comme nous, que tous nos sens, notre vue, notre ouïe et le reste s'unissent en quelque sorte avec les objets, de sorte que, si les objets ne sont pas purs, la virginité de nos sens se gâte. Mais les objets sont ce que nous les faisons. Or, puisqu'il n'est pas dans notre programme de nous édifier une grande passion, ne voyons dans la femme rien de troublant ni de mystérieux; dépouillons-la de tout ce lyrisme que nous jetons comme de longs voiles sur nos troubles : qu'elle soit pour nous vraiment nature. Cette combinaison nous laissera tout le calme de la chasteté.

Simon voulut bien m'approuver.

C'est pourquoi nous sommes allés à la messe. Et entre les jeunes personnes, nous avons distingué une fille pour sa fraîche santé et pour son impersonnalité. Ses gestes lents et son regard incolore, quoique malicieux, sont bien de ce pays et de cette race qui ne peut en rien nous distraire du développement de notre être. Nous fîmes donc un arrangement avec la famille de cette jeune fille, et nous en eûmes de la satisfaction.

Au soir de cette première semaine, dans notre cadre d'une simplicité de bon goût, assis et souriant en face du paysage sévère que désolent la brume et le silence, nous résolûmes de couper tout fil avec le monde et de brûler les lettres qui nous arriveraient.

INSTALLATION SPIRITUELLE

Je fus flatté de trouver un cloître dans les coins délabrés de notre propriété.

Pendant que le soir tombait sur l'Italie, promeneur attristé de souvenirs désagréables et de désirs, parfois j'ai désiré achever ma vie sous les cloîtres où ma curiosité s'était satisfaite un jour. Ce me serait un pis aller délicieux de veiller sous les lourds arceaux de Saint-Trophime à Arles, d'où, certain jour, je descendis dans l'église lugubre pour me mépriser, pour aimer la mort (qui triomphera d'une beauté dont je souffre), et pour glorifier le *moi* qu'avec plus d'énergie je saurais être.

Notre cloître, qui date de la fin du treizième siècle, n'abritait plus que des volailles quand nous le fîmes approprier, pour l'amour du christianisme dont les allures sentimentales et la discipline satisfont notre veine d'ascétisme et d'énervement. Il est bas, triste et couvert de tuiles moussues. Une jolie suite d'arceaux trilobés l'entourent, sous chacun desquels avait été sculpté un petit bas-relief. Quoique le temps les eût dégradés, je voulus y distinguer la reine de Saba en face du roi Salomon. Une ceinture de cuir serre la taille de la reine; sa robe entrouverte sur sa gorge laisse deviner une ligne de chair, et cela me parut troublant dans une si vieille chose. Elle appuie contre sa figure les plis de sa pèlerine, et je me désolai fréquemment avec elle, pensant avec complaisance qu'elle ne fût pas plus fausse ni coquette avec ce roi, que je ne le suis envers moi-même, quand je donne à ma vie une règle monacale.

C'est là qu'au matin nous descendions, tandis qu'on préparait nos chambres; et ce m'était un plaisir parfait d'y saluer Simon, d'un geste poli, sans plus, car nous pratiquions la règle du silence jusqu'au repas du soir pris en commun.

150

L'après-midi, où je n'ai jamais pu m'appliquer, tant il est difficile de tromper la méchanceté des digestions, c'était après le déjeuner, une fumerie (en plein air, quand il n'y a pas de vent), — une promenade jusqu'à 2 heures, — une partie de volant dans le cloître, comme faisaient, pour se délasser, Jansénius et M. de Saint-Cyran, — du repos dans un fauteuil balancé, puis un nouveau cigare, — une méditation à l'église, suivie d'une petite promenade, — à 4 heures, la rentrée en cellule. (On notera que Simon, en dépit d'une légère tendance à l'apoplexie, faisait la sieste jusqu'à 2 heures.)

Et cette grande variété de mouvement dans un si bref espace de temps nous portait, sans trop d'ennui, à travers les heures écrasantes du milieu du jour.

A 7 heures, dîner en commun; et fort avant dans la nuit, nous analysions nos sensations de la journée.

C'est dans l'une de ces conférences du soir que j'appelai l'attention de Simon sur la nécessité de nous enfermer, comme dans un corset, dans une règle plus étroite encore, dans un système qui maintiendrait et fortifierait notre volonté.

— Il ne suffit pas, lui disais-je, de fixer les heures où nous méditerons; il faut fournir notre cerveau d'images convenables. J'ai un sentiment d'inutilité, aucun ressort. Je crains demain; saurai-je le vivifier ? L'énergie fuit de moi comme trois gouttes d'essence sur la main.

Pour qu'il comprît cette anémie de mon âme, je lui rappelai un café qui nous était familier. — Que de fois je suis sorti de là vers les 10 heures du soir, dégoûté de fumer et avec des gens qui disaient des niaiseries! Les feuilles des arbres étaient légèrement éclairées en dessous par le gaz; la pluie luisait sur les trottoirs. Nous n'avions pas de but; j'étais mécontent de moi, amoindri devant les autres, et je n'avais pas l'énergie de rompre là.

Simon connaissait la sensation que je voulais dire, et il m'en donna des exemples personnels.

— Par contre, lui dis-je, des niaiseries me firent des soirs sublimes. Une nuit, près de m'endormir, je fus frappé par cette idée, qui vous paraîtra fort ordinaire, que le Don, fleuve de Russie, était l'antique Tanaïs des légendes classiques. Et cette notion prit en moi une telle intensité, une beauté si mystérieuse que je dus, ayant allumé, chercher dans la bibliothèque une carte où je suivis ce fleuve dès sa sortie du lac, tout au travers du pays des Cosaques. Grandi par tant de siècles interposés, Orphée m'apparut *errant à travers les glaces hyperboréennes sur les rives neigeuses du Tanaïs, dans les plaines du Riphé que couvrent d'éternels frimas, pleurant Eurydice et les faveurs inutiles de Pluton.* Cet esprit délicat fut sacrifié par les femmes toujours ivres et cruelles. On s'étonnera que je m'émeuve d'un incident si fréquent. Il est vrai, pour l'ordinaire, ce mythe ne me trouble guère ; mais ce soir-là, mille sens admirables s'en levaient, si pressés que je ne pouvais les saisir. Et ces désolations lointaines, évoquées sans autres détails, m'emplissaient d'indicible ivresse. Ainsi s'achève dans l'enthousiasme une journée de sécheresse, de la plus fade banalité. Qu'ils sont beaux les nerfs de l'homme ! A genoux, prions les apparences qu'elles se reflètent dans nos âmes, pour y éveiller leurs types.

Les plus petits détails, à certains jours, retentissent infiniment en moi. Ces sensibilités trop rares ne sont pas l'effet du hasard. Chercher pour les appliquer les lois de l'enthousiasme, c'est le rêve entrevu dans notre cottage de Jersey.

PRIÈRE-PROGRAMME

Combien je serais une machine admirable si je savais mon secret !

Nous n'avons chaque jour qu'une certaine somme de force nerveuse à dépenser : nous profiterons des moments de lucidité de nos organes, et nous ne forcerons jamais notre machine, quand son état de rémission invite au repos.

Peut-être même surprendrons-nous ces règles fixes des mouvements de notre sang qui amènent ou écartent les périodes où notre sensibilité est à vif. Cabanis pense que par l'observation on arriverait à changer, à diriger ces mouvements quand l'ordre n'en serait pas conforme à nos besoins. Par des hardiesses d'hygiéniste ou de pharmacien, nous pourrions nous mettre en situation de fournir très rapidement les états les plus rares de l'âme humaine.

Enfin, si nous savions varier avec minutie les circonstances où nous plaçons nos facultés, nous verrions aussitôt nos désirs (qui ne sont que les besoins de nos facultés) changer au point que notre âme en paraîtrait transformée. Et pour nous créer ces milieux, il ne s'agit pas d'user de raisonnements, mais d'une méthode mécanique ; nous nous envelopperons d'images appropriées et d'un effet puissant, nous les interposerons entre notre âme et le monde extérieur si néfaste. Bientôt, sûrs de notre procédé, nous pousserons avec clairvoyance nos émotions d'excès en excès ; nous connaîtrons toutes les convictions, toutes les passions et jusqu'aux plus hautes exaltations qu'il soit donné d'aborder à l'esprit humain, dont nous sommes, dès aujourd'hui, une des plus élégantes réductions que je sache.

Les ordres religieux ont créé une hygiène de l'âme qui se propose d'aimer parfaitement Dieu ; une hygiène analogue nous avancera dans l'adoration du *moi*. C'est ici, à Saint-Germain, un institut pour le développement et la possession de toutes nos facultés de sentir ; c'est ici un laboratoire de l'enthousiasme. Et non moins énergiquement que firent les grands saints du christianisme, proscrivons le péché, le péché qui est la tiédeur, le gris, le manque de fièvre, le péché, c'est-à-dire tout ce qui contrarie l'amour.

L'homme idéal résumerait en soi l'univers ; c'est un programme d'amour que je veux réaliser. Je convoque tous les violents mouvements dont peuvent être énervés les hommes ; je paraîtrai devant moi-même comme la somme sans cesse croissante des sensations. Afin que je sois distrait de ma stérilité et flatté dans mon orgueil, nulle fièvre ne me demeurera inconnue, et nulle ne me fixera.

C'est alors, Simon, que, nous tenant en main comme un partisan tient son cheval et son fusil, nous dirons avec orgueil : « Je suis un homme libre. »

CHAPITRE IV

Examens de conscience

J'ai fermé la porte de ma cellule, et mon cœur, encore troublé des nausées que lui donnait le siècle, cherche avec agitation...

Connaître l'esprit de l'univers, entasser l'émotion de tant de sciences, être secoué par ce qu'il y a d'immortel dans les choses, cette passion m'enfièvre, tandis que sonnent les heures de nuit... Je me couchai avec le désespoir de couper mon ardeur; je me suis levé ce matin avec un bourdonnement de joie dans le cerveau, parce que je vois des jours de tranquillité étendus devant moi. Ma poitrine, mes sens sont largement ouverts à celui que j'aime : à l'Enthousiasme.

Il ne s'agit pas qu'ayant accumulé des notions, je devienne pareil à un dictionnaire; mon bonheur sera de me contempler agité de tous les frissons, et d'en être insatiable. Seule félicité digne de moi, ces instants où j'adore un Dieu, que, grâce à ma clairvoyance croissante, je perfectionne chaque jour!

Pour ne pas succomber sous l'âme universelle que nous allons essayer de dégager en nous, commençons par connaître les forces et les faiblesses de notre esprit et de notre corps. Il importe au plus haut point que nous tenions en main ce double instrument, pour avoir une conscience nette de l'émotion perçue, et pour pouvoir la faire apparaître à volonté.

Tel fut l'objet de nos conférences d'octobre.

Nous inspectâmes d'abord nos organes : de leur disposition résulte notre force et notre clairoyance.

Un médecin compétent que nous fîmes venir de la ville nous mit tout nus et nous examina. Ce praticien, soigneusement, de l'oreille et des doigts réunis, nous auscultait, tandis que nous comptions d'une voix forte jusqu'à trente; ainsi l'avait-il ordonné.

— Vous êtes délicats, mais sains.

Telle fut son opinion, qui nous plut. Nous serions impressionnés par une difformité aussi péniblement que par un manque de tenue. C'est encore du lyrisme que d'être boiteux ou manchot; il y a du panache dans une bosse. Toute affectation nous choque. « Avoir la pituite ou une gibbosité! disait Simon, mais j'aimerais autant qu'on me trouvât le tour d'esprit de Victor Hugo. » Simon a bien du goût de répugner aux êtres excessifs; ces monstres ne peuvent juger sainement la vie ni les passions. Un esprit agile dans un corps simplifié, tel est notre rêve pour assister à la vie.

Tandis qu'il se rhabillait, Simon se rappela avoir bu diverses pharmacies et qu'il manqua d'esprit de suite. Pour moi, ayant débuté dans l'existence par l'huile de foie de morue, j'alternai vigoureusement les fers et les quinquinas; mais toujours me répugna le grand air qui seul m'eût tonifié sans m'échauffer.

Maigres l'un et l'autre, mais lui plus musculeux, nous naquîmes dans des familles nerveuses, la sienne apoplectique du côté des hommes et bizarre par les femmes. Ses sensations se poussent avec une violente vivacité dans des sens divers. Ses mouvements sont brusques, et prêteraient parfois au ridicule sans sa parfaite éducation. Il est bilieux.

— A la campagne, me dit-il, fumant ma pipe en plein air, fouaillant mes chiens et criant après eux, dès les 6 heures du matin, je jouis, je respire à l'aise.

Cabanis observe, en effet, que l'abondance de bile met une chaleur âcre dans tout le corps, en sorte que le bilieux trouve le bien-être seulement dans de grands mouvements qui emploient toutes ses forces. Ce médecin philosophe ajoute que, chez les hommes de ce tempérament, *l'activité du cœur* est excessive et exigeante.

— J'entends bien, me répond en souriant Simon; mes journées ne sont heureuses qu'en province, mes nuits ne sont agréables qu'à Paris... Cette ville toutefois diminue ma force musculaire. Des occupations sédentaires, l'exercice exclusif des organes internes entraînent des désordres hypocondriaques et nerveux. Oh! la fâcheuse contraction de mon système épigastrique! Ma circulation s'alanguit jusqu'à faire hésiter ma vie. Je perds cette conscience de ma force que donnent toujours une chaleur active et un mouvement régulier du cerveau, et qui est si nécessaire pour venir à bout des obstacles de la vie active. C'est ainsi que tu me vis indifférent aux ambitions, que tu poursuivais tout au moins par saccade.

— Eh! lui dis-je, crois-tu que je ne les ai pas connues, au milieu de mes plus belles énergies, ces hésitations et ces réserves! Toi, Simon, bilio-nerveux, tu mêles une incertitude âpre à cette multiple énergie cérébrale qui naît de ton état nerveux. Cette complexité est le point extrême où tu atteins sous l'action de Paris, mais elle fut ma première étape. Je suis né tel que cette ville te fait. Chez moi, d'une activité musculaire toujours nulle, le système cérébral et nerveux a tout accaparé. Dans ce défaut d'équilibre, les organes inégalement vivifiés se sont altérés, la sensibilité alla se dénaturant. C'est l'estomac qui pâtit le premier. J'offre un phénomène bien connu des philosophes de la médecine et des directeurs de conscience : je passe par des alternatives incessantes de langueur et d'exaltation. C'est ainsi que je fus poussé à cette série d'expériences, où je veux me créer une exaltation continue et proscrire à jamais les abattements. Dans ma défaillance que rend extrême l'impuissance de mes muscles, parfois une excitation passagère me traverse; en ces instants, je sens d'une manière heureuse et vive; la multiplicité et la promptitude de mes idées sont incomparables : elles m'enchantent et me tourmentent. Ah! que ne puis-je les fixer à jamais! Si, à l'aube, elles se retirent, me laissant dans l'accablement, c'est que je n'ai pas su les canaliser; si, au soir, je les attends en vain, c'est que je n'ai pas surpris le secret de les évoquer... Je te marque là quelle sera notre tâche de Saint-Germain.

Nous sommes l'un et l'autre des mélancoliques. Mais faut-il nous en plaindre ? Admirable complication qu'a notée le savant ! Les appétits du mélancolique prennent plutôt le caractère de la passion que celui du besoin. Nous ennoblissons si bien chacun de nos besoins que le but devient secondaire; c'est dans notre appétit même que nous nous complaisons, et il devient une ardeur sans objet, car rien ne saurait le satisfaire. Ainsi sommes-nous essentiellement des idéalistes.

De cet état, disent les médecins, sortent des passions tristes, minutieuses, personnelles, des idées petites, étroites et portant sur les objets des plus légères sensations. Et la vie s'écoule, pour ces sujets, dans une succession de petites joies et de petits chagrins qui donnent à toute leur manière d'être un caractère de puérilité, d'autant plus frappant qu'on l'observe souvent chez des hommes d'un esprit d'ailleurs fort distingué.

N'en doutons pas, voilà comment nous juge le docteur qui, tout à l'heure, nous auscultait. *Passions tristes*, dit-il; — mais garder de l'univers une vision ardente et mélancolique, se peut-il rien imaginer de mieux ? *Minutieuses et personnelles;* — c'est que nous savons faire tenir l'infini dans une seconde de nous-mêmes. Nos raisonnements tortueux demeurent incomplets, c'est que l'émotion nous a saisis au détour d'une déduction, et dès lors a rendu toute logique superflue. Il ne faut pas demander ici des raisonnements équilibrés. Je n'ai souci que d'être ému.

Et félicitons-nous, Simon : toi, d'être devenu mélancolique; et moi, d'avoir été anémié par les veilles et les dyspepsies. Félicitons-nous d'être débilités, car toi, bilieux, tu aurais été satisfait par l'activité du gentilhomme campagnard, et moi, nerveux délicat, je serais simplement distingué. Mais parce que l'activité de notre circulation était affaiblie, notre système veineux engorgé, tous nos actes accompagnés de gêne et de travail, nous avons mis l'âge mûr dans la jeunesse. Nous n'avons jamais connu l'irréflexion des adolescents, leurs gambades ni leurs déportements. La vie toujours chez nous rencontra des obstacles. Nous n'avons pas eu le sentiment de la force, cette énergie vitale qui pousse le jeune homme hors de lui-même. Je ne me crus jamais invincible. Et en même temps, j'ai eu peu de confiance dans les autres. Notre existence, qui peut paraître triste et inquiète, fut du moins clairvoyante et circonspecte. Ce sentiment de nos forces émoussées nous engage vivement à ne négliger aucune de celles qui nous restent, à en augmenter l'effet par un meilleur usage, à les fortifier de toutes les ressources de l'expérience.

Tel est notre corps, nous disions-nous l'un à l'autre, et c'est un des plus satisfaisants qu'on puisse trouver pour le jeu des grandes expériences.

EXAMEN MORAL

Nous continuâmes notre examen; et laissant notre corps, nous cherchions à éclairer notre conscience.

Silencieux et retirés, d'après un plan méthodique, nous avons passé en revue nos péchés, nos manques d'amour. A ce très long labeur je trouvai infiniment d'intérêt. Et Simon, au dîner du dernier jour, une heure avant la confession solennelle, me disait :

— Aujourd'hui, comme le malade arrive à connaître la plaie dont il souffre et qu'il inspecte à toute minute, je suis obsédé de la laideur qu'a prise mon âme au contact des hommes.

Nous avions décidé de passer nos fracs, cravates noires, souliers vernis, de boire du thé en goûtant des sucreries, et de nous coucher seulement à l'aube, afin de marquer cette grande journée de quelques traits singuliers parmi l'ordinaire monotonie de notre retraite (car il faut considérer qu'un décor trop familier rapetisse les plus vives sensations).

Quand nous fûmes assis dans les deux ganaches de la cheminée, toutes lampes allumées et le feu très clair, Simon, qui sans doute attachait une grande importance à ces premières démarches de notre régénération, était ému, au point que, d'énervement presque douloureux mêlé d'hilarité, il fit,

158

avec ses doigts crispés en l'air, le geste d'un épileptique.

Je notai cela comme un excellent signe, et je sentis bien les avantages d'être deux, car par contagion je goûtai, avant même les premiers mots, une chaleur, un entrain un peu grossier, mais très curieux.

Et d'abord parcourons, lui dis-je, les lieux où nous avons demeuré.

1º DANS LE GROUPE DE LA FAMILLE (c'est-à-dire au milieu de ces relations que je ne me suis pas faites moi-même), j'ai péché :

Par pensée (les péchés par pensée sont les plus graves, car la pensée est l'homme même); c'est ainsi que je m'abaissai jusqu'à avoir des préjugés sur les situations sociales et que je respectai malgré tout celui qui avait réussi. Oui, parfois j'eus cette honte de m'enfermer dans les catégories.

Par parole (les péchés par parole sont dangereux, car par ses paroles on arrive à s'influencer soi-même); c'est ainsi que j'ai dit, pour ne point paraître différent, mille phrases médiocres qui m'ont fait l'âme plus médiocre.

Par œuvre (les péchés par œuvre, c'est-à-dire les actions, n'ont pas grande importance, si la pensée proteste); toutefois il y a des cas : ainsi, le tort que je me fis en me refusant un fauteuil à oreillettes où j'aurais médité plus noblement.

2º DANS LA VIE ACTIVE (c'est-à-dire au milieu de ceux que j'ai connus par ma propre initiative), j'ai péché :

Par pensée : m'être préoccupé de l'opinion. Je fus tenté de trouver les gens moins ignobles quand ils me ressemblaient.

Par parole : avoir renié mon âme, jolie volupté de rire intérieur, mais qui demande un tact infini, car l'âme ne demeure intense qu'à s'affirmer et s'exagérer toujours.

Par œuvre : n'avoir pas su garder mon isolement. Trop souvent je me plus à inventer des hommes supérieurs, pour le plaisir de les louer et de m'humilier. C'est une fausse démarche; on ne profite qu'avec soi-même, méditant et s'exaspérant.

Quand j'achevai cette confession, Simon me dit :

— Il est un point où vous glissez qui importe, car nous

saurions en tirer d'utiles renseignements pour telle manœuvre importante : vous avez eu un métier.

— C'est juste, lui dis-je. Un métier, quel qu'il soit, fait à notre personnalité un fondement solide ; c'est toute une réserve de connaissances et d'émotions. J'avais pour métier d'être ambitieux et de voir clair. Je connais parfaitement quelques côtés de l'intrigue parisienne.

— Voulez-vous me donner des détails sur les hommes supérieurs que vous remarquiez ? Vous en parlez, ce semble, avec chaleur. Ces liaisons intellectuelles expliquent quelquefois nos attitudes de la vingtième année.

— A dix-huit ans, mon âme était méprisante, timide et révoltée. Je vis un sceptique caressant et d'une douceur infinie ; en réalité il ne se laissait pas aborder.

O mon ami, de qui je tais le nom, auprès de votre délicatesse j'étais maladroit et confus ; aussi n'avez-vous pas compris combien je vous comprenais ; peut-être vous n'avez pas joui des séductions qu'exerçait sur mon esprit avide l'abondance de vos richesses. Vous me faisiez souffrir quand vous preniez si peu souci d'embellir mes jeunes années qui vous écoutaient, et paré d'un flottant désir de plaire, vous n'étiez préoccupé que de vous paraître ingénieux à vous-même. Or, cédant à l'attrait de reproduire la séduisante image que vous m'apparaissiez, je négligeai la puissance de détester et de souffrir qui sourd en moi. Vous captiviez mon âme, sans daigner même savoir qu'elle est charmante, et vous l'entraîniez à votre suite en lui lançant par-dessus votre épaule des paroles flatteuses dénuées d'à-propos.

Celui que je rencontrai ensuite était amer et dédaigneux, mais son esprit, ardent et désintéressé. Je le vis orgueilleux de son vrai moi jusqu'à s'humilier devant tous, pour que du moins il ne fût jamais traité en égal. Je l'adorais, mais, malades l'un et l'autre, nous ne pûmes nous supporter, car chacun de nous souffrait avec acuité d'avoir dans l'autre un témoin. Aussi avons-nous préféré — du moins tel fut mon sentiment, car je ne veux même plus imaginer ce qu'il pensait — oublier que nous nous connaissions et si, rusant avec la vie, je fis parfois des concessions, je n'avais plus à m'en impatienter que devant moi-même.

O solitude, toi seule tu ne m'as pas avili ; tu me feras des loisirs pour que j'avance dans la voie des parfaits, et tu m'enseigneras le secret de vêtir à volonté des convictions diverses, pour que je sois l'image la plus complète possible de l'univers. Solitude, ton sein vigoureux et morne, déjà j'ai pu l'adorer ; mais j'ai manqué de discipline, et ton étreinte m'avait grisé. Ne veux-tu pas m'enseigner à prier méthodiquement ?

Simon m'a dit dans la suite que j'avais excellemment parlé. Mon émotion l'enleva. Nous connûmes, ce soir-là, une ardente bonté envers mille indices de beauté qui soupirent en nous et que la grossièreté de la vie ne laisse pas aboutir. J'aspirais à souffrir et à frapper mon corps, parce que son épaisse indolence opprime mes jolies délicatesses. Comme je me connais impressionnable, je m'en abstins, et pourtant je n'eusse ressenti aucune douleur, mais seulement l'âpre plaisir de la vengeance... Tout cela j'hésite à le transcrire ; ce ne sont pas des raisonnements qu'il faudrait vous donner, mais l'émotion montante de cette scène à laquelle je ne sais pas laisser son vague mystérieux. Qu'ils s'essayent à repasser par les phases que j'ai dites, ceux qui soupçonnent la sincérité de ma description ! Si mes habitudes d'homme réfléchi n'avaient retenu mon bras, j'eusse été aisément sublime, et frappant mon corps, j'aurais dit : « Souffre, misérable ! gémis, car tu es infâme de ne connaître que des instants d'émotion, rapides comme des pointes de feu. Souffre, et profondément, pour que ton *moi*, à cet éveil brutal, enfin te soit connu. Tu n'es qu'un infirme, somnolent sous la pluie de la vie. Depuis huit années que tes sens sont baignés de sensations, quelle ardeur peux-tu me montrer dont tu brûles, quand il faudrait que tu fusses consumé de toutes à la fois et sans trêve ! Mais comment supporterais-tu cette belle ivresse, toi qui n'as pas même un réel désir d'être ivre, encore que tu enfles ta voix pour injurier ta médiocrité ! Souffre donc, homme insuffisant, car tous sont meilleurs que toi. Et si tu te vantes que leur supériorité t'est indifférente, je ne t'autorise pas à tirer mérite de ce renoncement : il n'est beau d'être misérable et d'aimer sa misère qu'après s'être dépouillé volontairement. »

Ah ! Simon, quel ennui ! Que d'années excellentes perdues pour le développement de ma sensibilité ! J'entrevois la beauté de mon âme, et ne sais pas la dégager! C'est un grand dépit d'être enfermé dans un corps et dans un siècle, quand on se sent les loisirs et le goût de vivre tant de vies!

Simon restait assis auprès du feu, cherchant le calme dans une raideur de nerfs, évidemment fort douloureuse. J'interrompis ma promenade, et m'asseyant à ses côtés : — Faisons la *composition de lieu*, lui dis-je.

C'est aux *Exercices spirituels* d'Ignace de Loyola, au plus surprenant des psychologues, que nous empruntons cette méthode, dont je me suis toujours bien trouvé.

La vie est insupportable à qui n'a pas à toute heure sous la main un enthousiasme. Que si la grâce nous est donnée de ressentir une émotion profonde, assurons-nous de la retrouver au premier appel. Et pour ce, rattachons-la, fût-elle de l'ordre métaphysique le plus haut, à quelque objet matériel que nous puissions toucher jusque dans nos pires dénuements. Réduisons l'abstrait en images sensibles. C'est ainsi que l'apprenti mécanicien trace sur le tableau noir des signes conventionnels pour fixer la figure idéale qu'il calcule et qui toujours est près de lui échapper.

J'imaginai un guide-âne et toute une mnémotechnie, qui me permettront de retrouver à mon caprice les plus subtiles émotions que j'aurai l'honneur de me donner. Le monde sentimental, catalogué et condensé en rébus suggestifs, tiendra sur les murs de mon vaste palais intérieur, et m'enfermant dans chacune de ses chambres, en quelques minutes de contemplation, je retrouverai le beau frisson du premier jour. Surtout je parviendrai à fixer mon esprit. L'attention ramassée toute sur un même point y augmente infiniment la sensibilité. Une douleur légère, quand on la médite, s'accroît et envahit tout l'être. Si vous essayez de songer à cette phrase abstraite : « J'ai manqué d'amour dans mes méditations, c'est pourquoi j'ai été humilié », votre esprit dissipé n'arrive pas à l'émotion. Mais allumez un cigare vers les 10 heures du soir, seul dans votre chambre où rien ne vous distrait, et dites :

Composition de lieu.

Un homme est accroupi sur son lit, dans la nuit, levant sa face vers le ciel, par désespoir et par impuissance, car il souffre de lancinations sans trêve que la morphine ne maîtrise plus. Il sait sa mort assurée, douloureuse et lente. Il est loin de ses pairs, parmi des hommes grossiers qui ont l'habitude de rire avec bruit; même il en est arrivé à rougir de soi-même, et pour plaire à ces gens il a voulu paraître leur semblable.

Dans cet abaissement, qu'il allume sa lampe, qu'il prenne les lettres des rois qui le traitent en ami, qu'il célèbre le culte dont l'entoura sa maîtresse, jeune et de qui les beaux yeux furent par lui remplis jusqu'au soir où elle mourut en le désirant, qu'il oublie son infirmité et les gestes dont on l'entoure! Voici que l'amour, celui qu'il aime, l'amour frère de l'orgueil, rentre en lui, et ses pensées ennoblies redeviennent dignes des grands qui l'honorent, tendues et dédaigneuses.

Ainsi s'achevait cette nuit. Silencieux et désabusés, nous appuyions nos fronts aux vitres fraîches. Sur la vaste cuvette des terres endormies, parmi les vapeurs qui s'étirent, l'aube commençait; alors, nous entreprîmes, dans le malaise de ce matin glacé, l'*exercice de la mort*.

Exercice de la mort.

Nous serons un jour (mais qui de nous deux le premier?) meurtris par notre cercueil; nos mains jointes seront opprimées par des planches clouées à grand bruit; nos visages d'humoristes n'auront plus que les marques pénibles de cette lutte dernière que chacun s'efforce de taire, mais qui, dans la plupart des cas, est atroce. Ce sera fini, sans que ce moment suprême prenne la moindre grandeur tragique, car l'accident ne paraît singulier qu'à l'agonisant lui-même. Ce sera terminé. Tout ce que j'aurai emmagasiné d'idées, d'émotions, et mes conceptions si variées de l'univers s'effa-

163

ceront. Il convient donc qu'au milieu de ces enthousiasmes si désirés, nous n'oubliions pas d'en faire tout au fond peu de cas, et il convient en même temps que nous en jouissions sans trêve. Jouissons de tout et hâtivement, et ne nous disons jamais : « Ceci, des milliers d'hommes l'ont fait avant moi »; car, à n'exécuter que la petite danse que la Providence nous a réservée dans le cotillon général, nous ferions une trop longue tapisserie. Jouissons et dansons, mais voyons clair. Il faut traiter toutes choses au monde comme les gens d'esprit traitent les jeunes filles. Les jeunes filles, au moins en désir, se sont prêtées à tous les imbéciles, et lors même qu'elles sont vierges de désir, croyez-vous qu'il n'existe pas un imbécile qui puisse leur plaire! Il faut faire un assez petit cas des jeunes filles, mais nous émouvoir à les regarder, et nous admirer de ressentir pour de si maigres choses un sentiment aussi agréable.

Colloque.

Cette haine du péché et cette ardeur vers les choses divines que je viens de traverser, ce sont des instants furtifs de mon âme, je les ai analysés; j'ai démonté ces sentiments héroïques, je saurais à volonté les recomposer. Une centaine de petites anecdotes grossières inscrites sur mon carnet me donnent sûrement les rêves les plus exquis que l'humanité puisse concevoir. Elles sont les clochers qui guident le fidèle jusqu'à la chapelle où il s'agenouille. Mon âme mécanisée est toute en ma main, prête à me fournir les plus rares émotions. Ainsi je deviens vraiment un homme libre.

Pourquoi, mon âme, t'humilier, si de toi, pauvre désorientée, je fais une admirable mécanique? Simon m'a dit qu'enfant il savait se faire pleurer d'amour pour sa famille, en songeant à la douleur qu'il causerait, s'il se suicidait. Il voyait son corps abîmé, l'imprévu de cette nouvelle tombant au milieu du souper, apportée par un parent qui peut à peine se contenir, ces grands cris, ces sanglots qui coupent toutes les voix pendant trois jours. Et, précisant ce tableau matériel avec minutie, il s'élevait en pleurant sur soi-même jusqu'à la plus noble émotion d'amour filial : le désespoir de peiner les siens.

Pourquoi les philosophes s'indigneraient-ils contre ce machinisme de Loyola? Grâce à des associations d'idées devenues chez la plupart des hommes instinctives, ne fait-on pas jouer à volonté les ressorts de la mécanique humaine? Prononcez tel nom devant les plus ignorants, vous verrez chacun d'eux éprouver des sensations identiques. A tout ce qui est épars dans le monde, l'opinion a attaché une façon de sentir déterminée, et ne permet guère qu'on la modifie. Nous éprouvons des sentiments de respectueuse émotion devant une centaine d'anecdotes ou devant de simples mots peut-être vides de réalité. Voilà la mécanique à laquelle toute culture soumet l'humanité, qui, la plupart du temps ne se connaît même point comme dupe. Et moi qui, par une méthode analogue, aussi artificielle, mais que je sais telle, m'ingénie à me procurer des émotions perfectionnées, vous viendriez me blâmer! L'humanité s'émeut souvent à son dommage, tant elle y porte une déplorable conviction; quant à moi, sachant que je fais un jeu, je m'arrêterai presque toujours avant de me nuire.

CHAPITRE V

Les Intercesseurs

Ayant touché avec lucidité nos organes et nos agitations familières, sachons utiliser cette enquête. Que notre âme se redresse et que l'univers ne soit plus déformé! Notre âme et l'univers ne sont en rien distincts l'un de l'autre; ces deux termes ne signifient qu'une même chose, la somme des émotions possibles.

Hélas! devant un immense labeur, mon ardeur si intense défaille. Comment, sans m'égarer, amasser cette somme des émotions possibles? Il faut qu'on me secoure, j'appelle des *intercesseurs*.

Il est, Simon, des hommes qui ont réuni un plus grand nombre de sensations que le commun des êtres. Échelonnés sur la voie des parfaits, ils approchent à des degrés divers du type le plus complet qu'on puisse concevoir; ils sont voisins de Dieu. Vénérons-les comme des saints. Appliquons-nous à reproduire leurs vertus, afin que nous approchions de la perfection dont ils sont des fragments de grande valeur.

Aisément nous nous façonnerons leur imitation, maintenant que nous connaissons notre mécanisme.

D'ailleurs, il ne s'agit que de trouver en nous les vertus qui caractérisent ces parfaits et de les dégager des scories dont la vie les a recouvertes. Comme une jolie figure, qu'un maître peignit et que le temps a remplie d'ombre, réapparaît, sous les soins d'un expert, ainsi, par sa méthode et ma persévérance, réapparaîtront ma véritable personne et mon univers enfouis sous l'injure des barbares.

Courons dès aujourd'hui rendre à ces princes un hommage

réfléchi. Je veux quelques minutes m'asseoir sur leurs trônes, et de la dignité qu'on y trouve je demeurerai embelli. Figures que je chérissais dès mes premières sensibilités, je vous prie en croyant, et par l'ardeur de mes désirs vos vertus émergeront en moi; je vous prie en philosophe, et par l'analyse je reconstituerai méthodiquement en mon esprit votre beauté.

*

Dès lors, nous passâmes des heures paisibles à tourner les feuillets, comme un prêtre égrène son chapelet. Dans la petite bibliothèque, écrasée de livres et assombrie par un ciel d'hiver, durant de longs jours, nous méditâmes la biographie de nos saints, et ces bienveillants amis touchaient notre âme çà et là pour nous faire voir combien elle est intéressante.

Dans cette étude de l'*Intelligence souffrante*, je fortifiais mon désir de l'*Intelligence triomphante*. Ainsi la passion de Jésus-Christ excite le chrétien à mériter les splendeurs et la félicité du paradis.

Aimable vie abstraite de Saint-Germain! Dégagé des nécessités de l'action, fidèle à mon régime de méditation et de solitude, assuré au soir, quand je me couchais, que nulle distraction ne me détournerait le lendemain de mes vertus, protégé contre les défaillances au point que j'avais oublié le siècle, je passai les mois de novembre, décembre et janvier avec les morts qui m'ont toujours plu. Et je m'attachai spécialement à quelques-uns qui, au détour d'un feuillet, me bouleversent et me conduisent soudain, par un frisson, à des coins nouveaux de mon âme.

Des figures livresques peu à peu vécurent pour moi avec une incroyable énergie. Quand une trop heureuse santé ne m'appesantit pas, Benjamin Constant, le Sainte-Beuve de 1835, et d'autres me sont présents, avec une réalité dans le détail que n'eurent jamais pour moi les vivants, si confus et si furtifs. C'est que ces illustres esprits, au moins tels que je les fréquente, sont des fragments de moi-même. De là cette ardente sympathie qu'ils m'inspirent. Sous leurs masques, c'est moi-même que je vois palpiter, c'est mon

167

âme que j'approuve, redresse et adore. Leur beauté peu sûre me fait entendre des fragments de mon dialogue intérieur, elle me rend plus précise cette étrange sensation d'angoisse et d'orgueil dont nous sommes traversés, quand, le tumulte extérieur apaisé quelques moments, nous assistons au choc de nos divers *moi*.

*

L'ennui vous empêcherait de me suivre, si j'entrais dans le détail de tous ceux que j'ai invoqués. Voici, à titre de spécimen, quelques-unes des méditations les plus poussées où nous nous satisfaisions.

(Je pense qu'on se représente comment naquirent ces consultations spirituelles. Nous gardions mémoire de nos réflexions singulières, et nous nous les communiquions l'un à l'autre dans notre conférence du soir. Elles nous servaient encore à fixer le plan de nos études pour les jours suivants ; ce plan se modifiait d'ailleurs sur les variations de notre sensibilité.)

I. MÉDITATION SPIRITUELLE
SUR BENJAMIN CONSTANT

C'est par raisonnement que Simon goûte Benjamin Constant. Simon est séduit par ce rôle officiel et par cette allure dédaigneuse qui masquaient un bohémianisme forcené de l'imagination ; il félicite Benjamin Constant de ce que toujours il surveilla son attitude devant soi-même et devant la société, par orgueil de sensibilité, et encore de ce qu'il eut peu d'illusions sur soi et sur ses contemporains.

Moi, c'est d'instinct que j'adore Benjamin Constant. S'il était possible et utile de causer sans hypocrisie, je me serais entendu, sur divers points qui me passionnent, avec cet homme assez distingué pour être tout à la fois dilettante et fanatique.

J'aime qu'il cherche avec fureur la solitude où il ne pourra pas se contenter.

J'aime, quand Mme Récamier se refuse, le désespoir, la folie lucide de cet homme de désir qui n'aima jamais que soi, mais que « la contrariété rendait fou ».

J'aime les saccades de son existence qui fut menée par la générosité et le scepticisme, par l'exaltation et le calcul. J'aime ses convictions, qui eurent aux Cent-Jours des détours un peu brusques, à cause du sourire trop souhaité d'une femme. J'admire de telles faiblesses comme le plus beau trait de cet amour héroïque et réfléchi que seuls connaissent les plus grands esprits. Enfin, ses dettes payées par Louis-Philippe et cette humiliation d'une carrière finissante qui jetait encore tant d'éclat me remplissent d'une mélancolie romanesque, où je me perds longuement.

J'aime qu'il ait été brave. Quand on goûte peu les hommes les plus considérés, et qu'on se place volontiers en dehors des conventions sociales, il est joli à l'occasion de payer de sa personne. D'ailleurs beaucoup de petites imaginations (et les facultés imaginatives, c'est le secret de la peur) sont à étouffer quand l'âme va devant soi, toute prudence perdue!

Mais j'aime surtout Benjamin Constant parce qu'il vivait dans la poussière desséchante de ses idées, sans jamais respirer la nature, et qu'il mettait sa volupté à surveiller ironiquement son âme si fine et si misérable. Royer-Collard le mésestimait; mais nous-mêmes, Simon, nous eût-il considérés, cet honnête homme péremptoire qui, par sa rudesse voulue, fit un jour pleurer Jouffroy et n'en fut pas désolé?

Application des sens.

Si cet appétit d'intrigue parisienne et de domination qui parfois nous inquiète au contact du fiévreux Balzac arrivait à nous dominer, notre sensibilité et notre vie reproduiraient peut-être les courbes et les compromis que nous voyons dans la biographie de Benjamin Constant.

169

A dix-huit ans, il souffrait d'être inutile... Peut-être ne sommes-nous ici que pour n'avoir pas su placer notre personne.

Il s'embarrassait dans un long travail, non qu'il en éprouvât un besoin réel, « mais pour marquer sa place, et parce que, à quarante ans, il ne se pardonnerait pas de ne l'avoir pas fait ».

Il désirait de l'activité plus encore que du génie... Ce qu'il nous faut, Simon, c'est sortir de l'angoisse où nous nous stérilisons ; avons-nous dans cette retraite le souci de créer rien de nouveau ? Il nous suffit que notre *moi* s'agite ; nous mécanisons notre âme pour qu'elle reproduise toutes les émotions connues.

Parmi ses trente-six fièvres, Constant gardait pourtant une idée sereine des choses : « Patience, disait-il à son amour, à son ambition, à son désir du bonheur, patience, nous arriverons peut-être et nous mourrons sûrement : ce sera alors tout comme. » Ce sentiment ne me quitte guère. Deux ou trois fois il me pressa avec une intensité dont je garde un souvenir qui ne périra pas.

Dans une petite ville d'Allemagne, vers les 4 heures d'une après-midi de soleil, mes fenêtres étant ouvertes, par où montaient la bousculade joyeuse des enfants et le roulement des tonneaux d'un lointain tonnelier, je travaillais avec énergie pour échapper à une sentimentalité aiguë que l'éloignement avait fortifiée. Mais forçant ma résistance, dans mon cerveau lassé, sans trêve défilait à nouveau la suite des combinaisons par lesquelles je cherchais encore à satisfaire mon sentiment contrarié. Soudain, vaincu par l'obstination de cette recherche aussi inutile que douloureuse, je m'abandonnai à mon découragement ; je le considérai en face. Ces rêves romanesques de bonheur, auxquels il me fallait renoncer, m'intéressaient infiniment plus que les idées de devoir (le devoir, n'était-ce pas, alors comme toujours, d'être orgueilleux ?) où j'essayais de me consoler. Sans doute, me disais-je, j'ai déjà connu ces exagérations ; je sais que dans soixante jours, ces chagrins démesurés me deviendront incompréhensibles, mais c'est du bonheur, tout un renouveau de moi-même, une jeunesse de chaque matin qui m'auront échappé. La vie continuera, apaisée (mais si décolorée !), jusqu'à un nouvel accident, jusqu'à ce que je souffre encore devant une félicité, que je ne saurai pas acquérir : 1° parce que la félicité en réalité n'existe pas; 2° parce que si elle existait, cela m'humilierait de la devoir à un autre. Puis des jours ternes reprendront, coupés de secousses plus rares, pour arriver à l'âge des regrets sans objet... Telle était la seule vision que je pusse me former du monde. Elle m'était fort désagréable.

J'ai vu un boa mourir de faim enroulé autour d'une cloche de verre qui abritait un agneau. Moi aussi, j'ai enroulé ma vie autour d'un rêve intangible. N'attendant rien de bon du lendemain, j'accueillis un projet sinistre : désespéré de partir inassouvi, mais envisageant qu'alors je ne saurais plus mon inassouvissement.

Je contemplais dans une glace mon visage défait; j'étais curieux et effrayé de moi-même. Combien je me blâmais! Je ne doutais pas un instant que je ne guérisse, mais j'étais affolé de dîner et de veiller dans cette ville où rien ne m'aimait, de m'endormir (avec quelle peine!) et puis de me réveiller, au matin d'une pâle journée, avec l'atroce souvenir debout sur mon cerveau. Quel sacrifice je fis à une chère affection, en me résignant à accepter ces quinze jours d'énervement très pénible! Je me répétai la parole de Benjamin Constant : « Patience! nous arriverons peut-être (à ne plus désirer, à être d'âme morne), et puis nous mourrons sûrement; ce sera alors tout comme. »

Méditation.

Au courant de cette neuvaine que nous faisons en l'honneur de Benjamin Constant, et à propos d'une controverse culinaire un peu trop prolongée que nous eûmes sur un gibier, une remarque m'est venue. J'aime beaucoup Simon pour tout ce que nous méprisons en commun, mais il me blesse par l'inégale importance que nous prêtons à diverses attitudes de la vie.

Certes, je me forme des idées claires de mes exaltations, et tout ce cabotinage supérieur, je le méprise comme je méprise toutes choses, mais je l'adore. Je me plais à avoir un caractère passionné, et à manquer de bon sens le plus souvent que je peux.

171

Mon ami, sans doute, n'a pas de goût pour le bon sens, sinon pourrais-je le fréquenter ? Mais les soins dont j'entoure la culture de ma bohème morale, c'est à sa tenue, à son confort, à son dandysme extérieur qu'il les prodigue. Vous ne sauriez croire quel orgueil il met à trancher dans les questions de vénerie ! — Hé ! direz-vous, que fait-il alors dans cette retraite ? — En vérité, je soupçonne parfois qu'avec plus de fortune il ne serait pas ici.

Ces petites réflexions où, pour la première fois, je me différenciais de Simon, je ne les lui communiquai pas. Pourquoi le désobliger ?

Benjamin Constant l'a vu avec amertume. Deux êtres ne peuvent pas se connaître. Le langage ayant été fait pour l'usage quotidien ne sait exprimer que des états grossiers ; tout le vague, tout ce qui est sincère n'a pas de mot pour s'exprimer. L'instant approche où je cesserai de lutter contre cette insuffisance ; je ne me plairai plus à présenter mon âme à mes amis, même à souper.

J'entrevois la possibilité d'être las de moi-même autant que des autres.

Mais quoi ! m'abandonner ! je renierais mon service, je délaisserais le culte que je me dois ! Il faut que je veuille et que je me tienne en main pour pénétrer au jour prochain dans un univers que je vais délimiter, approprier et illuminer, et qui sera le cirque joyeux où je m'apparaîtrai, dressé en haute école.

Colloque.

— Benjamin Constant, mon maître, mon ami, qui peux me fortifier, ai-je réglé ma vie selon qu'il convenait ?

— Les affaires publiques dans un grand centre, ou la solitude : voilà les vies convenables. Le frottement et les douleurs sans but de la société sont insupportables.

— Tu le vois, je m'enferme dans la méditation ; mais on ne m'a pas offert les occupations que tu indiques, où peut-être j'eusse trouvé une excitation plus agréable.

— A dire vrai, dans la solitude je me désespérais. Dès que je le pus, je m'écriai : Servons la bonne cause et servons-nous nous-même.

— Mais comment se reconnaît la bonne cause? et jusqu'à quel point vous êtes-vous servi vous-même?

— Hé! me dit-il avec son fin sourire, j'ai servi toutes les causes pour lesquelles je me sentais un mouvement généreux. Quelquefois elles n'étaient pas parfaites, et souvent elles me nuisirent. Mais j'y dépensai la passion qu'avait mise en moi quelque femme.

— Je te comprends, mon maître; si tu parus accorder de l'importance à deux ou trois des accidents de la vie extérieure, c'était pour détourner des émotions intimes qui te dévastaient et qui, transformées, éparpillées, ne t'étaient plus qu'une joyeuse activité.

Oraison.

Ainsi, Benjamin Constant, comme Simon et moi, tu ne demandais à l'existence que d'être perpétuellement nouvelle et agitée.

Tu souffris de tout ce qui t'était refusé : choses pourtant qui ne t'importaient guère. Tu te dévorais d'amour et d'ambition; mais ni la femme ni le pouvoir n'avaient de place dans ton âme. C'est le désir même que tu recherchais; quand il avait atteint son but, tu te retrouvais stérile et désolé. Tu connus ce vif sentiment du précaire qui fait dire par l'amant, le soir, à sa maîtresse : « Va-t'en, je ne veux pas jouir de ton bonheur cette nuit, puisque tu ne peux pas me prouver que demain et toujours, jusqu'à ce que tu meures la première, tu seras également heureuse de te donner à moi. »

Tu n'aimas rien de ce que tu avais en main, mais tu t'exaspéras volontairement à désirer tous les biens de ce monde. Tu trouvais une volupté douloureuse dans l'amertume. Quelques débauchés connaissent une ardeur analogue. Ils se plaisent à abuser de leurs forces, non pour augmenter l'intensité ou la quantité de leurs sensations, mais parce que, nés vraiment avec des instincts romanesques, ils trouvent un plaisir vraiment intellectuel, plaisir d'orgueil, à sentir leur vie qui s'épuise dans des occupations qu'ils méprisent. Toi-même, vieillard célèbre et mécontent, tu finis par ne plus résister au plaisir de te déconsidérer, tu passas tes nuits aux jeux du Palais-Royal, et tu tins des propos sceptiques devant des doctrinaires.

Je te salue avec un amour sans égal, grand saint, l'un des plus illustres de ceux qui, par orgueil de leur vrai *moi* qu'ils ne parviennent pas à dégager, meurtrissent, souillent et renient sans trêve ce qu'ils ont de commun avec la masse des hommes. Quand ils humilient ce qui est en eux de commun avec Royer-Collard, ce que Royer-Collard porte comme un sacrement, je les comprends et je les félicite. La dignité des hommes de notre sorte est attachée exclusivement à certains frissons, que le monde ne connaît ni ne peut voir, et qu'il nous faut multiplier en nous.

II. MÉDITATION SPIRITUELLE
SUR SAINTE-BEUVE

Les froids et la brume qui salissaient la Lorraine rétrécirent encore l'horizon de notre curiosité. Enfermés plus dévotement que jamais dans les minutes de notre règle, nous jouissions des vêtements amples et des livres entassés dans nos cellules chaudes.

Je lus *Joseph Delorme, les Consolations, Volupté* et le *Livre d'amour*, avec les pensées jointes aux *Portraits du lundi*. Écartant les œuvres du critique, je m'en tins au Sainte-Beuve de la vingtième année, aux misères de celui qui s'étonnait devant soi-même et qui, par la vertu de son orgueil studieux, trouvait des émotions profondes dans un infime détail de sa sensibilité.

A cette époque déjà, il voulait le succès, car né dans une bonne bourgeoisie, il tenait compte de l'opinion des hommes de poids, et puis il avait des vices qui veulent quelque argent. Toutefois, son âme inclinait vers la religion. Ce mysticisme fait des inquiétudes d'une jeunesse sans amour et de son impatience ambitieuse, n'était en somme que ce vague mécontentement qu'il assoupit plus tard entre les bras vulgaires des petites filles et dans un travail obstiné de bouquiniste. Son mysticisme alla s'atrophiant. Mais à

174

vingt-cinq ans son rêve était précisément de la cellule que nous construisons dans l'atmosphère froide du monotone Saint-Germain.

Application des sens.

Au Louvre, dans la salle Chaudet, musée des sculptures modernes, parmi les médaillons de David, en se dressant sur la pointe des pieds, on peut étudier le Sainte-Beuve de 1828. Sa vieille figure des dernières années, trop grasse et d'une intelligence sensuelle, ne fait voir que le plus matois des lettrés, tandis qu'il est vraiment notre ami, ce jeune homme grave, timide et perspicace qui a senti deux ou trois nuances profondément.

Il s'était composé de la vie une vision sentimentale et dominée par un dégoût très fin. Cette intelligence frissonnante fut la plus minutieuse, la plus exaltée, la plus érudite, la plus sincère, jusqu'au jour où, envahie de paresse, elle se négligea soi-même pour travailler simplement, et dès lors eut du talent, de l'avis de tout le monde, mais comme tout le monde.

Jeune homme, si dégoûté que tu cédas devant les bruyants, ne souillons pas notre pensée à contester avec les gens de bon sens qui sacrifient ton adolescence à ta maturité. Il n'est que moi qui puisse te comprendre, car tu me présentes, poussés en relief, quelques-uns de mes caractères.

A vingt-cinq ans, sous le même toit que ta mère, dans ta chambre, tu travailles. Je vois sur tes tables des poètes, tes contemporains, des mystiques, tels que l'*Imitation* et Saint-Martin, des médecins philosophes, Destutt de Tracy, Cabanis, puis des journaux, des revues, car ton esprit toujours inquiet accepte les idées du hasard, en même temps qu'il poursuit un travail systématique. J'entends ta voix, un peu forte sur certains mots, et qui n'achève pas; à peine tes phrases indiquées, tu sembles n'y plus tenir.

Dans cette belle crise d'une sensibilité trop vite desséchée, Sainte-Beuve attachait peu d'importance au fruit de sa méditation. De la pensée, il ne goûtait que la chaleur qu'elle nous met au cerveau. Il aimait mieux suivre les voltes de sa propre émotion que convaincre; il dédaignait les sentiments qu'on raconte et qui dès lors ne sont plus qu'une sèche notion. De là cette mollesse à soutenir son avis, ce brisé dans le développement de ses idées. Il savait que Dieu seul, pénétrant les cœurs, peut juger la sincérité d'une prière... Ceux de ma race, eux-mêmes, imagineront-ils l'ardeur du sentiment d'où sort ici cette tiède méditation?

Méditation.

A considérer longuement Sainte-Beuve, je vois que son extrême politesse et sa compréhension ne sont accompagnées d'aucune sympathie pour ceux mêmes qu'il pénètre le plus intimement. Il est là, très timide et très jeune, avec une indication de sourire dans une raie au-dessus des yeux et quelque chose de si complexe dans l'intelligence qu'on ne le sent qu'à demi sincère. Que sa bouche et ses yeux indiquent de réflexion! Est-ce une nuance d'envie, ce mécontentement qui pâlit son visage? C'est la fatigue, l'inquiétude d'un voluptueux las, d'un voluptueux qui ne fournit pas à ses sensualités des satisfactions larges, parce qu'il faudrait de la persistance, et que, les crises passées, son intelligence ne s'attarde pas.

Tu n'as pas d'yeux pour vivre sur un décor, tu ne te satisfais qu'avec des idées, et tu te dévorerais à t'interroger si l'on ne te jetait précipitamment des systèmes et des hommes à éprouver. C'est ainsi qu'il me faut sans trêve des émotions et de l'inconnu, tant j'ai vite épuisé, si variés qu'on les imagine, tous les aspects du plus beau jour du monde.

Dans la suite, la sécheresse t'envahit parce que tu étais trop intelligent. Tu dédaignas de servir plus longtemps de mannequin à des émotions que tu jugeais.

Heureux les pauvres d'esprit! Comme ils ne se forment pas des idées claires sur leurs émotions, ils se plaisent et ils s'honorent; mais toi, tu t'irritais contre toi-même, et tu n'étais pas plus satisfait de ta vie intime que des événements. Tu savais que tu vivais médiocrement, sans imaginer comment il fallait vivre.

176

Colloque.

Je t'aime, jeune homme de 1828. Le soir, après une journée d'action, j'ai senti, moi aussi, et jusqu'à souhaiter que soudain dix années m'éloignassent de ce jour, un triste mécontentement ; je me suis désolé d'être si différent de ce que je pourrais être, d'avoir par légèreté peiné quelqu'un, et encore d'avoir donné à ma physionomie morale une attitude irréparable.

Parfois je suis touché de regrets en considérant les hommes forts et simples. Et j'approuve ton Amaury auquel en imposait le caractère poussant droit de M. de Couaen. Parfois, et bien qu'ils nous gênent, il nous arrive de fréquenter des sectaires, pour surprendre le secret qui les mit toute leur vie à l'aise envers eux-mêmes et envers les autres. Mais, aussi fermes qu'eux dans les nécessités, nous leur en voulons de ce manque d'imagination qui les empêche de supposer un cas où ils pourraient ne plus se suffire, et qui les rend durs envers certaines natures chancelantes, plus proches de notre cœur parce qu'elles connaissent la joie douloureuse de se rabaisser.

Je crois que, dans l'intimité de ton cœur, tu haïssais, au noble sens et sans mauvais souhait, Cousin et Hugo. Mais tu as voulu penser et agir selon qu'il était *convenable ;* et autant que te le permirent tes mouvements instinctifs, tu côtoyas ces natures brutales dont tu souffris.

Ainsi, peu à peu, tu quittais le service de ton âme pour te conformer à la vision commune de l'univers. C'était la nécessité, as-tu dit, qui te forçait à abdiquer ta personnalité excessive ; c'était aussi lassitude de tes casuistiques où toujours tu voyais tes fautes. Tu t'es moins aimé ; tu t'es borné à ce Sainte-Beuve compréhensif où tu te réfugiais d'abord aux seules heures de lassitude cérébrale. Oublieux de toi-même, tu ne raisonnas plus que sur les autres âmes. Et ce n'était pas, comme je fais, pour comparer à leurs sensibilités la tienne et l'embellir, c'était pour qu'elle existât moins. Je te comprends, admirable esprit ; mais comme il serait triste qu'un jour, faute d'une source intarissable d'émotions, j'en vinsse à imiter ton renoncement !

Ce n'est pas à la vie publique que tu demandais l'émotion. A l'âge où Benjamin Constant était ambitieux et amant, tu fus amoureux et mystique. Si tu n'as pas eu ce don de spiritualité chrétienne qui retrouve Dieu et son intention vivante jusque dans les plus petits détails et les moindres mouvements, du moins tu te l'assimilas. Tu pleurais de dépit de n'être pas aimé et de ne pas aimer Dieu. Tu as jusqu'à l'épithète un peu grasse et sensuelle du prêtre qui désire. Ta rêverie religieuse était pleine de jeunes femmes; tu n'étais pas précisément hypocrite, mais leur présence t'encourageait à blâmer la chair. Dès que le sentiment te parut vain, tu ne t'obstinas pas à te faire aimer et, vers le même temps, tu cessas de vouloir croire. C'était fini de tes merveilleux frissons qui te valent mon attendrissement; tu ne fus désormais que le plus intelligent des hommes.

Oraison.

Toi qui as abandonné le bohémianisme d'esprit, la libre fantaisie des nerfs, pour devenir raisonnable, tu étais né cependant, comme je suis né, pour n'aimer que le désarroi des puissances de l'âme. Ta jeune hystérie se plaisait dans la souffrance; l'humiliation fit ton génie. Ton erreur fut de chercher l'amour sous forme de bonheur. Il fallait persévérer à le goûter sous forme de souffrance, puisque celle-ci est le réservoir de toutes les vertus.

...Et nous-mêmes, malheureux Simon, qui ne trouvons notre émotion que dans les froissements de la vie, n'installons-nous pas notre inquiète pensée dans un cadre de bureaucratie! Ah! que j'aie fini d'être froissé, et je n'aurai plus que de l'intelligence, c'est-à-dire rien d'intéressant. Mon âme, maîtresse frissonnante, ne sera plus qu'une caissière, esclave du doit et avoir, et qui se courbe sur des registres.

*

Nous fîmes d'autres méditations, en grand nombre. Nous nous attachions surtout aux personnes fameuses qui eurent de la spiritualité.

178

Benjamin Constant, pour s'émouvoir, avait besoin de désirer le pouvoir et l'amour; Sainte-Beuve ne fut lui que par ses disgrâces auprès des jeunes femmes; mais d'autres atteignent à toucher Dieu par le seul effort de leur sensibilité, pour des motifs abstraits et sans intervention du monde intérieur. Ceux-là sont tout mon cœur.

Chers esprits excessifs, les plus merveilleux intercesseurs que nous puissions trouver entre nous et notre confus idéal, pourquoi confesserais-je le culte que je vous ai! Vous n'existez qu'en moi. Quel rapport entre vos âmes telles que je les possède et telles que les dépeignent vos meilleurs amis! Il n'est de succès au monde que pour celui qui offre un point de contact à toute une série d'esprits. Mais cette conformité que vos vulgaires admirateurs proclament me répugne profondément. Vous n'atteignez à me satisfaire qu'aux instants où vous dédaignez de donner aucune image de vous-même aux autres, et quand vous touchez enfin ce but suprême du haut dilettantisme, entrevu par l'un des plus énervés d'entre vous : « Avant tout, être un grand homme et un saint pour soi-même... » Pour soi-même!... dernier mot de la vraie sincérité, formule ennoblie de la haute culture du *moi* qu'à Jersey nous nous proposions.

*

Simon et moi, nous eûmes le grand sens de ne pas discuter sur les mérites comparés des saints. Encore qu'ils se contredisent souvent, je les soigne et je les entretiens tous dans mon âme, car je sais que pour Dieu il y a identité de toutes les émotions. Mais j'entrevois que ces couches superposées de ma conscience, à qui je donne les noms d'hommes fameux, ne sont pas du tout mon *moi*. Je suis agité parfois de sentiments mal définis qui n'ont rien de commun avec les Benjamin Constant et les Sainte-Beuve. Peut-être ces intercesseurs ne valent-ils qu'à m'éclairer les parties les plus récentes de moi-même...

Il est certain que nos dernières méditations avaient été d'une grande sécheresse. Nous pressions une partie de nous-mêmes déjà épuisée. Ce n'étaient plus que redites dans la bibliothèque de Saint-Germain. Et, à mesure que les livres cessaient de m'émouvoir, de cette église où j'entrais chaque jour, de ces tombes qui l'entourent et de cette lente population peinant sur des labeurs héréditaires, des impressions se levaient, très confuses mais pénétrantes. Je me découvrais une sensibilité nouvelle et profonde qui me parut savoureuse.

C'est qu'aussi bien mon être sort de ces campagnes. L'action de ce ciel lorrain ne peut si vite mourir. J'ai vu à Paris des filles avec les beaux yeux des marins qui ont longtemps regardé la mer. Elles habitaient simplement Montmartre, mais ce regard, qu'elles avaient hérité d'une longue suite d'ancêtres ballottés sur les flots, me parut admirable dans les villes. Ainsi, quoique jamais je n'aie servi la terre lorraine, j'entrevois au fond de moi des traits singuliers qui me viennent des vieux laboureurs. Dans mon patrimoine de mélancolie, il reste quelque parcelle des inquiétudes que mes ancêtres ont ressenties dans cet horizon.

A suivre comment ils ont bâti leur pays, je retrouverai l'ordre suivant lequel furent posées mes propres assises. C'est une bonne méthode pour descendre dans quelques parties obscures de ma conscience.

CHAPITRE VI

En Lorraine

Notre ermitage de Saint-Germain était situé à peu près sur la limite, entre la plaine et la montagne. Le Lorrain de la plaine, qui a derrière lui de belles annales et tout un essai de civilisation, ne ressemble guère au montagnard, au vosgien vigoureux qui s'éveille d'une longue misère incolore. Simon et moi, qui sommes depuis des siècles du plateau lorrain, nous n'hésitâmes pas à tourner le dos aux Vosges. Puisque nous cherchons uniquement à être éclairés sur nos émotions, le pittoresque des ballons et des sapins n'a rien pour satisfaire notre manie. Même nous nous bornerons à la région que limitent Lunéville, Toul, Nancy et notre Saint-Germain : c'est là que notre race acquit le meilleur d'elle-même. Là, chaque pierre façonnée, les noms mêmes des lieux et la physionomie laissée aux paysans par des efforts séculaires nous aideront à suivre le développement de la nation qui nous a transmis son esprit. En faisant sonner les dalles de ces églises où les vieux gisants sont mes pères, je réveille des morts dans ma conscience. Le langage populaire a baptisé ce coin « le cœur de la Lorraine ». Chaque individu possède la puissance de vibrer à tous les battements dont le cœur de ses parents fut agité au long des siècles. Dans cet étroit espace, si nous sommes respectueux et clairvoyants, nous pouvons connaître des émotions plus significatives qu'auprès des maîtres analystes qui, hier, m'éclairaient sur moi-même.

A la station qui précède immédiatement Nancy, au bourg de Saint-Nicolas, nous sommes descendus du train, car il convient d'entrer dans l'histoire de Lorraine par une visite à son patron. Dans son église flamboyante, nous saluons Nicolas, debout près de sa cuve et des petits enfants. Cette malheureuse localité, qu'illustrent encore cette cathédrale et des légendes, fut ruinée par des guerres confuses; elle était riche et, pour la piller, tous les partis se mirent quarante-huit heures d'accord. Le noble évêque de Myre perdit sa domination. Il ne touche plus aujourd'hui que les petits enfants; même il prête un peu à rire comme un bonhomme grossier. Le Lorrain, comme j'ai moi-même coutume, honore mal le souvenir de ses émotions passées; c'est bon au Breton de s'émouvoir encore où tremblaient ses pères. Nous rapetissons ce que nous touchons, et nous nous plaisons à gouailler.

Cet hommage rendu au protecteur, nous prîmes une voiture pour assister au premier jour de la Lorraine, et visiter les lieux où cette nation naquit, en se constituant patrie par un effort contre l'étranger. C'est entre Saint-Nicolas et Nancy que René II, appuyé des Suisses, tua le Téméraire. Victoire de grande conséquence, qui nous délivra des étrangers et d'une civilisation que nous n'avions pas choisie! Secousse de terreur, puis de joie, dans lequel ce pays s'accouche! Dès lors il y a un caractère lorrain.

Charles de Bourgogne, le Téméraire! Quelle magnifique aisance dans ses allures bruyantes et romantiques! Auprès des grands crus de Bourgogne qui mettent la confiance au cœur le plus hésitant, comment se tiendra le petit vin de Moselle, ce vin un peu plat, froid et dont la saveur n'étonne pas tout d'abord, mais séduit un délicat réfléchi! Comment René II, faible prince qui parcourt en suppliant les rudes cantons suisses, a-t-il pu triompher?

Dans la vie, fréquemment, Simon et moi nous avons rencontré ces êtres tout brillantés, menant grand tapage, apoplectiques de confiance en soi; nous ne les aimions guère

182

et toujours les dépassions. A l'usage, il apparaît qu'un René II, avec sa douceur un peu grise, n'est pas un dépourvu; il est réfléchi, persévérant, et sa modestie le sert mieux que forfanterie. Dans l'histoire, l'extrême simplicité de sa tenue passe infiniment en élégance, du moins pour l'homme de goût, l'ostentation de votre Téméraire. Après la victoire, quelle gravité ingénieuse dans les paroles modérées qu'il adresse au cadavre vaincu et dans l'inscription que notre cocher nous fit lire à la Commanderie Saint-Jean, où le Bourguignon subit la ruine et de grands coups d'épée! La magnanimité de René n'a rien de théâtral, et s'il honore Charles d'un splendide service funèbre, c'est qu'il voulait publier devant son peuple épouvanté la définitive inocuité du brutal adversaire.

Nous avions suivi le corps du Téméraire dans Nancy, et jusque dans cette partie dite Ville-Vieille, où il fut publiquement exposé. Quand nous rêvions près la pierre tombale de René, dans la froide église des Cordeliers, le soir vint, qui, dans les lieux sacrés, nous dispose toujours à la mélancolie. Une race qui prend conscience d'elle-même s'affirme aussitôt en honorant ses morts. Ce sanctuaire national, reliquaire des gloires de Lorraine, mais incomplet comme le sentiment qu'eut jamais de soi ce peuple, date de René II. Les dentelures dorées qui festonnent autour de sa statue moderne, toute cette végétation délicate de figurines et l'élégance de l'ensemble nous reportaient à ces premières époques de la Lorraine, d'une grâce bonhomme, si dépourvue d'emphase. Dans cette maison des souvenirs, nous ne vîmes aucun désir d'étonner. Ces images de morts sans morgue ne se préoccupent ni de la noblesse classique, ni de la pompe. René II aimait le peuple, c'est ainsi qu'il séduisit les cantons suisses, et il fêtait l'anniversaire de la victoire de Nancy, chaque année, en buvant avec les bourgeois; Jeanne était à l'aise avec les grands, et la sœur en toute franchise des petits; Drouot, quittant la gloire de la Grande Armée, où il fut le plus simple des héros, acheva sa vie en brave homme parmi ses concitoyens. C'est mal dire qu'ils aiment le peuple, ils ne s'en distinguent pas. Leur race se confond avec eux-mêmes.

Simon et moi nous comprîmes alors notre haine des étrangers, des *barbares*, et notre égotisme où nous enfermons avec nous-mêmes toute notre petite famille morale. Le premier soin de celui qui veut vivre, c'est de s'entourer de hautes murailles; mais dans son jardin fermé il introduit ceux que guident des façons de sentir et des intérêts analogues aux siens.

LA LORRAINE EN ENFANCE

Cette partie ancienne de Nancy, la « Ville-Vieille », est bien fragmentaire; elle fut perpétuellement refaite. Cette race nullement endormie, mais de trop bon sens, hésitait à affirmer sa personnalité. Sa finesse, son sentiment exagéré du ridicule l'entravèrent toujours. Chaque génération reniait la précédente, sacrifiait les œuvres de la veille à la mode de l'étranger. Leur « Chapelle ronde », monument national s'il en fût, copie la chapelle des Médicis de Florence, mais avec maigreur, économie. Le Lorrain n'a pas d'abondance dans l'invention, et ne fut jamais prodigue. Les successeurs de René, ayant visité les palais de la Renaissance, rebâtirent le palais ducal. Cette race à son réveil craint de se confesser; peu de pierres ici qui puissent nous conter les origines de nos âmes.

Pourtant une vierge de Mansuy Gauvain, dans l'église de Bon-Secours, est tout à fait significative. Voilà nos primitifs! Nous nous agenouillons devant une Mère, et dans son manteau entrouvert tout un peuple se précipite. Ces enfants me touchent, si intrépides contre le Bourguignon et qui expriment leur rêve par cette image sincère, je vois qu'ils ont beaucoup souffert. Ils conçoivent la divinité non sous la forme de beauté, mais dans l'idée de protection. Florence, leur sœur, et qui donne parfois l'image la plus approchante de cet idéal de clarté froide, d'élégance sèche, que les meilleurs Lorrains entrevoyaient, Florence prend les loisirs d'embellir l'univers. Ceux-ci, dans la nécessité de sauver d'abord leur indépendance, mettent leur orgueil, leur art naissant, toutes leurs ressources dans des remparts.

184

Cernés d'étrangers qui les inquiètent, sous l'œil des barbares, ils n'ont pas le loisir de se développer logiquement. La grâce, qui pour un rien eût apparu, presque mélancolique, dans le petit prince René II, n'aboutit pas en Lorraine. Ils n'ont pas créé un type de femme : Jeanne d'Arc, que d'autres peuples eussent voulu honorer en lui prêtant les charmes des grandes amoureuses, demeure, dans la légende lorraine, celle qui protège, et cela uniquement. Elle est la sœur de génie de René II; persévérante, simple, très bonne et un peu matoise. Celle de qui l'Espagne et l'Italie fussent devenues amoureuses, est ici une vierge nullement troublante : nos pères affirment que Jeanne ignora toujours les misères physiques de la femme. Cette légende de Lorraine n'est-elle pas plus belle, selon le penseur, que les tendres soupirs du Tasse! Voilà bien le même sentiment qui fit agenouiller ce peuple devant la mère gigogne de Mansuy Gauvin, devant la vierge de Bon-Secours. Et moi, Simon, sous l'œil des barbares, comme eux je ne savais que dire : « Qui donc me secourra? »

Dans le palais ducal de la « Ville-Vieille », nous avons visité le musée historique lorrain. Les premières salles sont consacrées aux époques gallo-romaine et mérovingienne; nous y interrogions vainement les plus anciens souvenirs de notre Être. C'est la même ignorance que nous trouvions, le lendemain, aux champs où fut Scarponne, chez ces pauvres enfants qui nous vendirent des médailles romaines arrachées à ces terrains déserts. Et pourtant, les ondulations de ces plaines où Attila et les siècles ne laissèrent pas même une ruine, émeuvent des voyageurs avertis. Quelque chose de nous autres Lorrains vivait déjà à ces époques lointaines. Mais qu'il est obscur, indéchiffrable, le frisson qui nous attire vers cette vieille poussière de nos ancêtres! Nous visitâmes, sans plus de profit, les fermes mérovingiennes de Savonne et de Vendières, et près de là des grottes qui jadis furent habitées. La neige désolait les campagnes. La tristesse de l'hiver, un décor lamentable de pluie et de silence nous aident d'habitude à imaginer le passé, mais comment retrouverons-nous dans notre conscience aucune parcelle de ces hommes lointains, qui ne contribuèrent en rien à former notre sensibilité. A Laître-sous-Amance, enfin, nous contemplons une des plus anciennes images où la Lorraine se soit exprimée. Bien pauvre encore, mal différenciée de tout ce qui se faisait autour d'elle, et si chétive! C'est un portail avec quelques sculptures du onzième siècle. A Toul, grâce à des souvenirs de l'organisation municipale romaine, la commune populaire se forma plus vite, sous la protection des évêques, et le treizième siècle s'affirma dans l'église Saint-Gengoult et des fragments de Saint-Étienne.

En vérité le service que René II a rendu à la Lorraine est immense; il lui a créé une conscience. L'enfant, qui n'avait qu'une vie végétative, s'individualisa; il existait confusément, il voulut vivre. Il l'avait montré au Bourguignon, il le rappela aux luthériens en 1522.

TROISIÈME JOURNÉE
LA LORRAINE SE DÉVELOPPE

Cette Ville-Vieille, ce *musée lorrain*, tout incomplets, éveillent à chaque pas des traits délicats de ma sensibilité; ils me ravissent par la clarté qu'ils apportent dans mes émotions familières, ils m'attristent parce qu'ils me font toucher l'irrémédiable insuffisance de l'âme que me fit cette race.

Deux grandes causes d'échec pour la Lorraine : le pays fut si tourmenté que les artistes, c'est-à-dire une des parties les plus conscientes de la race, désertaient continuellement, s'établissaient en Italie, s'y déformaient; bons ou mauvais, ils devenaient Italiens en Lorraine. Puis il n'y eut pas de riche bourgeoisie pour s'enorgueillir d'un art local, mais une aristocratie, sans cesse en rapport avec des pays plus puissants, honteuse de sentir son provincial et prenant le bel air de France ou d'Italie.

Pourtant, le palais ducal, modifié dans le goût Renaissance et dont les quatre cinquièmes ont disparu, nous fait voir un côté de l'âme lorraine, l'esprit gouailleur; une gouaillerie nullement rabelaisienne, jamais lyrique, mais faite d'observation, plutôt matoise que verveuse. C'est de la caricature, sans grande joie. Le sec Callot, sec en dépit de l'abondance studieuse de ses compositions, appartient à la jeunesse de la race; le grouillement et l'émotion des guerres qu'il a vues le soutiennent. Mais Grandville, si mesquin et pénible, devait être le dernier mot de cette veine qui n'aboutit pas. On la sent pourtant bien personnelle, la malice de ce petit peuple; si cette race eût été heureuse, elle possédait l'élément d'un art particulier. Les légendes, chansons, anecdotes, la finesse si particulière de ses grands hommes, et même aujourd'hui le tour d'esprit des campagnards établissent bien qu'un certain comique se préparait. Cette verve, toujours un peu maigre, épuisée par les guerres et l'éloignement des artistes, alla se desséchant. Il ne resta plus de cette promesse qu'une tendance déplorable au précis, au voulu, un acharnement à l'élégance méticuleuse.

Au quinzième siècle, à côté de cette grêle malice, l'âme lorraine fait voir un sens humain de la vie très profond, une grande pitié. Ce petit peuple, qui s'agenouillait devant la Dame de Bon-Secours et qui haïssait la servitude, ne laissait pas de ressentir des frissons tragiques. Comme Michel-Ange, qui presque seul au milieu d'un peuple d'imagination riante, reçut une empreinte des horreurs de l'Italie guerrière, Ligier-Richier dramatisa parmi les Lorrains, qui, sans trêve foulés, gouaillaient. Quelle simplicité, quelle franchise! Il est bien le frère des héros naïfs de cette race! Ah! l'admirable voie que c'était là! Ne discutons pas la force sublime de l'Italien, mais à Saint-Mihiel, près de *la Mise au tombeau*, à l'église des Cordeliers, près du *monument de Philippe de Gueldres*, nous rêvons un art débarrassé de cette rhétorique qu'à certains jours on croit toucher dans Michel-Ange : un art ayant toute la saveur tragique du langage populaire, où n'atteint jamais la plus noble éloquence des poètes. Mais cette race mal consciente d'elle-même, qui venait d'enfanter obscurément le génie de Ligier-Richier, se mit toujours à l'école chez ses voisins. Elle ignora quel fils elle portait. Cette beauté impérieuse dont Ligier a vêtu la mort, aujourd'hui encore est mal connue. Une vague légende, d'ailleurs insoutenable, voilà tout ce que savent les Lorrains : Michel-Ange rencontrant l'artiste lui aurait fait l'honneur de l'emmener avec lui. Eh! grand Dieu! le sot éloge!

Ces deux Lorraines échouèrent, la Lorraine de l'ironie

comme celle de la grandeur sans morgue, pour avoir ignoré leur génie et douté d'elles-mêmes timidement. Le sentiment qui donnait à cette race une notion si fine du ridicule lui fit peut-être craindre de s'épancher. A chaque génération, elle se rétrécit. Son art n'a jamais d'abandon ni d'audace, tout est voulu : suppression des détails significatifs, imitation des écoles étrangères. La meilleure partie de la Lorraine, sa noblesse et ses artistes, toujours avaient soupiré avec une admiration naïve vers l'Italie; à Claude Gellée il fut donné d'y vivre. Il porta dans l'école romaine nos instincts et notre discipline. Il peignit ce ciel, cette terre et cette mer dans une lumière si vaporeuse, avec une harmonie si impossible, qu'on peut dire vraiment qu'en copiant c'était son rêve, notre rêve, qu'il exprimait. C'était une désertion. Il profitait de l'idéal de ses ancêtres, pour en fortifier l'Italie; il n'a pas accru la conscience de sa race.

Après lui, la Lorraine, qui l'ignora, comme elle avait méconnu Ligier-Richier, dessèche de plus en plus sa veine. Et l'effort du dernier artiste sorti vraiment de l'âme populaire, le dernier travail ne devant rien à l'étranger, sera cette admirable grille du serrurier Jean Lamour : une dentelle en fer.

Qu'importe si la délicieuse statue de Bagard (1639-1709), garçonnière maligne et touchante qui porte un médaillon, nous ravit et nous retient longuement dans le rez-de-chaussée du *musée lorrain !* C'est une grande dame raffinée; sa spirituelle afféterie mondaine ferait paraître un peu grossière la simplicité, la gouaillerie de nos meilleurs aïeux. Elle est bien du passé, l'âme lorraine : Bagard n'y songe guère... Et nous-mêmes, Simon, il nous faut un effort pour la retrouver sous nos âmes acquises. Cette jeune femme, cette Française, c'est toute notre sensibilité à fleur de peau, une floraison toute neuve, pour laquelle, comme Bagard, comme la Lorraine entière d'aujourd'hui, nous avons dédaigné de cultiver le simple jardin sentimental hérité de nos vieux parents.

Ne quittons pas si vite un peuple qui voulait se développer. Nous savons quels tâtonnements, quelles misères c'est de chercher sa loi. Des échecs si nobles valent qu'on s'y intéresse. Allons voir ces plaines de Vézelise, tous ces champs de bataille sans gloire où la Lorraine s'épuisa. Quelques traits de ce peuple s'y conservent mieux que dans les villes; car, à Nancy, vingt courants étrangers ont renversé, submergé l'esprit autochtone.

La campagne est plate, assez abondante, pas affinée, peut-être maussade, sans joie de vivre. Les physionomies n'ont pas de beauté; les petites filles font voir une grimace vieillotte, malicieuse sans malveillance; en rien cette race, d'ailleurs de grande ressource et saine, n'a poussé au type. Par les après-midi d'été, on se réunit au « Quaroi » et les femmes, travaillant dans l'ombre que découpent les maisons, se donnent le plaisir de ridiculiser.

Quels souvenirs ont-ils gardés de jadis ? Par les écoles, les inscriptions locales, ils savent une vague bataille de Nancy, où René II leur donna la vie; puis Stanislas, qui fut leur agonie. Mais dans le peuple, c'est la tradition des Suédois qui domine; chaque ville en raconte quelque horreur. Ils tuèrent vraiment la Lorraine. Ils saccagèrent tout, Richelieu s'applaudissant. Même les amis du duc Charles IV estimèrent sage de s'approprier les dernières ressources de ceux qu'ils ne pouvaient défendre. Cent cinquante mille bandits, aidés d'autant de femmes, piétinaient le pays dont la ruine se prolongea jusqu'à la fin du siècle. Cependant la race lorraine affamée s'entre-dévorait. Il y avait dans les campagnes des pièges pour hommes, comme on en met aux loups; des familles mangèrent leurs enfants, et même des jeunes gens, leurs grands-parents. Toutefois ce pauvre peuple se réjouissait à quelques petits déboires de ses ennemis, tels que des évasions de prisonniers, et surtout prenait son plaisir aux bons tours de l'extraordinaire Charles IV.

Étrange fou, que produisit ce pays raisonnable dans les violentes convulsions de son agonie! Il semble que Charles IV ait gâché en une vie toute l'énergie qui, dépensée sagement dans une suite d'hommes, eût été féconde en grandes choses. C'est le va-tout d'une situation désespérée, d'une race qui sent l'avenir lui manquer. En Charles IV, il y a pléthore, qualités lorraines à trop haute pression, mais il ne contredit pas les caractères de sa race.

Ce merveilleux aventurier, avec les tresses blondes de ses cheveux pendants et ses souples voltiges d'écuyer devant les femmes de Louis XIII, était sagace, pratique, d'éloquence simple, et pas chevaleresque le moins du monde. Il avait le don de plaire à tous, mais se gardait de tous. Ce fantasque, ce railleur qui ne sut même pas s'épargner dans ses bons contes, ce perpétuel irrésolu désirait violemment, et souvent il demeura ferme dans son sentiment. C'est, au résumé, un Lorrain des premiers temps, mais avec toute la fièvre inquiète d'un peuple qui va mourir.

Charles IV ne nous montre qu'un trait nouveau, le désir de paraître; c'est qu'il avait été élevé à la cour de France, et que les circonstances le forcèrent toute sa vie à vivre parmi les étrangers; or nous avons vu le caractère, l'art lorrains, toujours craintifs de paraître ridicules, prendre l'air à la mode. Par-dessous sa brillante chevalerie, c'était essentiellement un capitaine brave et gouailleur, sachant plaire sans effort aux hommes simples, l'un d'eux vraiment, comme on le vit bien, après cette fleur de jeunesse à la française, dans sa tenue de vie et dans ses projets de mariage qui scandalisèrent si fort Paris et Versailles, sans qu'il s'émût le moins du monde. Le malheur l'avait remis dans la logique de sa race.

C'est du haut de Sion, pèlerinage jadis fameux, aujourd'hui attristé de médiocrité, que, moins distraits par le détail, nous prenons une possession complète de la grandeur et de la décadence lorraines. Devant nous, cette province s'étend sérieuse et sans grâce, qui fut le pays le plus peuplé de l'Europe, qui fit pressentir une haute civilisation, qui produisit une poignée de héros et qui ne se souvient même plus de ses forteresses ni de son génie. Dès le siècle dernier, cette brave population dut accepter de toute part les étrangers qu'elle avait repoussés tant qu'elle était une race libre, une race se développant selon sa loi.

Du moins, la conscience lorraine, englobée dans la française, l'enrichit en y disparaissant. La beauté du caractère de la France est faite pour quelques parcelles importantes de la sensibilité créée lentement par mes vieux parents de Lorraine. Cette petite race disparut, ni dégradée, ni assoupie, mais brutalement saignée aux quatre veines.

Depuis longtemps les artistes étaient obligés de s'éloigner, en Italie de préférence, pour trouver, avec la paix de l'étude, des amateurs suffisamment riches. Les ducs enfin quittèrent le pays, où ils se maintenaient difficilement contre l'étranger, emmenant une partie de leur noblesse. Dans la masse de la population cruellement diminuée, les vides étaient comblés par les Allemands, domestiques et autres hommes de bas métier, dont fut épaissie la verve naturelle de ma race, de cette noble race qui repoussait le protestantisme (admirable résistance d'Antoine aux bandes luthériennes, en 1523).

Si je défaille, ce sera de même par manque de vigueur et non faute de dons naturels. Nous avons, mon ami et moi, les plus jolis instincts pour nous créer une personnalité. Saurons-nous les agréger? Les barbares s'imposeront peu à peu à nos âmes à cause des basses nécessités de la vie; j'entrevois les meilleures parties de nos êtres, qui s'accommodent, tant bien que mal, de rêves conçus par des races étrangères.

CINQUIÈME JOURNÉE

LA LORRAINE MORTE

Notre enquête touche à sa fin; de Sion nous descendrons à notre ermitage de Saint-Germain. Visiter Lunéville! Retourner à Nancy où nous négligeâmes la ville neuve! pourquoi prolonger ainsi la tristesse dont m'emplit l'avortement de l'âme lorraine? Dans ce château de Lunéville, les nôtres furent humiliés. Ce palais ne me parlerait que de Stanislas, un prince bon et fin, je l'accorde, mais entouré de petites femmes et de petits abbés qui, par bel air, raillaient les choses locales et copiaient Versailles. La Lorraine, dit-on, l'aima; c'est qu'elle avait perdu toute conscience de soi-même; elle était morte; seul son nom subsistait. A certains jours, mon ami et moi, nous sommes aussi capables de prendre plaisir à des plaisanteries faciles sur ce qu'il y a de plus profond et d'essentiel en nos âmes. C'est que nous vivons à peine; nous vivons par un effort d'analyse. Comme le nouveau Nancy, je m'accommode de la sensibilité que Paris nous donne toute faite. En échange d'un bonheur calme, assuré, la Lorraine a laissé à Paris l'initiative. N'est-ce pas ainsi que, lassés de heurter les étrangers, nous abandonnions notre libre développement pour adopter le ton de la majorité?

Je refuse d'admirer, sur l'emplacement du vieux Nancy de mes ducs, la place Stanislas, qui partout ailleurs m'enchanterait. Et s'il m'arrivait, devant l'élégance un peu froide de cette belle décoration, s'il m'arrivait de retrouver quelques traits de la méthode et du rêve constant de l'âme lorraine, je n'en aurais que de la tristesse, me disant : la méthode et le rêve que j'honore en moi avec tant d'ardeur n'apparaissent guère plus dans l'ordinaire de mes actions que, dans ce Nancy moderne, les vieux caractères lorrains. Ah! nos aïeux, leurs vertus et tout ce possible qu'ils portaient en eux sont bien morts. Choses de musée maintenant et obscures perceptions d'analyste.

Stanislas a créé une académie et une bibliothèque. Dans la suite, une société archéologique fut jointe à ces institutions. Seules, elles abritent ce qui peut encore vivre de la conscience lorraine. Elles sont le souvenir de ce qui n'existe plus. Où la mort est entrée, il ne reste qu'à dresser l'inventaire.

Vierge de Sion, je ne puis vous prier pour ce pays de Lorraine ni pour moi. La sécheresse dont je sais que cette race est morte m'envahit. Vous-même m'apparaissez si triste et délaissée que je vous aime avec une nuance de pitié, sans l'élan amoureux de celui qui voit sa vierge éclatante et désirée de tous. Parce que je connais l'être que j'ai hérité de mes pères, je doute de mon perfectionnement indéfini. Je crains d'avoir bientôt touché la limite des sensations dont je suis susceptible. Petit-fils de ces aïeux qui ne surent pas se développer, ne vais-je point demeurer infiniment éloigné de Dieu, qui est la somme des émotions ayant conscience d'elles-mêmes?

Mais non! il ne faut pas que je m'abandonne. Je calomnie ma race. Si elle n'a pas utilisé tous les dons qui lui étaient dispensés, il en est un qu'elle a développé jusqu'au type. Elle a augmenté l'humanité d'un idéal assez neuf. De René II à Drouot, en passant par Jeanne, une des formes du désintéressement, le devoir militaire a paru ici sous son plus bel aspect. Il y a dans ma race, non pas l'esprit d'attaque, la témérité trop souvent mêlée de vanité, mais la fermeté réfléchie, persévérante et opportune. Faire en temps voulu ce qui est convenable. On vit en Lorraine les plus sages soldats du monde, ceux que le penseur accueille. Par les armes, le Lorrain avait fondé sa race; par les armes, il essaye héroïquement de la protéger. Pressé par les étrangers, il n'eut pas le loisir de chercher d'autres procédés pour être un homme libre. Comment eût-il développé ces dons d'ironie, ce réalisme humain si noble qu'il nous fit entrevoir? Il bataillait sans trêve à côté de son duc. Le loyalisme ducal, en Lorraine, s'est fondu plus étroitement que partout ailleurs avec l'idée de patrie. Dans sa misère, cette race se consolait d'être mutilée de ses qualités naissantes en aimant ses ducs, qui furent souvent des princes exemplaires et jamais de mauvais hommes. Que je dépense la même énergie, la même persévérance à me protéger contre les étrangers, contre les Barbares, alors je serai un homme libre.

SIXIÈME JOURNÉE

CONCLUSION. LA SOIRÉE D'HAROUÉ

Simon, un peu gâté, selon moi, par l'éducation de la rue Saint-Guillaume, ne goûtait qu'à demi mes intuitions. C'est un historien d'une réserve extrême. Il collectionne et cote les petits faits, sans consentir à recevoir d'eux cette abondante émotion qui, pour moi, est toute l'histoire. Or les vieilles choses de Lorraine, en huit jours, avaient réveillé des belles-aux-bois qui sommeillent en mon âme; Simon me laissa tout à les caresser. Il me précéda à Saint-Germain; d'ailleurs des repas médiocres, toujours, l'indisposèrent.

*

Je n'ai pas oublié cette soirée silencieuse, vers les 5 heures, dans la petite ville d'Haroué, où la vieille place est abritée de noyers malades. Le soleil de février, en s'inclinant, avait laissé dans l'air quelque douceur. J'allai, désœuvré, jusqu'à l'étang que forment les fossés écroulés d'un château pompeux, bâti sous Léopold, et dont la froide impériosité contrarie le paysage. Je m'ennuyais d'un ennui mol, et toujours les plaines d'eau me disposèrent à la mélancolie. Il me sembla que l'eau elle-même, sous ce climat, désormais vivait avec médiocrité. Je sentais bien que des parcelles de l'ancienne âme de Lorraine, éparses encore dans ce paysage malingre d'hiver, faisaient effort pour me distraire; mais la ruine de ma nation m'avait trop lassé pour que sa douceur posthume me consolât de sa vigueur abolie; et une triste migraine me venait du plein air.

Le pâle soleil couchant offensait mes yeux, striés de fibrilles par la lampe tard allumée sur les actes et les pensées de Lorraine. Nancy, oublieuse du passé, m'avait choqué, mais dans ces campagnes, où tout est souvenir de nos aïeux et qui, repliées sur elles-mêmes, n'ont pas remplacé la grande morte qui les animait, je me sentis avec une netteté singulière l'héritier d'une race injustement vaincue. De rares paysans — mes frères, car nos aïeux communs combattaient auprès de nos ducs — passaient, me saluant, comme un ami, d'un geste grave dans ce crépuscule. Tristement je les aimais.

A cause de l'humidité je revins jusqu'à l'auberge. Avec le soir, la voiture du chemin de fer arriva, et j'eus le cœur serré que personne n'en descendît pour me presser dans ses bras.

Je dînai mal, impatient d'en finir, à la lueur du pétrole. Ensuite, quand je voulus, malgré l'obscurité profonde, faire quelques pas à l'air, car j'étais congestionné, des chiens hurlant m'intimidèrent. Je rentrai dans l'auberge, disant : « Je suis là, perdu, isolé, et pourtant des forces sommeillent en moi, et pas plus que ma race, je ne saurai les épanouir. »

Dans cette vieille salle, le silence me pénétrait d'angoisse.

Je sentais bien que ce n'était que de l'inaccoutumé, que tout ce décor était, en somme, de bonté. Dans la nuit répandue, la Lorraine m'apparaissait comme un grand animal inoffensif qui, toute énergie épuisée, ne vit plus que d'une vie végétative ; mais je compris que nous nous gênions également, étant l'un à l'autre le miroir de notre propre affaissement.

Pour rendre un peu sien un endroit qu'on ignore, où l'on n'a pas sa chaise familière, son coin de table, et où la lampe découpe des ombres inaccoutumées, le meilleur expédient est de se mettre au lit. Ce sans-gêne réchauffe la situation. Mais je n'osais appuyer ma joue sur ces draps bis ; tout mon corps se sauvait en frissonnant de ces rudes toiles, où, solide et confiant en moi, je me serais brutalement enfoui au chaud.

Alors je rentrai dans mon univers. Par un effort vigoureux que facilitaient ma détresse morale et la solitude nue de cette chambre, je projetai hors de moi-même ma conscience, son atmosphère et les principales idées qui s'y meuvent. Je matérialisai les formes habituelles de ma sensibilité. J'avais là, campés devant moi comme une carte de géographie, tous les points que, grâce à mon analyse, j'ai relevés et décris en mon âme :

D'abord un vaste territoire, mon tempérament, produisant avec abondance une belle variété de phénomènes, rebelle à certaines cultures, stérile sur plusieurs points, où des parties sont encore à découvrir, pâles, indécises et flottantes.

Par-dessus ce premier moi, je vis dessinées des figures frémissantes qui semblaient parler. Ce sont les maîtres que nous interrogions à Saint-Germain, devenus aujourd'hui une partie importante de mon âme.

Je vis aussi de grands travaux accomplis par des générations d'inconnus, et je reconnus que c'était le labeur de mes ancêtres lorrains.

Or tous ces morts qui m'ont bâti ma sensibilité bientôt rompirent le silence. Vous comprenez comment cela se fit : c'est une conversation intérieure que j'avais avec moi-même ; les vertus diverses dont je suis le son total me donnaient le conseil de chacun de ceux qui m'ont créé à travers les âges.

Je leur disais : « Vous êtes l'*Église souffrante*, l'esprit en train de mériter le triomphe ; ne pourrai-je pas m'élever plus haut, jusqu'à l'*Église triomphante* ? Comme le veut l'*Imita-*

tion, qui guide mon effort spirituel, je me suis reposé dans vos plaies; j'ai vécu la passion de l'esprit que vous avez soufferte. Quand mériterai-je le bonheur? L'espoir de m'élever enfin auprès de Dieu me serait-il interdit? Pourquoi, mes amis, ne fûtes-vous pas heureux? »

Alors tous ceux que j'ai été un instant me répondirent.

D'abord LES JEUNES GENS (épars dans les grandes villes, au coucher du soleil) : « Il n'est d'autre remède que la mort, et nous nous délivrons résolument ou par des excès désespérés. »

Moi (avec dégoût pour une pareille infirmité de philosophe) : « Mes frères, votre solution ne m'intéresse pas, puisqu'elle m'est toujours offerte, puisque j'ai la certitude qu'elle me sera imposée un jour, et qu'enfin, si à l'usage elle m'apparaît insuffisante, elle ne me laisse pas la ressource de recourir à un autre procédé. D'ailleurs vous me proposez tout le contraire de mon désir, car j'aspire non pas à mourir, mais à vivre dans ce corps-ci et à vivre le plus possible. »

Alors BENJAMIN CONSTANT : « J'aurais dû ne pas demander mon bonheur aux autres. »

SAINTE-BEUVE : « J'eus tort de chercher à leur plaire. »

...Ainsi parlèrent-ils, et *moi* je leur disais :

« Vous souffrirez donc pour avoir accepté les Barbares! Vous, que je pris pour intercesseurs, vous n'avez même pas compris la nécessité de l'isolement, le bienfait de l'univers qu'on se crée. Vous ignoriez qu'il faut être *un homme libre !* »

Étendu sur ce lit, à la lueur tragique d'une chandelle d'auberge, je méprisai douloureusement ces gens-là; je vis qu'ils étaient grossiers. Et ces parties de moi-même, qui m'avaient enchanté jadis, m'écœurèrent.

L'imitation des hommes les meilleurs échouait à me hausser jusqu'à toi, Esprit. Total des émotions! Lassé de ne recueillir de mes *intercesseurs* que des notions sur ma sensibilité, sans arriver jamais à l'améliorer, j'ai recherché en Lorraine la loi de mon développement. A suivre le travail de l'inconscient, à refaire ainsi l'ascension par où mon être s'est élevé au degré que je suis, j'ai trouvé la direction de Dieu. Pressentir Dieu, c'est la meilleure façon de l'approcher. Quand les Barbares nous ont déformés, pour nous retrouver rien de plus excellent que de réfléchir sur notre passé. J'eus raison de rechercher où se poussait l'instinct de mes ancêtres; l'individu est mené par la même loi que sa race. A ce titre, Lorraine, tu me fus un miroir plus puissant qu'aucun des analystes où je me contemplai. Mais, Lorraine, j'ai touché ta limite, tu n'as pas abouti, tu t'es desséchée. Je t'ai une infinie reconnaissance, et pourtant tu justifies mon découragement. Jusqu'à toi, j'avais sur moi-même des idées confuses; tu m'as montré que j'appartenais à une race incapable de se réaliser. Je ne saurai qu'entrevoir. Il faut que je me dissolve comme ma race. Mes meilleures parcelles ne vaudront qu'à enrichir des hommes plus heureux.

Alors la Lorraine me répondit :

« Il est un instinct en moi qui a abouti; tandis que tu me parcourais, tu l'as reconnu : c'est le sentiment du devoir, que les circonstances m'ont fait témoigner sous la forme de bravoure militaire. Et, si découragée que puisse être ta race, cette vertu doit subsister en toi pour te donner l'assurance de bien faire, et pour que tu persévères.

» Quand tu t'abaisses, je veux te vanter comme le favori de tes vieux parents, car tu es la conscience de notre race. C'est peut-être en ton âme que moi, Lorraine, je me serai connue le plus complètement. Jusqu'à toi, je traversais des formes que je créais, pour ainsi dire, les yeux fermés; j'ignorais la raison selon laquelle je me mouvais; je ne voyais pas mon mécanisme. La loi que j'étais en train de créer, je la déroulais sans rien connaître de cet univers dont je complétais l'harmonie. Mais à ce point de mon développement que tu représentes, je possède une conscience assez complète; j'entrevois quels possibles luttent en moi pour parvenir à l'existence. Soit! tu ne saurais aller plus vite que ta race; tu ne peux être aujourd'hui l'instant qu'elle eût été dans quelques générations; mais ce futur, qui est en elle à l'état de désir et qu'elle n'a plus l'énergie de réaliser, cultive-le, prends-en une idée claire. Pourquoi toujours te complaire dans tes humiliations? Pose devant toi ton pressentiment du meilleur, et que ce rêve te soit un univers, un refuge. Ces beautés qui sont encore imaginatives, tu peux les habiter. Tu seras ton *moi* embelli : l'Esprit Triomphant, après avoir été si longtemps l'Esprit Militant. »

197

LIVRE TROISIÈME

L'Église triomphante

CHAPITRE VII

Acédia.
Séparation dans le monastère

La brutalité du grand air, l'insomnie des nuits d'auberge sur des oreillers inaccoutumés et cette lourde nourriture me donnèrent une fièvre de fatigue. Au détour d'un chemin, la femme d'un cabaretier demandait à mon voiturier : « Est-ce qu'il ne va pas mourir ? » C'est pour avoir eu le même doute sur ma race que je paraissais épuisé. La nuit, surtout, je m'agitais infiniment. Dès l'aube, sous le cloître, je me promenais bien avant Simon, et la journée s'allongeait dans l'ennui. Toutes pensées m'étaient chétives et poussiéreuses. L'horizon gardait la désolante médiocrité des choses déjà vues. A chaque minute, je calculais quand viendrait le prochain repas, où je m'asseyais sans appétit, et la viande, entre toutes choses, me faisait horreur. Puis s'allongeait une nouvelle bande de temps.

Je suis convaincu que, pour des êtres sensibles et raisonneurs, les maladies sont contagieuses. Simon, jusqu'alors enclin à la voracité, fut pris d'un dégoût de nourriture; il était humilié d'une constipation malsaine que coupaient des coliques précipitées. Écrasés dans nos bas fauteuils, et pareils au *Pauvre Pêcheur* de Puvis de Chavannes, nous nous lamentions avec minutie. Nos lèvres et nos doigts, tout notre être s'agitaient dans un désir maniaque de fumer, alors que notre estomac en avait horreur. Lentes après-midi de janvier! la campagne éclatante de neige! notre bouche pâteuse, nos dents serrées de malades, et la peau tirée de notre visage qui nous donnait un rictus dégoûté!

Or, nous étant regardés en face, nous eûmes le courage de mépriser à haute voix l'édifice que nous avions entrepris.

Cependant que je me reniais, il me parut que je commettais une mauvaise action, et une incroyable humiliation se répandit en moi comme un flot sale. J'étais réduit à un tel enfantillage que j'aurais aimé pleurer. J'étais blessé que Simon abondât si brutalement dans mes blasphèmes, car j'avais une nouvelle démarche à lui proposer. Mais je sentis bien qu'il accueillerait avec défiance mes réflexions d'Haroué.

En vain essayâmes-nous, avec une excellente fine champagne, de nous relever. J'y gagnai le soir un sommeil épais, mais dès l'aube c'était une acuité, une surexcitation d'esprit insupportable, avec, par tout le corps, des fourmillements.

Je fus obsédé, à cette époque, d'un sentiment intense, qui, sans raison apparente, se lève en moi à de longs intervalles : l'idée qu'un jour, ne fût-ce qu'à ma dernière nuit, sur mon oreiller froissé et brûlant, je regretterai de n'avoir pas joui de moi-même, comme toute la nature semble jouir de sa force, en laissant mon instinct s'imposer à mon âme en irréfléchi.

Persécuté par cette idée fixe, je serrais mon front dans mes mains, et me rejetais en arrière avec une détresse incroyable. Je crois bien que je ne désire pas grand-chose, et les choses que je désire, il me serait possible de les obtenir avec quelque effort; aussi n'est-ce pas leur absence qui m'attriste, mais l'idée qu'il viendra un jour où, si je les désirais, ce serait trop tard. Et, seule, la probabilité que, dans la mort on ne regrette rien, peut atténuer ma tristesse. C'est un grand malheur que notre instinctive croyance à notre liberté, et puisque nous ne changeons rien à la marche des choses, il vaudrait mieux que la nature nous laissât aveugles au débat qu'elle mène en nous sur les diverses manières d'agir également possibles. Malheureux spectateur, qui n'avons pas le droit de rien décider, mais seulement de tout regretter!

Parfois, dans ce désarroi de mon être, d'étranges images montaient du fond de ma sensibilité que je ne systématisais plus.

Il était 6 heures; depuis trente minutes peut-être nous n'avions pas ouvert la bouche. Je me pris à rêver tout haut dans cette chambre éclairée seulement par le foyer :

Peut-être serait-ce le bonheur d'avoir une maîtresse jeune et impure, vivant au-dehors, tandis que moi je ne bougerais

202

jamais, jamais. Elle viendrait me voir avec ardeur; mais chaque fois, à la dernière minute, me pressant dans ses bras, elle me montrerait un visage si triste, et son silence serait tel que je croirais venu le jour de sa dernière visite. Elle reviendrait, mais perpétuellement j'aurais vingt-quatre heures d'angoisse entre chacun de nos rendez-vous, avec le coup de massue de l'abandon suspendu sur ma tête. Même il faudrait qu'elle arrivât un jour après un long retard, et qu'elle prolongeât ainsi cette heure d'agonie où je guette son pas dans le petit escalier. Peut-être serait-ce le bonheur, car, dans une vie jamais distraite, une telle tension des sentiments ferait l'unité. Ce serait une vie systématisée.

Ma maîtresse, loin de moi, ne serait pas heureuse; elle subirait une passion vigoureuse à laquelle parfois elle répondrait, tant est faible la chair, mais en tournant son âme désespérée vers moi. Et j'aurais un plaisir ineffable à lui expliquer avec des mots d'amertume et de tendresse les pures doctrines du quiétisme : « Qu'importe ce que fait notre corps, si notre âme n'y consent pas! » Ah! Simon, combien j'aimerais être ce malheureux consolateur-là.

Elle serait pieuse. Elle et moi, malgré nos péchés, nous baiserions la robe de la Vierge. Et comme l'amour rend infiniment compréhensif, ou, mieux encore, comme elle ne connaîtrait rien de l'homme que je puis paraître au vulgaire, elle ne soupçonnerait pas un instant ma bonne foi; en sorte que mon âme indécise pourrait être, aux plis de sa robe, franchement religieuse.

Et comme Simon ne répondait pas, je repris, à cause de ce besoin naturel de plaire qui me fait chercher toujours un acquiescement :

Elle serait jeune, belle fille, avec des genoux fins, un corps ayant une ligne franche et un sourire imprévu infiniment touchant de sensualité triste. Elle serait vêtue d'étoffes souples, et un jour, à peine entrée, je la vois qui me désole de sanglots sans cause, en cachant contre moi son fin visage.

*

Mon *moi* est jaloux comme une idole; il ne veut pas que je le délaisse. Déjà une lassitude et un dégoût nerveux m'avaient averti quand je me négligeais pour adorer des étrangers. J'avais compris que les Sainte-Beuve et les Benjamin Constant ne valent que comme miroirs grossissants pour certains détails de mon âme. Une fois encore mes nerfs me firent rentrer dans la bonne voie. Je poussai à l'extrême mon écœurement, je le passionnai, en sorte qu'ennobli par l'exaltation, il devint digne de moi-même et me féconda.

Voici comment la chose se fit. J'examinais avec Simon notre désarroi et je lui disais que la difficulté n'était pas de trouver un bon système de vie, mais de l'appliquer :

— Il faudrait des nécessités intelligentes me contraignant à faire le convenable pour que je sois heureux.

— Quoi! me répondait-il, un médecin dans un hôpital ? un père supérieur dans un monastère ? Où prendrais-tu l'énergie de leur obéir ? Et si tu la possèdes, leurs conseils sont superflus, car tu peux te les donner à toi-même.

— Je ne voudrais pas être mené avec douceur, car je me méfie de mes défaillances. C'est peut-être que mon âme s'effémine; mais elle voudrait être rudoyée. Sous un cloître, dans ma cellule, je serais heureux si je savais qu'un maître terrible ne me laisse pas d'autre ressource que de subir une discipline. Le rêve de ma race est mal employé et je désespère qu'à moi seul je puisse l'amener à la vie.

Simon protesta :

— Les hommes, dit-il, sont abjects, ou du moins ils me paraissent tels. (On se fait des imaginations qui valent des vérités : ainsi, toi, pour qui chacun fut aimable, car tu es séduisant et détaché, tu te figures avoir été martyrisé.) Jamais, fût-ce pour mon bonheur, je ne reconnaîtrai la domination d'un homme. Tous, hors moi, sont des barbares, des étrangers, et la Lorraine précisément n'a pas abouti parce qu'elle dut se soumettre à l'étranger.

Et moi aussi, j'avais résolu de ne plus me conformer à des hommes. Le soir d'Haroué, j'avais renié mes « intercesseurs ». Simon partageait donc, pour le fond et sans le savoir, mon opinion secrète, et pourtant je fus mécontent : c'est que, si nous arrivions à peu près au même point, c'était par des raisonnements très différents.

Je lui répliquai avec mauvaise humeur :

— Encore cet odieux sentiment de la dignité! cette morgue

anglaise! cette respectability que n'abandonne pas ton Spencer lui-même! En voilà une fiction, la dignité des gens d'esprit! En toi, n'êtes-vous pas vingt à vous humilier, à vous dédaigner, à vous commander?

Ici j'eus le tort de me lever. Le ton découragé de notre entretien me mettait mal à l'aise pour lui soumettre la nouvelle méthode que j'entrevoyais, mais j'allais être victime moi-même de la dignité humaine, s'il ne me priait pas de me rasseoir. Il me laissa monter dans ma chambre.

— Tout, au monde, lui dis-je avec désespoir, est mal fait, et ce grand désordre de l'univers me blesse.

La nuit, exaltant mon indignation, me fut déplorable. Petite chose accroupie sur mon lit, dans l'obscurité et le silence, j'attendais que la douleur me lâchât. Impuissant et désespéré, j'eus le souvenir de saint Thomas d'Aquin disant à l'autel de Jésus : « Seigneur, ai-je bien parlé devant vous? » Et devant moi-même, qui ai méthodiquement adoré mon corps et mon esprit, je m'interrogeai : « Me suis-je cultivé selon qu'il convenait? »

*

Je me levai perdu de froid, très tard, dans une matinée de dégel. Rose, qui est trop honnête fille pour que j'en fasse des anecdotes, entrait dans ma chambre avec bonhomie, car c'était son jour. Si elle avait profité des enseignements du catéchisme, elle se fût plu (elle un peu gouailleuse) à me comparer au vieux roi David, qui réchauffait sa vigueur près des jeunes juives. Ensuite, je la priai qu'elle baissât les stores à fleurs éclatantes pour me cacher l'ignominie du monde, qu'elle activât le feu comme un four de verrier, et qu'elle se retirât. Je me recouchai tout le jour, soucieux uniquement d'interroger ma conscience.

Et dans notre conférence du soir, sans plus tarder, je dis à Simon :

— Singulière physionomie de mon âme! La disgrâce universelle me mécontente, au point que vous-même me blessez, mon cher ami, mon frère, quand vous partagez mes façons de voir. Il ne me suffit plus qu'on m'approuve. Je m'irrite de tout ce qu'on nie, quand on exalte ce que j'aime.

Je vous dirai toute la vérité : je ne puis plus supporter qu'on énonce une opinion sur les choses qui sont. Je m'intéresse uniquement à ce qui devrait exister. J'ai fini de me contempler. Comme les arbres qui poussent et comme la nature entière, je me soucie seulement de mon *moi* futur.

Alors Simon, avec cette façon glaciale que j'ai souvent goûtée, mais qui me déplut à cette occasion, arrêta le débat :

— Je crois comme vous que notre collaboration n'aboutira pas, car nous ne pouvons discuter que sur des points du passé. Comment nous faire en commun des idées claires sur ces obscures inquiétudes et sur ces pressentiments qui sont toutes nos notions de l'avenir ! En conséquence, je retournerai volontiers à Paris, d'autant que j'ai fait des économies, que que nous approchons de mai, saison qui égaye mon tempérament.

Voilà bien la séparation que je désirais, mais ce me fut un désespoir que lui-même me l'imposât.

*

Je repris mon rêve d'Haroué, en feuilletant des guides Bædeker sur mon oreiller. Chacun de ces titres : *Belgique, Allemagne en trois parties, Italie,* soudain émouvait un coin de mon être. Désireux de m'assimiler ces sommes d'enthousiasmes, quel mépris ne ressentais-je pas pour tous ces maigres saints devant qui je m'étais agenouillé et qui ne sont qu'un point imperceptible dans le long développement poursuivi par l'âme du monde à travers toutes les formes !

Le lendemain je dis à Simon :

— Je n'abandonne pas le service de Dieu; je continuerai à vivre dans la contemplation de ses perfections pour les dégager en moi et pour que j'approche le plus possible de mon absolu. Mais je donne congé aux petits scribes passionnés et analystes, qui furent jusqu'alors nos intercesseurs. Ainsi que nous essayâmes en Lorraine, je veux me modeler sur des groupes humains, qui me feront toucher en un fort relief tous les caractères dont mon être a le pressentiment. Les individus, si parfaits qu'on les imagine, ne sont que des fragments du système plus complet qu'est la race, fragment elle-même de Dieu. Échappant désormais à la stérile analyse

206

de mon organisation, je travaillerai à réaliser la tendance de mon être. Tendance obscure! Mais pour la satisfaire je me modèlerai sur ceux que mon instinct élit comme analogues et supérieurs à mon être. Et c'est Venise que je choisis, d'autant qu'il y fait en moyenne 13°,38 en mars et 18°,23 en mai. Puis la vie matérielle y est extrêmement facile, ce qui convient à un contemplateur.

Nous nous quittâmes en nous serrant la main. La crainte de m'éloigner sur une émotion un peu banale d'un local où nous avions eu des frissons très curieux m'empêcha seule de presser Simon dans mes bras. Mais je constatai que nous nous aimions beaucoup.

CHAPITRE VIII

A Lucerne, Marie B...

Dans une gare, sur le trajet de Bayon à Lucerne, Milan et Venise, j'achetai un livre alors nouveau, le *Journal de Marie Bashkirtseff*. Rien qu'à la couverture, je compris que cet ouvrage était pour me plaire. Jamais mon intuition ne me trompe; je vais m'enfermer dans Venise, confiant que cette race me sera d'un bon conseil.

Cette jeune fille fut curieuse de sentir. Avec mille travers, elle se garda toujours ardente et fière. Quoiqu'elle n'ait pas nettement distingué qu'elle était mue simplement par l'amour de l'argent, qui fait l'indépendance, et par l'horreur du vulgaire, on peut la dire clairvoyante. Je l'estime. Sur le tard, elle fut effleurée par des sentiments grossiers : elle désira la gloire et elle mourut de la poitrine. Voilà deux fautes graves; au moins par la seconde fut-elle corrigée de la première. Et le fait qu'elle a disparu m'autorise à lui donner toute ma sympathie, qui prend parfois des nuances de tendresse.

Je m'arrêtai tout un dimanche à Lucerne. Les cloches sonnant sans trêve, la neige épandue sur le paysage, le froid, m'accablaient de tristesse. Je me promenai le long d'un lac invisible sous le brouillard, je bus des grogs dans de vastes hôtels solitaires, et, songeant à Simon absent, à l'Italie douteuse, je craignis que sur le tard de la soirée, une crise de découragement me prît et me laissât sans sommeil dans mon lit de passage.

Un concert annonçait *le Paradis et la Péri* de Schumann. Il me parut que sous ce titre je pourrais rêver avec profit.

Et tandis qu'officiaient les voix et les instruments, parmi tant de Suissesses, je me demandais : « A quoi pensait Marie ? Quel monde créa-t-elle pour s'y réfugier contre la grossièreté de la vie ? »

Les chanteurs, la musique, disaient :

L'éclat des larmes que l'esprit répand...

Les pleurs versés par de tels yeux ont un pouvoir mystérieux, Marie cherchait la volupté dans l'imprévu; elle fut trompée par les grands mots du vulgaire, elle eut cette honte que l'approbation des hommes la tenta. « La gloire! » disait-elle, ne comprenant pas que ce mot signifie le contact avec les étrangers, avec les Barbares. Cependant je ne puis la mépriser. Chez elle, cette indigne préoccupation ne fut pas bassesse naturelle, mais touchante folie. Sa jeunesse ardente, qu'elle refusait à la caresse grossière des jeunes gens, cherchait ailleurs des satisfactions. Elle embellissait, sans doute, par toute la noblesse de sa sensibilité, cette gloire qu'elle entrevoyait, et qui n'est pour moi que le résultat de mille calculs dont je connais l'intrigue. Un désir d'une telle ardeur purifie son objet. C'est Titania tendant ses petites mains à Bottom. *L'éclat des larmes que l'esprit répand* transfigure l'univers qu'il contemple.

Les chanteurs, la musique, disaient :

... Ah! laisse-moi puiser la fièvre...

Marie s'égara dans sa tentative pour systématiser sa vie. Un prix au Salon annuel n'est pas, comme elle le croyait, un but suffisant à tous ces désirs vers tous les possibles qui sommeillent au fond de nous. Du moins, elle désira l'enthousiasme. Et même cette fièvre put grandir en elle avec plus de violence que chez personne, car elle était un objet délicat, nullement embarrassée de ces grossiers instincts qui ralentissent la plupart des hommes. A son contact, j'affinerai mes frissons, et mon sang brûlera d'une ardeur plus vive auprès d'un tel corps qui me semble une flamme. *Ah! laisse-moi puiser la fièvre* à m'imaginer cette jeune poitrine qui ne fut gonflée que pour des choses abstraites.

Les chanteurs, la musique, disaient :

> *Dors, noble enfant, repose à jamais...*

Quoi qu'on me dise un jour, quelque dégoût qui me vienne à te relire, je te promets de continuer à te voir, selon la légende qu'aujourd'hui je me fais de toi. Comment pouvais-tu causer des heures entières avec cet artisan ? A moins peut-être qu'ému par ta divine complaisance, ce petit peintre grossier n'ait été très bon et très naturel, ce qui est un grand charme! Jamais tu n'avouas aucun sentiment tendre; je veux aller jusqu'à croire que jamais tu ne ressentis le moindre trouble, même quand la date de ton dernier soupir se précisant, tu vis qu'il fallait quitter la vie sans avoir réalisé aucun de tes pressentiments de bonheur. Tu n'aurais connu que déception à chercher ta part de femme, mais ç'eût été une faiblesse bien naturelle. Je te loue hautement d'avoir vu que cette image du bonheur est vaine. *Dors, noble enfant, repose à jamais* dans ma mémoire, seule comme il faut qu'un être libre vive.

Les chanteurs, la musique, disaient :

> *Au bord du lac, tranquille abri...*

Et moi, rentré au silencieux désert de mon hôtel, regrettant presque la retraite étroite, la demi-sécurité de Saint-Germain, mal soutenu par l'espoir si vague de construire mon bonheur dans Venise, tremblant que, d'un instant à l'autre, ma fatigue ne se changeât en aveu d'impuissance, je me plus à m'imaginer qu'à Simon j'avais substitué Marie, et que cette voyageuse m'allait être un compagnon idéal, dans un *tranquille abri, au bord d'un lac*, qui est l'univers entier où je veux me contempler.

CHAPITRE IX

Veillée d'Italie

(Enseignement du Vinci.)

Nous avions passé le théâtral Saint-Gothard et ses précipices. Un doux plaisir me toucha devant la fuite du lac de Lugano, quand sa rive trempée de grâce fut effleurée par le train de Milan. Au soir, nous accentuâmes la grande descente sur l'Italie. Un poitrinaire, portant à sa bouche sans cesse une liqueur d'apaisement, menait un bruit lugubre derrière moi. Mais qu'est-ce qu'un homme? J'ouvris au froid les fenêtres du wagon. Des mots historiques se pressaient dans ma tête : « Soldats, vous êtes pauvres, vous allez trouver l'abondance! » Et je me disais avec hâte : « Est-ce que je sens quelque chose? »

Cette quinzaine est une des périodes les plus honorables de mon existence; j'ai su conquérir l'émotion que je me proposais. Oui, j'allais trouver l'abondance. Et déjà, j'étais rempli de bonté. Je m'occupai du poitrinaire, je lui promis la santé, les femmes, le vin, tout ce que j'imaginais lui plaire. Même, pour qu'il sourît, je lui dis que j'étais Parisien, et je l'aidai à descendre du train dans la gare de Milan.

Décidé aux plus grands sacrifices pour être enthousiasmé, dès le soir je sortis de l'hôtel et me rendis autour de la cathédrale, m'interpellant et m'exclamant (bien qu'elle me plût médiocrement) en formules admiratives, car je sais que le geste et le cri ne manquent guère de produire le sentiment qui leur correspond.

211

*

Seul avec le concierge qui simule un rhume, à l'Ambrosienne, ce matin d'hiver, j'admirai les estampes, et sur elles j'interrogeai mon âme.

C'était encore ma sensibilité du cloître, le sentiment qui me fit demander à ma bibliothèque qu'elle me révélât à moi-même. Invincible égotisme qui me prive de jouir des belles formes! Derrière elles je saisis leurs âmes pour les mesurer à la mienne et m'attrister de ce qui me manque. L'univers est un blason, que je déchiffre pour connaître le rang de mes frères, et je m'attriste des choses qu'ils firent sans moi.

A l'Ambrosienne je vis, avec quelle ardente curiosité! un portrait d'Ignace de Loyola. Son génie logique créa une méthode, dont il obtint, sur les âmes les plus superbes, de prodigieux résultats, et que j'essaye de m'appliquer. Sa tête est une grosse boule avec une calvitie, une forte barbe courte, et une pointe au menton. Je sens comme une barre de migraine sur ses yeux et sur son front. Cet homme fut poli et froid, sans le moindre souci de plaire. Il avait des amis, mais ne se livra jamais, et nul ne put compter sur lui. S'il s'attachait, c'était par une sorte d'instinct profond; le manieur d'hommes le plus souple désespère de séduire celui-là.

Quand je contemple cette physionomie impérieuse, mes lenteurs me donnent à rougir. Je n'ai pas su encore m'emparer de moi-même! Du moins j'ai visité soigneusement mes ressources, je connais les fondements de mon être; dès lors, me perfectionnant chaque jour dans le mécanisme de Loyola, je dirigerai mes émotions, je les ferai réapparaître à volonté; je serai sans trêve agité des enthousiasmes les plus intéressants et tels que je les aurai choisis.

Sur le même mur, une gravure d'après un jeune homme de Rembrandt : la bouche entrouverte, la lèvre supérieure un peu relevée, les yeux superbes, mais éteints, toute la figure dégoûtée, anéantie. Je lui disais : « O mon pauvre enfant, ne me tentez pas avec votre juste accablement, car je veux loyalement faire cette tentative. »

Devant un portrait de jeune fille qui fut longtemps, mais à tort, attribué au Vinci, jeune fille gracieuse sans plus, avec une âme un peu ironique et de petite race, je trouvai un jeune homme qui pleurait.

— L'histoire de cette jeune fille est-elle touchante? lui dis-je : ni Gautier, ni Taine, ni Ruskin n'en parlent. (Je citais ces noms pour gagner sa confiance, car je pensais : voilà quelque poète.)

— Je l'ignore, me répondit-il.

— Il y a parfois des ressemblances émouvantes. (Sa vive émotion, ses pleurs, me permettaient ces familiarités.)

— Je ne pense pas qu'on puisse comparer aucune fille à celle-ci.

— Eh bien! repris-je.

— Ah! me dit-il simplement, le grand homme a mis sa main là.

Je le tiens admirable pour sa foi, ce croyant. Notez que le concierge lui-même sait que le tableau n'est pas de Léonard. Puis la jeune fille, délicate, n'a aucune impériosité. Mais celui-ci, peu connaisseur, mal renseigné, est pourtant très proche de Dieu; son âme, chargée d'ardeur, pour vibrer n'a nul besoin qu'un art ingénieux la caresse. C'est l'enthousiasme du charbonnier. Il saisit la première occasion de grouper les émotions dont il est rempli et d'en jouir. L'important n'est pas d'avoir du bon sens, mais le plus d'élan possible. Je tiens même le bon sens pour un odieux défaut. L'*Imitation de Notre-Seigneur Jésus-Christ*, cher petit manuel de la plus jolie vie qu'aient imaginée les délicats, l'a très bien vu : les pauvres d'esprit, s'ils ont cru et aimé, sont ceux qui approchent le plus de leur idéal, c'est-à-dire de Dieu. Ce n'est pas en chicanant chacun de mes désirs, en me vérifiant jusqu'à m'attrister, mais en poussant hardiment que je trouverai le bonheur.

*

Par un jour de pluie, j'entrai dans le cabinet du Brera; et la *Tête du Christ*, par le Vinci (l'étude au crayon rouge pour le Christ de *la Cène*), ne me laissait rien voir d'autre...

. . . .

Cette journée fameuse, dont la vertu chaque jour grandit en moi, me confirme dans la méthode que j'entrevoyais depuis Haroué.

Plus jeune, par une matinée sèche d'hiver florentin, ralentissant ma promenade sur le Lung'Arno, en face des collines délicates et presque nerveuses, j'ai suivi le même ordre de réflexions. Je sortais de voir au Pitti la Simonetta, maîtresse fameuse du Magnifique, peinte par Botticelli. Combien d'efforts il me fallut d'abord pour goûter sa beauté malingre de jeune fille moricaude! Dans la suite, je vins à l'aimer; au premier regard, elle ne me donnait que de la curiosité. Il en advint ainsi de moi-même devant moi-même. Jusqu'à cette heure, je fus simplement curieux de mon âme. Je considérais mes divers sentiments, qui ont la physionomie rechignée et malingre des enfants difficilement élevés, mais que je n'aimais pas. Or, le Vinci, pour représenter le plus compréhensif des hommes, celui qui lit dans les cœurs, ne lui donne pas le sourire railleur dont il est le prodigue inventeur, ni cet air dégoûté qui m'est familier; mais le Christ qu'il peint *accepte*, sans vouloir rien modifier. Il accepte sa destinée et même la bassesse de ses amis : c'est qu'il donne à toutes choses leur pleine signification. Au lieu d'étriquer la vie, il épanouit devant son intelligence la part de beauté qui sommeille dans le médiocre.

Aujourd'hui, dans cette veillée d'Italie, je vois qu'il n'y a pas compréhension complète sans bonté. Je cesse de haïr. Je pardonnerai à tout ce qui est vil en moi, non par un mot, mais en le justifiant. Je repasserai par toutes les phases de chacun de mes sentiments; je verrai qu'ils sont simplement incomplets, et qu'en se développant encore ils aboutiront à satisfaire l'ordre. Et sur l'heure, je jouirai de cet ordre.

Ainsi m'enseigna le Vinci, tandis que je le priais au Brera, étant accoudé sur la rampe de fer qui entoure la salle. La figure que son crayon traça a le sourire qui pardonne à tous les Judas de la vie, elle a les yeux qui reconnaissent dans les actions les plus obscures la direction raisonnable de Dieu, elle a le pli des lèvres qu'aucune amertume n'étonne plus.

Étant descendu avec ces pensées, je rejoignis ma voiture, et tandis qu'une triste humidité tombait sur la ville, enveloppé dans un grand manteau de voyage, je me pris à songer.

Je vis nettement qu'un second problème se greffait sur le premier :

1º Dans ma cellule, j'avais fait une enquête sur moi-même, j'étais arrivé à embrasser le développement de mon être; mais j'avais été préoccupé de mon imperfection avant tout.

2º Il s'agit maintenant de prêter à l'homme, que je suis, la beauté que je voudrais lui voir; il faut illuminer l'univers que je possède de toute cette lumière que je pressens; le programme, c'est d'escompter en quelque sorte, pour en jouir tout de suite, la perfection à laquelle mon être arrivera le long des siècles, si, comme ma raison le suppose, il y a progrès à l'infini.

En un mot, il faut que je campe devant moi, pour m'y conformer, mon rêve fait de tous les soupçons de beauté qui me troublent parfois jusqu'à me faire aimer la mort, parce qu'elle hâte le futur. Je suis un point dans le développement de mon être; or, jusqu'à cette heure, j'ai regardé derrière moi, désormais je tournerai mes yeux vers l'avenir. Et comme la mère dote son fils de tous les mérites qu'elle imagine confusément, je crée mon idéal de tous les soupirs dont m'emplit la banalité de la vie.

*

J'étais fort énervé; il me fallut passer à la poste, où l'on me demanda un passeport. Je discutai, m'emportai et, tremblant de colère, molestai de paroles les commis. Puis aussitôt je me pris à rire, comme un malade, en songeant à mes beaux plans d'indulgence universelle...

Qu'importe! il faut que je m'accepte comme j'accepte les autres. Mon indulgence, faite de compréhension, doit s'étendre jusqu'à ma propre faiblesse. Se détacher de soi-même, chose belle et nécessaire! D'ailleurs, mon *moi du dehors*, que me fait! Les actes ne comptent pas; ce qui importe uniquement, c'est mon *moi du dedans*! le Dieu que je construis. Mon royaume n'est pas de ce monde; mon royaume est un domaine que j'embellis méthodiquement à l'aide de tous mes pressentiments de la beauté; c'est un rêve plus certain que la réalité, et je m'y réfugie à mes meilleurs moments, insoucieux de mes hontes familières.

CHAPITRE X

Mon triomphe de Venise

Sur la ligne de Milan à Venise, je ne cessai de méditer les enseignements de ma veillée d'Italie, la sagesse du Vinci. J'étais prêt à m'aimer, à me comprendre jusque dans mes ténèbres. Pour me guider, je comptais sur Venise et sur la race que m'a désignée une intuition de mon cœur.

Et pourtant j'hésitais encore devant ce nouvel effort, quand je descendis à Padoue, désireux de visiter, dans un jardin silencieux, l'église Santa Maria dell' Arena, où Giotto raconte en fresques nombreuses l'histoire de la Vierge et du Christ.

Aux cloîtres florentins, jadis, combien n'ai-je pas célébré les primitifs! J'avais pour la société des hommes une haine timide, j'enviais la vie retenue des cellules. Même à Saint-Germain, la gaucherie de ces âmes peintes, leurs gestes simplifiés, leurs physionomies trop précises et trop incertaines, satisfaisaient mon ardeur si sèche, si compliquée. Mais la soirée d'Haroué et le Vinci m'ont transformé : le plus vénérable des primitifs à Padoue ne m'inspire qu'une sorte de pitié complaisante, qui est tout le contraire de l'amour.

Voilà bien, sur ces figures, la méfiance délicate que je ressens moi-même devant l'univers, mais je n'y devine aucune culture de soi par soi. S'ils gardent, à l'égard de la vie, une réserve analogue à la mienne, c'est pour des raisons si différentes! Je les médite, et je songe à la religion des petites sœurs, qui, malgré mon goût très vif pour toutes les formes de la dévotion, ne peut guère me satisfaire. Sur ces physionomies, le sentiment, maladif, stérile, met une lueur; mais aucune clairvoyance, aucun souci de se comprendre et de se développer. Pauvres saints du Giotto et petites sœurs! Ils s'en tiennent à s'émouvoir devant les légendes imposées; or, moi, je m'enorgueillis à cause de fictions que j'anime en souriant et que je renouvelle chaque soir...

Ces âmes naïves de Santa Maria dell' Arena, je sens que je les trompe en paraissant communier avec elles. J'eus parfois le même scrupule sous mon cloître de Saint-Germain, quand j'invoquais les moines qui m'y précédèrent. C'est par coquetterie, et grâce à des jeux de mots, que je grossis nos légers points de contact. Dans un siècle hostile et vulgaire, sous l'œil des Barbares, des familles éparpillées et presque détruites se plaisent à resserrer leurs liens. Mais il faut avouer que voilà une parenté bien lointaine. Pour un côté de moi qui peut-être satisferait le Giotto, combien qui l'étonneraient extrêmement! Dans sa chapelle, en même temps que je bâille un peu, ma loyauté est à la gêne.

Trois heures après, à Venise, j'étudiais les Véronèse; leur force me rafraîchissait. Ils m'attiraient, m'élevaient vers eux, mais m'intimidaient. Là encore je me sens un étranger; mes hésitations, toute ma subtilité mesquine, doivent les remplir de pitié. Pas plus qu'avec les Giotto, je n'ai mérité de vivre avec les Véronèse. Dans le siècle et dans mes combats de Saint-Germain, je n'ai fait voir que cet état exprimé par les Botticelli : tristesse tortueuse, mécontentement, toute la bouderie des faibles et des plus distingués en face de la vie. Mais d'être tel, je ne me satisfais pas. Je suis venu à Venise pour m'accroître et pour me créer heureux. Voici cet instant arrivé.

Ce soir-là, quand, tonifié de grand air et restauré par un parfait chocolat, j'atteignis l'heure où le soleil couchant met au loin, sur la mer, une limpidité merveilleuse, ma puissance de sentir s'élargit. Des instincts très vagues qui, depuis quelques mois, montaient du fond de mon être, se systématisèrent. Chaque parcelle de mon âme fut fortifiée, transformée.

Une tache immense et pâle couvrait l'univers devant moi, brillantée sur la mer, rosée sur les maisons; le ciel presque incolore s'accentuait au couchant jusqu'à la rougeur énorme du soleil décliné. Et toute cette teinte lavée semblait s'être adoucie, pour que je pusse aisément aborder la beauté instructive de Venise et que rien ne m'en blessât : mousse sucrée du champagne qu'on fait boire aux anémiques.

La seule image d'effort que j'y vis, c'était sur l'eau un gondolier se détachant en noir avec une netteté extrême, presque risible. D'un rythme lent, très précis, il faisait son travail, qui est simplement de déplacer un peu d'eau pour promener un homme qui dort.

Et devant ce bonheur orné, je sentis bien que j'étais vaincu par Venise. Au contact de la loi que sa beauté révèle, la loi que je servais faillit. J'eus le courage de me renoncer. Mon contentement systématique fit place à une sympathie aisée, facile, pour tout ce qui est moi-même. Hier je compliquais ma misère, je réprouvais des parties de mon être : j'entretenais sur mes lèvres le sourire dédaigneux des Boticelli, et chaque jour, par mes subtilités, je me desséchais. Désormais convaincu que Venise a tiré de soi une vision de l'univers analogue et supérieure à celle que j'édifiais si péniblement, je prétends me guider sur le développement de Venise.

Au lieu de replier ma sensibilité et de lamenter ce qui me déplaît en moi, j'ordonnerai avec les meilleures beautés de Venise un rêve de vie heureuse pour le contempler et m'y conformer.

I. VENISE

Sa beauté du dehors.

Dès lors je passai mes jours, dans des palais déserts, à lire les annales magnifiques et confuses de la République, — dans les musées et les églises écrasées d'or, à contrôler les catalogues, — sur la rive des Schiavoni, à louer la mer, le soleil et l'air pur qui égayent mes vingt-cinq ans, — et sur les petits ponts imprévus, je m'attristais longuement des canaux immobiles entre des murs écussonnés.

Après trois semaines, quand mes nerfs furent moins sensibles à cette délicate cité, je brusquai mon régime jusqu'alors réglé par Bædeker, et quittant la Piazza, où parmi des étrangers choquants on lit les journaux français, je me confinai dans une Venise plus vénitienne. J'habitai les Fondamenta Bragadin; cela me plut, car Bragadin est un doge qui, par grandeur d'âme, consentit à être écorché vif, et parfois je songe que je me suis fait un sort analogue.

Je voudrais transcrire quelques tableaux très brefs des sensations les plus joyeuses que je connus au hasard de ces premières curiosités; mais il eût fallu les esquisser sur l'instant. Je ne puis m'alléger de mes imaginations habituelles et retrouver ces moments de bonheur ailé. C'est en vain que pendant des semaines, auprès de ma table de travail, j'ai attendu la veine heureuse qui me ferait souvenir.

Je vois une matinée à Saint-Marc, où j'étais assis sur des marbres antiques et frais, tandis qu'un bon chien (muselé) allongeait sur mes genoux sa vieille tête de serpent honnête. Et l'un et l'autre nous regardions, avec une parfaite volupté, le faste et la séduction réalisés tout autour de nous. — Ah! Simon, comme ta raideur anglaise serait misérable dans cette végétation divine!

Je vois un jour de soleil que je m'étendis sur un banc de marbre, au ras de la mer : alors je compris qu'un misérable mendiant n'est pas nécessairement un malheureux, et que pour eux aussi l'univers a sa beauté.

Je vois au quai des Schiavoni le vapeur du Lido, chargé de misses froides et de touristes aux gestes agaçants. Une barque sous le plein soleil s'approche. Une fille de dix-sept ans, debout, avec aisance y chantait une chanson, éclatante comme ces vagues qui nous brûlaient les yeux. Venise, l'atmosphère bleue et or, l'Adriatique qui fuit en s'attristant et cette voix nerveuse vers le ciel faisaient si cruellement ressortir la morne hébétude de ces marchands sans âme que je bénis l'ordre des choses de m'avoir distingué de ces hommes dont je portais le costume.

Cependant j'attendais avec impatience le jour où j'aurais tout regardé, non pour ne plus rien voir, mais pour fermer les yeux et pour faire des pensées enfin avec ces choses que j'avais tant frôlées. La beauté du dehors jamais ne m'émut vraiment. Les plus beaux spectacles ne me sont que des tableaux psychologiques.

Je dirai que, parmi ces délices sensuelles, jamais je n'oubliai l'heure qu'il était. Aux meilleurs détours de cette ville abondante et toujours imprévue, jamais je ne perdis l'impression qui fait mon angoisse : le sens du provisoire.

Mais qu'on me laisse décrire l'ordre de mes associations d'idées, tandis qu'en ce jardin de chefs-d'œuvre j'errais, mal sensible à la prodigalité des essais du génie vénitien et soucieux uniquement d'absolu.

Je prends un exemple au hasard : vers le crépuscule, débouchant de mon canal Bragadin sur les Fondamenta Zattere, soudain je voyais le soleil comme une bête énorme flamboyer au versant d'un ciel délicat, par-dessus une mer indifférente à cette brutalité, toute élégante et de tendresse vaporeuse. Alors, avec un haut-le-corps, je m'exclamais et je gesticulais. Puis aussitôt : « Quoi donc ! es-tu certain que cela t'intéresse ? » Mais en même temps : « Saisissons l'occasion, me disais-je, pour pousser jusqu'à l'extrémité des Zattere (un kilomètre le long d'un bras de mer canalisé, sur un quai largement dallé). Je suis certainement en face d'un des plus beaux paysages du monde... Et puis, mon dîner retardé de vingt minutes, la soirée me sera moins longue... Ah ! ces soirées, toutes ces journées de la vie extérieure !... Et s'il pleuvait, j'aurais un frisson d'humidité, la table du restaurant me serait lugubre et, l'ayant quittée, il me faudrait rentrer immédiatement dans un chez moi meublé de malaise, ou m'enfermer dans un café qui me congestionne ! »

Ce chœur des pensées qui m'emplissaient fait voir que les plus voluptueux décors ne peuvent imposer silence à mes sensibilités mesquines. La grâce de Venise qui me pénétrait ne pouvait étouffer les protestations dont mon être naquit gonflé. Il fallait que l'âme de cette ville se fondît avec mon âme dans quelqu'une de ces méditations confuses dont parfois mon isolement s'embellit.

II. VENISE

Sa beauté intérieure,
Sa loi qui me pénètre.

> *Heureux les yeux qui, fermés aux choses*
> *extérieures, ne contemplent plus que les*
> *intérieures.*

Enfin, je connus Venise. Je possédais tous mes documents pour dégager la loi de cette cité et m'y conformer.
Le long des canaux, sous le soleil du milieu du jour, je promenais avec maussaderie une dyspepsie que stimulait encore
l'air de la mer. (On est trop disposé à oublier que Venise,
avec sa langueur et ses perpétuelles tasses de café, est légèrement malsaine). Les photographies inévitables des vitrines
avaient fait banales les plus belles images des cloîtres et des
musées. Seule, la tristesse de mon restaurant solitaire m'émouvait encore pour la beauté de la Venise du dehors, tandis
que la nuit, descendant d'un ciel au coloris pâli, ennoblissait d'une agonie romanesque l'Adriatique. Et si ce déclin
du jour me toucha plus longtemps qu'aucun instant de
cette ville, c'est qu'il est le point de jonction entre ma sensibilité anémique et la vigueur vénitienne.

Dès lors, je ne quittai plus mon appartement, où, sans
phrases, un enfant m'apportait des repas sommaires.

Vêtu d'étoffes faciles, dédaigneux de tous soins de toilette,
mais seulement poudré de poudre insecticide, je demeurais
le jour et la nuit parmi mes cigares, étendu sur mon vaste
lit.

J'avais enfin divorcé avec ma guenille, avec celle qui doit
mourir. Ma chambre était fraîche et d'aspect amical. Ignorant
du bruyant appel des horloges obstinées, je m'occupai
seulement à regarder en moi-même, que venaient de remuer
tant de beaux spectacles. Je profitais de l'ennui que je m'étais
donné à vivre en proie aux ciceroni, tête nue, parmi les édi-
fices remarquables.

Mes souvenirs, rapidement déformés par mon instinct,

me présentèrent une Venise qui n'existe nulle part. Aux attraits que cette noble cité offre à tous les passants, je substituai machinalement une beauté plus sûre de me plaire, une beauté selon moi-même. Ses splendeurs tangibles, je les poussai jusqu'à l'impalpable beauté des idées, car les formes les plus parfaites ne sont que des symboles pour ma curiosité d'idéologue.

Et cette cité abstraite, bâtie pour mon usage personnel, se déroulait devant mes yeux clos, hors du temps et de l'espace. Je la voyais nécessaire comme une Loi; chaîne d'idées dont le premier anneau est l'idée de Dieu. Cette synthèse, dont j'étais l'artisan, me fit paraître bien mesquine la Venise bornée où se réjouissent les artistes et les touristes.

> *Qu'on ne saurait goûter que Dieu seul, et qu'on le goûte en toutes choses, quand on l'aime véritablement.*

Je le dis, un instant des choses, si beau qu'on l'imagine, ne saurait guère m'intéresser. Mon orgueil, ma plénitude, c'est de les concevoir sous la forme d'éternité. Mon être m'enchante, quand je l'entrevois échelonné sur les siècles, se développant à travers une longue suite de corps. Mais dans mes jours de sécheresse, si je crois qu'il naquit il y a vingt-cinq ans, avec ce corps que je suis et qui mourra dans trente ans, je n'en ai que du dégoût.

Oui, une partie de mon âme, toute celle qui n'est pas attachée au monde extérieur, a vécu de longs siècles avant de s'établir en moi. Autrement, serait-il possible qu'elle fût ornée comme je la vois! Elle a si peu progressé, depuis vingt-cinq ans, que je peine à l'embellir! J'en conclus que, pour l'amener au degré où je la trouvai dès ma naissance, il a fallu une infinité de vies. L'âme qui habite aujourd'hui en moi est faite de parcelles qui survécurent à des milliers de morts; et cette somme, grossie du meilleur de moi-même, me survivra en perdant mon souvenir.

Je ne suis qu'un instant d'un long développement de mon Être; de même la Venise de cette époque n'est qu'un instant de l'âme vénitienne. Mon Être et l'Être vénitien sont illimités. Grâce à ma clairvoyance, je puis reconstituer une partie de leurs développements; mais mon horizon est borné par ma faiblesse : jamais je n'atteindrai jusqu'au bonheur parfait de contempler Dieu, de connaître le Principe qui contient et qui nécessite tout. Que j'entrevoie une partie de ce qui est ou du moins de ce qui paraît être, cela déjà est bien beau.

Cette satisfaction me fut donnée, quand je contemplai, dans l'âme de Venise, mon Être agrandi et plus proche de Dieu.

L'Être de Venise.

Cette qualité d'émotion, qui est constante dans Venise et dont chacun des détails de cette nation porte l'empreinte, seules la perçoivent pleinement les âmes douées d'une sensibilité parente. Ce caractère mystérieux, que je nomme l'âme de tout groupe d'humanité et qui varie avec chacun d'eux, on l'obtient en éliminant mille traits mesquins, où s'embarrasse le vulgaire. Et cette élimination, cette abstraction se font sans réflexion, mécaniquement, par la répétition des mêmes impressions dans un esprit soucieux de communier directement avec tous les aspects et toutes les époques d'une civilisation.

Mon Être.

De même, quand ma pensée se promène en moi, parmi mille banalités qui semblaient tout d'abord importantes, elle distingue jusqu'à en être frappée des traits à demi effacés; et bientôt une image demeure fixée dans mon imagination. Et cette image, c'est moi-même, mais moi plus noble que dans l'ordinaire; c'est l'essentiel de mon Être, non pas de ce que je parais en 89, mais de tout ce développement à travers les générations dont je vis aujourd'hui un instant.

223

Je l'avais pressenti quand je feuilletais des guides Bædeker, le soir de notre séparation à Saint-Germain : cette image de mon Être et cette image de l'Être de Venise, obtenues par une inconsciente abstraction, concordent en de nombreux points.

En les superposant, par une sorte d'addition légèrement confuse, j'obtins une image infiniment noble où je me mirai avec délice dans ma chambre solitaire et fraîche. Fragment bien petit encore de l'Être infini de Dieu! mais le plus beau résultat que j'eusse atteint depuis mon vœu de Jersey. Voici donc que je contemplais mes émotions! Et non plus des émotions toujours inquiètes et sans lien, mais systématisées, poussées jusqu'à la fleur qu'elles pressentaient. Hier, je les analysais avec tristesse; aujourd'hui, par un effort de compréhension, de bonté, je les assemble et je les divinise. Je m'accouche de tous les possibles qui se tourmentaient en moi. Je dresse devant moi mon type.

Durant quelques semaines, couché sur mon vaste lit des Fondamenta Bragadin, ou, plus réellement, vivant dans l'éternel, je fus ravi à tout ce qu'il y a de bas en moi et autour de moi : je fus soustrait aux Barbares. Même je ne les connaissais plus. Ayant été au milieu d'eux l'esprit souffrant, puis à l'écart l'esprit militant, par ma méthode je devenais l'esprit triomphant.

Ici se réfugièrent des rois dans l'abandon, et des princes de l'esprit dans le marasme. Venise est douce à toutes les impériosités abattues. Par ce sentiment spécial qui fait que nous portons plus haut la tête sous un ciel pur et devant des chefs-d'œuvre élancés, elle console nos chagrins et relève notre jugement sur nous-mêmes. J'ai apporté à Venise tous les dieux trouvés un à un dans les couches diverses de ma conscience. Ils étaient épars en moi, tels qu'au soir de mon abattement d'Haroué; je l'ai priée de les concilier et de leur donner du style. Et tandis que je contemplais sa beauté, j'ai senti ma force qui, sans s'accroître d'éléments nouveaux, prenait une merveilleuse intensité.

Venise, me disais-je, fut bâtie sur les lagunes par un groupes d'hommes jaloux de leur indépendance; cette fierté d'être libre, elle la conserva toujours; sa politique, ses mœurs, ses arts, jamais ne subirent les étrangers. — Ainsi le premier trait de ma vie intellectuelle est de fuir les Barbares, les étrangers; et le perpétuel ressort de ma vertu, c'est que je me veux homme libre.

Venise, pour avoir été héroïque contre les étrangers, amassa dans l'âme de ses citoyens les plus beaux désintéressements. — Ainsi, je fus toujours ému d'une sorte de générosité naturelle, je hais l'hypocrisie des austères, l'étroitesse des fanatiques et toutes les banalités de la majorité. Toutefois j'avoue ne pas conserver souvenir des luttes qu'en d'autres corps, jadis, mon Être a dû soutenir pour acquérir ces vertus.

Venise, qui jusqu'alors luttait pour exister, ne se forme une vision personnelle de l'univers que sous une légère atteinte de douceur mystique : Memling, venu d'Allemagne, fait naître Jean Bellin. — De même, c'est par ce besoin de protection que connurent toutes les enfances mortifiées, et par l'enseignement métaphysique d'outre-Rhin, que je fus éveillé à me faire des choses une idée personnelle. A douze ans, dans la chapelle de mon collège, je lisais avec acharnement les psaumes de la Pénitence, pour tromper mon écœurement; et plus tard, dans l'intrigue de Paris, le soir, je me suis libéré de moi-même parmi les ivresses confuses de Fichte et dans l'orgueil un peu sec de Spinoza.

Si fiévreux et changeant que je paraisse, la vision saine que se faisait de l'univers le Titien ne contrarie pas l'analogie de mon Être et de l'Être de Venise. — Il est clair que jamais je n'atteignis la paix qu'on lui voit, mais c'est pour y parvenir que toujours je m'agitai. Si je suis inquiet sans trêve, c'est parce que j'ai en moi la notion obscure ou le regret de cette sérénité. Ma fébrilité actuelle n'est sans doute qu'un secret instinct de mon Être, qui se souvient d'avoir possédé, entrevu ces heures fortes et paisibles marquées à Venise par Titien.

Rien au plus intime de moi ne répond au génie violent de Tintoret. Mon système n'en est pas déconcerté. Aussi bien, dans cette république magnifique et souriante, ce fanatique sombre garde une allure à part, que n'expliquent ni les arts ni les mœurs de son temps. Le Tintoret est à Venise un accident, un à-côté. C'est avec Véronèse, si noble, si aisé, que la vraie Venise se développait alors. Mon Être se souvient sans effort d'avoir connu l'instant de dignité, de bonté et de puissance que Véronèse signifie. Alors pour moi (mais dans quel corps habitai-je ?) la vie était une fête ; et bien loin de m'absorber, comme je le fais, dans l'amour de mes plaies, je poussai toute ma force vers le bonheur.

Véronèse cependant m'intimide. Plus qu'un ami il m'est un maître ; je lui cache quelques-uns de mes sourires. — Mon camarade, mon vrai *moi*, c'est Tiepolo.

TIEPOLO

Celui-là, Tiepolo, est la conscience de Venise. En lui l'âme vénitienne, qui s'était accrue instinctivement avec les Jean Bellin, les Titien, les Véronèse, s'arrêta de créer ; elle se contempla et se connut. Déjà Véronèse avait la fierté de celui qui sent sa force ; Tiepolo ne se contente plus de cet orgueil instinctif, il sait le détail de ses mérites, il les étale, il en fait tapage. — Comme moi aujourd'hui, Tiepolo est un analyste, un analyste qui joue du trésor des vertus héritées de ses ancêtres.

Je ne me suis doté d'aucune force nouvelle, mais à celles que mon Être s'était acquises dans des existences antérieures j'ai donné une intensité différente. De sensibilités instinctives, j'ai fait des sensibilités réfléchies. Mes visions du monde m'ont été amassées par mon Être dans chacune de ses transformations ; superposées dans ma conscience, elles s'obscurcissaient les unes les autres : si je n'y puis rien ajouter, du moins je sais que je les possède.

Cette clairvoyance et cette impuissance ne vont pas sans tristesse. Ainsi s'explique la mélancolie que nous faisons voir, Tiepolo et moi, ainsi que les siècles dilettanti qui, seuls, nous pourraient faire une atmosphère convenable. L'énergie de notre Être, épuisée par les efforts de jadis, n'atteint qu'à donner à notre tristesse une sorte de fantaisie trop imprévue, parfois une ardeur choquante. Ces plafonds de Venise qui nous montrent l'âme de Gianbatista Tiepolo, quel tapage éclatant et mélancolique! Il s'y souvient du Titien, du Tintoret, de Véronèse; il en fait ostentation : grandes draperies, raccourcis tapageurs, fêtes, soies et sourires! quel feu, quelle abondance, quelle verve mobile! Tout le peuple des créateurs de jadis, il le répète à satiété, l'embrouille, lui donne la fièvre, le met en lambeaux, à force de frissons! mais il l'inonde de lumière. C'est là son œuvre, débordante de souvenirs fragmentaires, pêle-mêle de toutes les écoles, heurtée sans frein ni convenance, dites-vous, mais où l'harmonie naît d'une incomparable vibration lumineuse. — Ainsi mon unité est faite de toute la clarté que je porte parmi tant de visions accumulées en moi.

Tiepolo est le centre conscient de sa race. En lui, comme en moi, toute une race aboutit. Il ne crée pas la beauté, mais il fait voir infiniment d'esprit, d'ingéniosité; c'est la conscience la plus ornée qu'on puisse imaginer, et chez lui la force, dépouillée de sa première énergie, invente une grâce ignorée des sectaires. Ah! ces airs de tête, ces attitudes, ces prétentions, cet élan charmant et qui sans cesse se brise! Ce qu'il aime avant tout, c'est la lumière; il en inonde ses tableaux; les contours se perdent, seules restent des taches colorées qui se pénètrent et se fondent divinement. — Ainsi, j'ai perdu le souvenir des anecdotes qui concernaient mes diverses émotions, et seule demeure, au fond de moi, ma sensibilité qui prend, selon ses hauts et ses bas, des teintes plus ou moins vives. Ciel, drapeaux, marbres, livres, adolescents, tout ce que peint Tiepolo est éraillé, fripé, dévoré par sa fièvre et par un torrent de lumière, ainsi que sont mes images intérieures que je m'énerve à éclairer durant mes longues solitudes.

Dans une suite de *Caprices*, livres d'eaux-fortes pour ses sensations au jour le jour Tiepolo nous a dit toute sa mélancolie. Il était trop sceptique pour pousser à l'amertume. Ses conceptions ont cette lassitude qui suit les grandes voluptés et que leur préfèrent les épicuriens délicats. Il sentait une fatigue confuse des efforts héroïques de ses pères, et tout en gardant la noble attitude qu'ils lui avaient lentement formée par leur gloire, il en souriait. Les *Caprices* de Tiepolo sont des recueils héroïques, où toutes les âmes de Venise sont réunies ; mais tant de siècles se résumant en figures symboliques, ce sourire inavoué, cette mélancolie dans l'opulence, sont d'un scepticisme trop délicat pour la masse des hommes. Un homme trop clairvoyant paraît énigmatique.

On traite volontiers d'obscur ce qu'on ne comprend pas ; cela est vrai grammaticalement, mais il appartient au poète de faire sentir ce qui ne peut être compris. Tiepolo contemple en soi toute sa race. Que parmi des guerriers pensifs, une jeune fille agite un drapeau ! A cette page de Tiepolo, je m'arrête ; j'ai reconnu son âme, la mienne !

Ah ! celui-là, comment s'étonner si je le préfère à tout autre ?

*

Après Tiepolo, Venise n'avait plus qu'à dresser son catalogue. Aujourd'hui, elle est toute à se fouiller, à mettre en valeur chacune de ses époques ; ce sont des dispositions mortuaires.

Et moi qui suis Tiepolo, et qui, replié sur moi-même, ne sais plus que répandre la lumière dans ma conscience, combiner les vertus que j'y trouve, et me mécaniser, j'approche de cette dernière période. Quand ce corps où je vis sera disparu, mon Être dans une nouvelle étape ne vaudra que pour classer froidement toutes les émotions que le long des siècles il a créées. Moi, fils par l'esprit des hommes de désirs, je n'engendrerai qu'un froid critique ou un bibliothécaire. Celui-là dressera méthodiquement le catalogue de mon développement que j'entrevois déjà, mais où je mêle trop de sensibilité. Puis la série sera terminée.

Ainsi, dans cet effort, le plus heureux que j'ai fourni depuis la journée de Jersey, je contemplai le détail et le développement de cette suite d'idées qu'est mon *moi*.

Admirables et fiévreuses journées des Fondamenta Bragadin ! Au contact de Venise, délivré pour un instant de l'inquiétude de mes sens, je pus me satisfaire du spectacle de tous mes caractères divinisés en un seul type de gloire ! Grâce à mes lentes analyses, l'avenir devenait pour mon intelligence une conception nette ! J'entrevis que l'effort de tous mes instincts aboutissait à la pleine conscience de moi-même, et qu'ainsi je deviendrais Dieu, si un temps infini était donné à mon Être, pour qu'il tentât toutes les expériences où m'incitent mes mélancolies.

Dès lors que m'importe si les siècles et l'énergie font défaut à cette tâche! j'ai tout l'orgueil du succès quand j'en ai tracé les lois. C'est posséder une chose que s'en faire une idée très nette, très précise.

*

Vers cette époque, un soir que je mangeais au restaurant, un jeune Anglais, jadis rencontré à Londres, vint s'asseoir à ma table. Je causai avec un peu de fièvre, explicable chez un solitaire qui depuis deux mois n'avait fait que songer. La conversation se rapprocha très vite de mes méditations familières, et vers 10 heures ce jeune homme me disait : « Je compte que j'ai lieu d'être heureux : mon père a beaucoup travaillé; il m'a mis à Eton, où je me suis fait des amis nombreux qui me seront utiles dans la vie. »

Cette satisfaction ainsi motivée me fit toucher l'écart qui grandit chaque jour entre moi et le commun des honnêtes gens.

III

Je suis saturé de Venise.

> *Grégoire XI : « C'est ici que mon âme trouve son repos dans l'étude et la contemplation des belles choses. »*
>
> *Sainte Catherine de Sienne : « Pour accomplir votre devoir, très Saint-Père, et suivant la volonté de Dieu, vous fermerez les portes de ce beau palais, et vous prendrez la route de Rome, où les difficultés et la malaria vous attendent en échange des délices d'Avignon. »*

Au degré où j'étais parvenu, je ne ressentais plus ces violents mouvements qui sont ce que j'aime et désire. J'étais saturé de cette ville, qui dès lors n'agissait plus sur moi; je glissais peu à peu dans la torpeur. L'homme est un ensemble infiniment compliqué : dans le bonheur le mieux épuré nous nous diminuons. Je jugeai opportun de me vivifier par la souffrance et dans l'humiliation, qui seules peuvent me rendre un sentiment exquis de l'amour de Dieu. Nulle part je ne pouvais mieux trouver qu'à Paris.

(Il est juste d'ajouter qu'à ces nobles motifs se joignait un désir d'agitation : désir médiocre, mais après tout n'est-ce pas un synonyme intéressant de mes beaux appétits d'idéal? Il faut que je respecte tout ce qui est en moi; il ne convient pas que rien avorte. Or ma santé s'était fort consolidée, et des parties de moi-même, s'éveillant peu à peu, ne se satisfaisaient pas de la vie de Venise.)

Pour me maintenir dans l'Église Triomphante, il faut sans cesse que je mérite, il faut que j'ennoblisse les parties de péché qui subsistent probablement en moi. Je ne les connaîtrai que dans la vie; j'y retourne.

LIVRE IV

Excursion dans la vie

CHAPITRE XI

Une anecdote d'amour

I. J'AMASSE DES DOCUMENTS

Pâle comme sa chemise.

Le huitième jour de mon arrivée à Paris, quand la petite émotion de retrouver d'anciennes connaissances et de me composer selon l'échelle sociale et le caractère des gens que je rencontre m'eut secoué une centaine de fois, mes nerfs se montèrent et je trouvai l'émotion vulgaire que je venais chercher.

C'était la petite fille d'une actrice, jadis fameuse par son esprit et la loyauté de ses amitiés. Jolie fille, jeune, menée uniquement par son imagination, un peu prétentieuse d'allure et de ton, mais incapable d'un geste qui ne fût pas gracieux, elle m'émut. Je m'aperçus de mon sentiment au soin que je pris de ne pas m'avouer qu'elle ne possédait que des idées acquises et, pour son propre fonds, de la vanité. D'ailleurs, je lui vis le genre de sourire que je préfère, imprévu, fait de coquetterie et de bonté.

Quelque chose de haché dans mes discours, une apparence de franchise qui est faite de désir de plaire et d'indifférence à l'opinion, voilà les caractères qui lui plurent tout d'abord en la déroutant.

*

C'est une légère tristesse de constater, chez un objet de vingt ans qu'on affectionne, la science de dominer les hommes par un mélange de pudeur et de caresses, quand on réfléchit aux expériences qui la lui acquirent.

Elle usa d'un jeu de passion brisée, puis reprise, qui est le plus convenable pour m'émouvoir. Quand je me dépitais, elle ne faisait que rire, ne voulant pas croire que je pusse tenir à elle. Si elle m'avait promis de bonne grâce et dès le début du dîner ce dont je la pressais à la fin de la soirée, peut-être en aurais-je bâillé. Car allumer une dernière cigarette, — attendre dans un fauteuil l'instant de la voir jolie, fraîche d'une toilette simplifiée, et complaisante avec de beaux cheveux et des yeux tendres, — ne plus me disperser dans mille soucis, mais me réunir dans une action vive, — toutes ces fines émotions, les soirs que, me serrant la main, elle ne me laissait pas descendre de la voiture qui la reconduisait, je m'énervais à les évoquer et à croire que, la veille, je les avais goûtées chez elle. Mais en vérité j'y étais demeuré fort insensible. Seule nous émeut la beauté que nous ne pouvons toucher. Cette atmosphère de sensualité délicate dont mon regret emplissait sa chambre, je la composais par le procédé de l'abstraction, malhonnête au cas particulier. En réalité, les traits séduisants que j'assemble autour de son baiser ne furent jamais réunis ; cette heure-là au contraire est faite de mille détails oiseux et parfois choquants. D'ailleurs, ces minutes offriraient-elles tout ce plaisir dont ma fièvre contrariée les embellit, elles ne me seraient nullement indispensables ; et si, trois soirs de suite, je me couchais vers les 11 heures, ayant pris à intervalles égaux trois paquets, trente centigrammes de quinine, mon goût se dissiperait.

Je m'étais proposé pour mes fins idéales de prendre là quelque chagrin, un peu d'amertume qui me restituât le désir de Dieu. Dès les premiers jours de cet essai, j'appliquai ma méthode avec plus d'entrain que dans aucun de mes enthousiasmes précédents. Il s'agissait comme toujours de résumer dans une passion ardente le vague désir, qui sans trêve tourbillonne en moi, de réaliser l'unité de mon Être. Sur ce terrain nouveau je fis une moisson abondante d'analyses, car après le cloître de Venise mes yeux étaient neufs pour Paris.

En moi grandit avec rapidité, conformément à mon rôle, cet appétit de se détruire, cette hâte de se plonger corps et âme dans un manque de bon sens, cette sorte de haine de soi-même, qui constituent la passion! Ah! l'attrait de l'irréparable, où toujours je voulus trouver un perpétuel repos : au cloître, quand je me vouai à l'imitation de mes saints, — au soir d'Haroué, quand je me fis une belle mélancolie de l'avortement de ma race, — sur les canaux éclatants de Venise, quand je m'exaltais des magnificences de cette ville à qui j'avais l'esprit lié! C'est encore ce morne irréparable que ma fièvre cherche à Paris, tandis que je veux me remettre tout entier entre des mains ornées de trop de bagues!

Je sais pourtant que je suis une somme infinie d'énergies en puissance, et que pour moi il n'est pas de stabilité possible. Je le sais au point que, sur cet axiome, j'ai fondé ma méthode de vie, qui est de sentir et d'analyser sans trêve.

Pour aiguillonner ma sensibilité et la pousser dans cette voie d'amour que j'expérimente, j'ai trouvé cinq à six traits d'un effet sûr.

1º Se représenter l'Objet, de chair délicate et de gestes caressants, aux bras d'un homme brutal, et pâmée de cette brutalité même, embellissant ses yeux de misérables larmes de volupté, qu'elle n'eût dû verser que sainte et honorant Dieu à mes côtés.

Cette trahison des sens, cette défaite de la femme, si faible contre les exigences de ses vingt ans, fournissait un thème abondant et monotone à mes entretiens du soir avec l'Objet. L'Objet surpris, choqué, puis fatigué par mon insistance, m'avoua diverses circonstances où elle avait goûté violemment ces affreux entraînements. Je l'écoutais en silence, rempli d'amertume et de trouble, tandis que, s'animant, elle mettait à ses aveux un vilain amour-propre. Cependant, vierge et intimidée, elle ne m'eût inspiré qu'une sorte de pitié, ennemie de toute passion.

2º Se représenter qu'ayant fait le bonheur de beaucoup d'indifférents qui tous l'abîmeront un peu, elle deviendra vieille et dédaignée, sans revanche possible.

M'abandonnant à une bonté triste et sensuelle, je souffrais de cette fatalité où son beau corps engrené était chaque jour froissé, et, m'appuyant contre cette pauvre amie, je me faisais ainsi une mélancolie facile qui m'énervait délicieusement, mais où elle ne voyait durant nos soirs d'automne que de longs silences insupportables.

Une singulière contradiction de sentiment sans trêve tournoie en moi comme une double prière. Je m'irritai toujours du mépris qu'affectent les âmes vulgaires pour les créatures qui consacrent leur jeune beauté et leur fantaisie à servir la volupté. Leur corps si souple, leur sourire de petit animal et toutes leurs fossettes, quand elles les livrent au passant ému, c'est qu'elles sont agitées du même dieu, dieu d'orgueil et de générosité, qui fait les analystes. Les analystes prient l'inconnu qu'il veuille être leur ami, et, rejetant toute pudeur, ils le provoquent à connaître leur âme et à en jouir. Les uns et les autres sont victimes d'une fatalité, car ils naquirent chargés d'attraits singuliers. J'aime l'orgueil qui les pousse à révéler publiquement leur beauté. J'aime leur désintéressement qui leur fait dédaigner toutes ces petites préoccupations, groupées par le vulgaire sous le nom de dignité, et auxquelles Simon prêtait de l'importance. J'aime leurs emportements qui m'aident à comprendre la mort; ils se hâtent de faire leur tâche et d'épanouir leurs vertus, car ils n'auront pas de fils, selon le sang, à qui les transmettre. Il faut qu'ils se gagnent des fils spirituels où déposer le secret de leurs émotions. La frénésie des monographistes sincères et celle de Cléopâtre abandonnée dans les bras de César, d'Antoine et de tant de soldats, n'éveillent aucune raillerie facile chez les esprits réfléchis : de telles impudeurs transmettent, de génération en génération, les vertus d'exception. Ces femmes et ces penseurs ont sacrifié leur part de dignité vulgaire pour mettre une étincelle dans des âmes sauvées de l'assoupissement. Cependant, et voilà ma contradiction, je me désespérais que l'Objet fût telle. Seule son infâme ingéniosité m'intéressait à elle, et je la lui reprochais, me plaisant à lui détailler tout haut, combien elle violait les lois ordinaires de la nature et de la bienséance.

Amoureuse d'absurde, autant que je le suis, et vaniteuse, elle prenait un goût très vif à mes irritations. Nous en plaisantions l'un et l'autre, mais parfois j'étais presque brutal.

et parfois encore j'étais près de regretter qu'elle fût un objet irréparablement gâté.

Mais sans trêve, au fond de moi, quelqu'un riait disant : « Ah! l'insignifiante parade! Ah! que ces choses me seraient indifférentes, s'il me plaisait d'en détourner mon regard! »

De telles expériences, menées avec trop de zèle, présentent quelque danger, C'est le jeu un peu fébrile du pauvre enfant qui, par un jour de pluie, assis dans un coin de la chambre, examine son jouet au risque de le casser, — non loin des grandes personnes qui sont, en toutes circonstances, un châtiment imminent.

*

Elle avait de la générosité de cœur, et, malgré sa vanité, un convenable bohémianisme. Autrement son sourire m'aurait-il arrêté? Deux ou trois fois, dans notre jeu senti-mental, nous nous sommes touchés à fond, et soudain presque sincères, nous cessions notre intrigue pour vouloir nous aimer bonnement. Nous aurions pu goûter, à l'écart, quelques semaines de vraie satisfaction.

Mais quoi! tant de sentiments délicats, que j'ai acquis par de longs efforts méthodiques, dès lors me devenaient inutiles! Pouvais-je accepter de me réduire à la petite sensi-bilité sensuelle de ma vingtième année! Renier, pour la première fois, la journée de Jersey!

Quelque raisonnable que cela fût, tels étaient ses yeux cerclés de fatigue charmante, quand elle se soulevait d'entre mes bras, que je cédais à mon goût pour cet Objet, plus qu'il n'était marqué dans mon programme... Ce genre d'émotions est assez connu pour que je n'en fournisse pas la description.

Dans ce désarroi de mon système, à défaut de ma volonté, quelques gestes dont j'avais pris l'habitude toute machinale me sauvèrent. Cela est louable, mais je ne puis m'en glori-fier : en réalité j'étais désarmé; ses mains fiévreuses avaient forcé le tabernacle de mon vrai moi. Tandis qu'intérieure-

237

ment j'étais profané, je parus encore servir avec orgueil mon Dieu. Ce fut une suprême journée. Comme moi, elle était à limite. De découragement, soudain, elle abandonna la partie; elle m'avait vaincu, et ne le sut jamais.

Mais n'est-ce pas aussi que je la fatiguais par la monotonie de mes propos? Mon égotisme, outre qu'il est peu séduisant, ne se renouvelle guère. — Ou bien fut-elle décidée par des choses de la vulgaire réalité? J'ai peut-être un dédain excessif des nécessités de la vie...

Toutes les inductions sont permises, mais hasardeuses, sur ces rapports d'homme à femme. Fréquemment, pour me procurer de l'amertume, j'ai réfléchi sur mon cas, et les hypothèses les plus diverses m'ont tour à tour satisfait, selon les heures de la journée : j'ai le réveil dégoûté, l'après-dîner indulgent et un peu brutal, la soirée fiévreuse et qui grossit tout.

Le fait, c'est qu'elle fut inexacte jusqu'à l'impolitesse pendant cinq jours, toujours gracieuse d'ailleurs, puis s'en alla n'importe où avec une personne de mon sexe. Les femmes oscillent étrangement d'une complaisance maladive à la méchanceté. J'en conçus du dégoût, et, jugeant l'expérience terminée, je partis pour le littoral méditerranéen.

II. JE PROFITE DE MES ÉMOTIONS

Cannes était encore vide (octobre). Je promenais mon malaise au long de la plage éventée jusqu'à la Croisette, où je demeurais immobile à regarder sur l'eau rien du tout, puis je repassais, avec la migraine, dans la grande rue, très vexé de n'avoir pas envie de pâtisseries. Quelques promenades en voiture ne pouvaient remplir mes journées; j'avais spécialement horreur des wagons, qui m'enfermaient trop étroitement dans ma pensée, et de Nice, où je promenais mon ennui dans les cafés, en attendant l'heure du train pour Cannes. Jamais les après-midi ne furent aussi grises qu'à cette époque. Et quelles soirées, devant un grog! Il est bien fâcheux que je n'aie eu personne avec qui analyser, brins par brins, mon chagrin, pour le dessécher, puis le réduire en poussière qu'on jette au vent. Voyez quel recul j'avais fait dans la voie des parfaits, puisque Simon, qui fut ma première étape, me redevenait nécessaire.

Vous connaissez ces insomnies que nous fait une idée fixe, debout sur notre cerveau comme le génie de la Bastille, tandis que, nous enfonçant dans notre oreiller, nous nous supplions de ne penser à rien et nous recroquevillons dans un travail machinal, tel que de suivre le balancier de la pendule, de compter jusqu'à cent et autres bêtises insuffisantes. Soudain, à travers le voile de banalités qu'on lui oppose, l'idée réapparaît, confuse, puis parfaitement nette. Et, vaincu, nous essayons encore de lui échapper, en nous retournant dans nos draps. Enfin, je me levais, et par quelque lecture émouvante je cherchais à m'oublier. Tout me disait mon chagrin, au point que les romans de mes contemporains me parurent admirables.

Ce n'étaient pas ses yeux, ni son sourire qui m'apparaissaient dans mes troubles; je ne m'attendrissais que sur moi-même. J'imaginais le système de vie que j'aurais mené avec elle, et je me désespérais qu'une façon d'être ému, que j'avais entrevue, me fût irrémédiablement fermée. Au résumé, j'aurais voulu recommencer avec elle la solitude méditative que Simon et moi nous tentâmes. Retraite charmante! Ma méthode, en étonnant l'Objet, m'eût paru rajeunie à moi-même. Puis ces commerces d'idées avec des êtres d'un autre sexe se compliquent de menues sensations qui meublent la vie.

Ainsi, à étudier ce qui aurait pu être, j'empirais ma triste situation. Et, piétinant ma chambre banale, je suppliais les semaines de passer. Il est évident que ça ne durera pas, mais les minutes en paraissent si longues! J'ai connu une angoisse analogue sur le fauteuil renversé des dentistes, et pourtant l'univers, que je regardais désespérément par leurs vastes fenêtres, ne me parut pas aussi décoloré que je le vis, durant ces nuits détestables et ces après-midi où je me couchais vers les 3 heures et m'endormais enfin, hypnotisé par mon idée fixe, éclatante parmi le terne de toutes choses. Ah! les réveils, au soir tombé, les membres couverts de froid! Les repas, sans appétit, sous des lumières brutales! Parfois même il pleuvait.

J'aurais dû me méfier que l'air de la mer, précieux en ce qu'il pousse aux crises (cf. Jersey et Venise), m'était dans l'espèce détestable.

*

Seule, elle a pu me faire prendre quelque intérêt à la vie extérieure. Elle était pour moi, habitué des grandes tentures nues, un petit joujou précieux, un bibelot vivant. Et comme son parfum brouillait avec mon sang toutes mes idées, je goûtais des choses vulgaires, je cancanais un peu et j'étais fat à la promenade.

Les petits tableaux qui raniment le souvenir que je lui garde sont au reste fort rares. Elle ne m'a jamais rien dit de mémorable, ni de touchant; c'est peut-être que je ne l'écoutais guère? L'ayant abordée avec le simple désir de me donner quelque amertume et de reprendre du ton, j'ai habillé selon ma convenance et avec un art merveilleux le premier Objet à qui j'ai plu. Elle n'est qu'un instinct dansant que je voulus adorer, pour le plaisir d'humilier mes pensées.

Comme elle était venue me surprendre, un matin de naguère, dans ma chambre d'hôtel, elle me trouva appuyé sur une malle, qui lisais l'*Imitation*. Je la priai d'entendre le chapitre si bref sur l'amour charnel. Elle m'assura que cela lui plaisait infiniment, et pour me le prouver elle riait. La société de Simon a perverti en moi le sens de la sociabilité. Il est évident que j'ai ennuyé au delà de tout l'Objet. Uniquement soucieux de me distraire, je ne songeais pas assez qu'elle était un objet vivant. Ce jour où, sur ma malle de voyageur, je prétendis l'instruire de l'instabilité des passions sensuelles, est l'instant où je me crus le plus près d'être aimé et d'aimer, mais comme il était midi un quart, elle, avec une netteté d'analyse intime, que je n'atteignis jamais, se rendait compte qu'elle avait une grande faim.

Un autre souvenir qui m'émeut dans l'exil de Cannes, c'est ce fiacre, à 9 heures du soir, qui nous emporta le long des boulevards immenses et tristes vers la gare de Lyon,

240

où l'on se bouscule confusément sous trop de lumières. Je m'absentais pour deux jours, mais afin de dramatiser la situation et de me faire un peu mal aux nerfs, je lui dis la quitter pour deux mois. Ses larmes chaudes tombaient sur mes mains dans l'obscurité misérable. C'est ainsi qu'un peu après, seul dans mon wagon, je goûtai une petite mélancolie et une petite fierté, ce qui fait une délicate sensualité

A imaginer ce sentiment sincère de petite fille qu'elle eut pour moi, tandis qu'elle sanglotait de mon faux départ, je me désole de mon mauvais cœur, et une vision d'elle, tout embellie et affinée, s'impose à mon souvenir : figure si épurée que je n'éprouve plus qu'un regret violent et attendri de la savoir malheureuse. Elle est de la même race que moi; si elle entrevoit ce qu'elle devrait être et ce qu'elle est, combien elle souffre de ne pas vivre à mes côtés, pensant tout haut et se fortifiant de mes pensées! C'est ma faute, ma faute irréparable, de ne pas lui être apparu tel que je suis réellement! Oh! ma constante hypocrisie! mon impuissance à démêler ce qui est convenable, parmi tant de charmantes façons d'être, qui s'offrent à moi comme possibles en toutes occasions! Avec son joli corps, pâmé des hommes grossiers, que la voilà misérable, elle, charmante comme une sainte païenne!

Hélas! pourquoi suis-je si vivement frappé du désordre qu'il y a dans les choses?... Ou pourquoi n'est-elle pas morte? La nuit, durant mes détestables lucidités, elle ne m'apparaîtrait plus comme un bonheur possible et que je ne sais acquérir. Elle serait un cadavre doux et triste, une chose de paix.

*

Je lui écrivis. Dès lors je connus à chaque courrier l'angoisse, puis la secousse à briser mes genoux, quand le facteur si longtemps guetté s'éloignait, sans une lettre pour moi qui sifflotais d'indifférence affectée.

Je n'eus plus le courage de penser à rien autre qu'à elle, qui peut-être en ce moment riait.

« Elle ne m'a pas écrit, — me disais-je chaque matin avant de quitter mon lit, — faut-il en conclure qu'elle ne me répondra pas? Elle fut toujours détestable; son sans-gêne d'aujourd'hui prouve-t-il que son amitié ait fléchi? » Et, singulier amant, je cherchais les preuves d'indifférence qu'elle m'avait données aux meilleurs jours, avec plus d'ardeur qu'un homme raisonnable ne se rappelle les preuves de tendresse.

A cette époque, le goût que je lui gardais prit des proportions vraiment curieuses. Vous connaissez ces inquiétudes nerveuses qui, certains jours, nous tiraillent dans toutes les jointures, nous cassent les jambes à la hauteur des genoux, et nous réduisent enfin à un geste brusque, coup de pied dans les meubles ou assiettes cassées, en même temps qu'elles nous font une idée claire des sensations du véritable épileptique. J'avais à l'imagination une angoisse analogue.

Dès l'aube, je lui télégraphiai à son ancienne adresse. Journée déplorable! A travers Cannes, perdue d'humidité, je ne cessais d'aller de l'hôtel au télégraphe, où les employés agacés me secouaient leurs têtes, et mon cœur s'arrêtait de battre, sans que mon attitude perdît rien de sa dignité. Le long de la plage, dans la grande rue, cette journée dont j'entendis sonner tous les quarts d'heure me brisa, tant mon espoir surchauffé à chaque seconde se venait butter contre l'impossible, de la secousse d'un express qui s'arrête brutalement... Vers cinq heures, seul dans le salon humide de l'hôtel, je n'avais encore rien reçu; la totalité des choses me parurent sinistres puis je fus dément.

Comme elle était oubliée, la fille des premiers instants de cette aventure, — celle à qui je voulus bien prêter un sourire doux et maniéré! J'avais à propos d'elle conçu un si violent désir d'être heureux, j'y étais allé d'une telle chevauchée d'imagination qu'en me retournant, je me trouvais seul. De la même manière, sous le cloître, mes saints, — à Venise, Venise, — et en amour, l'amante, se dissipaient pour me laisser manger du vide, face à face de mon désir.

Prendre l'express sur l'heure, retrouver à Paris, par l'obligeance des concierges, l'adresse de l'Objet, la reprendre, puisqu'elle est mobile et que je ne lui déplais pas, rien de plus simple, mais il y faudrait quinze jours, et j'aime mieux croire que dans ce délai je serai guéri. Ce bonheur-là, pour me plaire, devrait m'être donné tel que je l'imagine, et à l'heure même où je le désire.

Quant à revivre les jours passés auprès d'elle, vraiment je m'en soucierais peu. Ce qui me désole, c'est la non-réalisation de tout ce que j'ai entrevu en la prenant pour point de départ. Je considère avec affolement combien la vie est pleine de fragments de bonheur que je ne saurai jamais harmoniser, et d'indications vers rien du tout.

Et puis, comment me consoler de cette ignominie qu'un élément essentiel de ma félicité soit un objet d'entre les Barbares, quelque chose qui n'est pas *moi* ?

*

Un matin, toujours sans nouvelle, j'eus au moins la petite satisfaction d'avoir prévu, dès la veille, qu'il fallait laisser tout espoir. M'examinant avec minutie, je constatai que je traversais une période de démence. La direction de mon énervement ne me parut pas blâmable, mais seulement son intensité. Il faut avouer que la réussite de mon excursion dans la vie dépassait mes plus belles espérances; vraiment j'avais rajeuni ma puissance de sentir ! Et malgré qu'une partie de moi-même, toujours un peu larmoyante, résistât, je m'amusai pendant quelques minutes d'être si parfaitement dupe de la duperie que j'avais méthodiquement organisée.

Le soleil gai courait de la mer bleue et argentée jusque dans ma chambre tout ouverte; mon chocolat embaumait; j'avais faim et je souriais. Profitant avec un grand sens de cet éclair d'énergie, je pris le train de Nice. De Nice à Monte-Carlo je suivis la côte à pied, dans une atmosphère légère qui me disposait aux sentiments fins. Je m'imposais :

1º De respirer avec sensualité;

2º De me convaincre qu'aucune des beautés soupirées par moi depuis trois semaines n'était en cette fille : « Je subis une querelle de mes rêves intimes; l'amour n'est qu'un domino qu'ils ont pris pour piquer ma curiosité. Mais, en vérité, je n'ai pas à me mépriser; personne n'a porté la main sur moi. Si je suis troublé, c'est moi seul qui me trouble. »

Je dînai abondamment, et malgré que cette heure (de six à neuf) soit lugubre au sentimental indisposé, je sortis du restaurant plus viril, un peu ballonné et un cigare très curieux à la bouche.

L'excellent remède que l'orgueil quand on va s'émietter dans un désagrément! Je relève un peu la tête, je fais table rase de tous les menus souvenirs et je dis : « Quoi! des scénettes touchantes que je fabrique pour m'attendrir! vais-je m'empêtrer là-dedans! Je suis centre des choses; elles me doivent obéir. Je mourrai fatalement, et, si j'en éprouve le besoin, je puis avancer cette date. En attendant, soyons un homme libre, pour jouir méthodiquement de la beauté de notre imagination. »

Les salles de jeu m'ont toujours ennuyé. J'ai pourtant tous les instincts du joueur. Si je m'intéressais à la politique, à la religion et aux querelles mondaines, j'embrasserais le parti du plus faible. C'est générosité naturelle; c'est aussi calcul de joueur : j'espérerais être récompensé au centuple. En outre, il m'arrive, quand je souffre un peu des nerfs, de désirer avec frénésie risquer ma vie à quelque chose : pour rien, pour l'orgueil de courir un grand risque. Mais mettre des louis sur le tapis vert, voilà qui n'intéresse pas la dixième partie de moi-même. Et si je perdais, tout mon être serait annihilé. Car sans argent, comment développer son imagination ? Sans argent, plus d'*homme libre*.

Celui qui se laisse empoigner par ses instincts naturels est perdu. Il redevient inconscient; il perd la clairvoyance, tout au moins la libre direction de son mécanisme. Le joueur de Monte-Carlo est là pour se fouetter un peu les nerfs, pour son plaisir. Que la chance l'abandonne, c'est un homme qui ne possède plus et qui compromet ses plaisirs de demain. — Ainsi, j'allais à Paris faire une expérience sentimentale, afin de me réveiller un peu (mettre quelque amertume dans mon bonheur trop fade). La chance a tourné, j'ai été pris. C'est que j'avais choisi une des loteries les plus grossières : l'amour pour un être! L'homme vraiment réfléchi ne joue qu'avec des abstractions; il se garde d'introduire dans ses combinaisons une femme ou un croupier de Monte-Carlo.

J'ai trempé dans l'humanité vulgaire; j'en ai souffert. Fuyons, rentrons dans l'artificiel. Si mes passions cabalent pour la vie, je suis assez expert à mécaniser mon âme pour les détourner. C'est une honte, ou du moins une fausse manœuvre, qu'après tant d'inventions ingénieuses où je les ai distraites, elles m'imposent encore de ces drames communs, que je n'ai pas choisis, et qui ne présentent pas d'intérêt.

Sortons de ce Casino où des hommes, d'imagination certes, mais d'une imagination peu ornée, mes frères sans doute, mais de quel lit! cherchent comme moi l'échauffement, et à ce jeu se brûlent. Je suis un joueur qui pipe les dés; désintéressé du résultat que je connais, j'ai l'esprit assez libre pour prendre plaisir aux plus minutieux détails de la partie. Plaisir un peu froid, mais exquis!

Oh! ces halles, ces filles, cette lourde chaleur! Quelle grossière salle d'attente, auprès du wagon léger dans lequel je traverserai la vie, prévenu de toutes les stations et considérant des paysages divers, sans qu'une goutte de sueur mouille mon front, qu'il faudrait couronner des plus délicates roses, si cet usage n'était pas théâtral!

Je repris le train de Cannes. Auprès de moi des officiers de marine causaient, et je fus frappé tout d'abord de leur simplicité, de la camaraderie enfantine de leurs propos. Je me rafraîchissais à les suivre. Naturellement ils bavardaient sur la roulette, avec ce ton de plaisanterie mathématique particulier aux élèves de Polytechnique ou de Navale :

— Puisque c'est le banquier qui finit par gagner, disaient-ils, plus vous divisez la somme que vous pouvez risquer, plus vous augmentez vos chances de perte. Le meilleur, c'est encore de risquer un gros coup, puis de s'éloigner.

Ah! l'admirable vérité, m'écriai-je entre Villefranche et Nice, dans les cahots du wagon, et comme cela confirme ma théorie! Dans la vie, la somme des maux, nul ne le conteste, est supérieure à celle des bonheurs. Plus vous aventurez de combinaisons pour gagner le bonheur, plus vous augmentez vos chances de pertes. Puisqu'il rentrait dans mon système d'aimer et d'être aimé, c'était bien de m'y risquer un jour; mais la sotte combinaison que de laisser ma mise sur le tapis pendant cinquante jours!

Heureusement pour mes bonnes dispositions, je ne trouvai pas à l'hôtel de lettre de l'Objet.

Je pris une pilule d'opium, pour qu'une insomnie toujours déprimante ne vînt pas me désespérer à nouveau, et, à mon réveil, je me parus satisfaisant. Je sais d'ailleurs qu'il faut être indulgent aux convalescents, et ne pas trop demander à leurs forces trébuchantes.

Le lendemain, je partis pour m'aérer n'importe où.

III. MÉDITATION SUR L'ANECDOTE D'AMOUR

Il ne faut pas que je me plaigne de cette déchéance subie durant quelques jours. L'humiliation m'est bonne, c'est la seule forme de douleur qui me pénètre et me baigne profondément. Le danger de mon machinisme, parfait à tant d'égards, est qu'il me dessèche.

Cette anecdote d'amour me sera pour plusieurs mois une source de sensibilité; elle me rappellera combien il est urgent que je me bâtisse un refuge. Et puis cette belle expérience que je viens de créer, je pourrai à mon loisir la répéter. Désormais je connais la voie pour être émoustillé, attendri, voire libidineux comme sont la plupart des hommes et des femmes.

Mon rêve fut toujours d'assimiler mon âme aux orgues mécaniques, et qu'elle me chantât les airs les plus variés à chaque fois qu'il me plairait de presser sur tel bouton. J'ai enrichi mon répertoire du chant de l'amour. Je ne pouvais guère m'en passer. La chose se fit très lestement. La période grossière, où l'on souffre vraiment, où l'on jouit vraiment (et je ne sais, pour un esprit soucieux de voir clair, quel est de ces égarements le plus pénible!), je ne permis pas qu'elle durât plus de deux mois. Le plaisir ne commence que dans la mélancolie de se souvenir, quand les sourires, toujours si grossiers, sont épurés par la nuit qui déjà les remplit. Pour présenter quelques douceurs, il faut qu'un acte soit transformé en matière de pensée. J'ai activé les phénomènes ordinaires de la sensibilité. En trois semaines, d'une vulgaire anecdote je me suis fait un souvenir délicieux que je puis presser dans mes bras, mes soirs d'anémie, me lamentant par simple goût de mélancolique, craignant la vie, l'instinct, tout le péché originel qui s'agite en moi, et fortifiant l'univers personnel que je me suis construit pour y trouver la paix.

CHAPITRE XII

Mes conclusions

La règle de ma vie.

Aujourd'hui j'habite un rêve fait d'élégance morale et de clairvoyance. La vulgarité même ne m'atteint pas, car assis au fond de mon palais lucide, je couvre le scandaleux murmure qui monte des autres vers moi par des airs variés, que mon âme me fournit à volonté.

J'ai renoncé à la solitude; je me suis décidé à bâtir au milieu du siècle, parce qu'il y a un certain nombre d'appétits qui ne peuvent se satisfaire que dans la vie active. Dans la solitude, ils m'embarrassent comme des soudards sans emploi. La partie basse de mon être, mécontente de son inaction, troublait parfois le meilleur de moi-même. Parmi les hommes je lui ai trouvé des joujoux, afin qu'elle me laisse la paix.

Ce fut la grande tristesse de Dieu de voir que ses anges, des émanations de lui-même, désertaient son paradis pour aimer les filles des hommes. J'ai trouvé un joint qui me permet de supporter sans amertume que des parties de moi-même inclinent vers des choses vulgaires. Je me suis morcelé en un grand nombre d'âmes. Aucune n'est une âme de défiance; elles se donnent à tous les sentiments qui les traversent. Les unes vont à l'église, les autres au mauvais lieu. Je ne déteste pas que des parties de moi s'abaissent quelquefois : il y a un plaisir mystique à contempler, du bas de l'humiliation, la vertu qu'on est digne d'atteindre; puis un esprit vraiment orné ne doit pas se distraire de ses préoccupations pour peser les vilenies qu'il commet au même moment. J'ai pris d'ailleurs cette garantie que mes diverses âmes ne se connaissent qu'en moi de sorte que n'ayant d'autre point de contact que ma clairvoyance qui les créa, elles ne peuvent cabaler ensemble. Qu'une d'elles compromette la sécurité du groupe et par ses excès risque d'entraîner la somme de mes âmes, toutes se ruent sur la réfractaire. Après une courte lutte, elles l'ont vite maîtrisée ; c'est ce qu'on a pu voir dans l'anecdote d'amour.

Vraiment, quand j'étais très jeune, sous l'œil des Barbares et encore à Jersey, je me méfiais avec excès du monde extérieur. Il est repoussant, mais presque inoffensif. Comme l'onagre par le nez, il faut maîtriser les hommes en les empoignant par leur vanité. Avec un peu d'alcool et des viandes saignantes à ses repas, avec de l'argent dans ses poches, on peut supporter tous les contacts. Un danger bien plus grave, c'est, dans le monde intérieur, la stérilité et l'emballement ! Aujourd'hui, ma grande préoccupation est d'éviter l'une et l'autre de ces maladresses. On connaît, ma méthode : je tiens en main mon âme pour qu'elle ne butte pas, comme un vieux cheval qui sommeille en trottant, et je m'ingénie à lui procurer chaque jour de nouveaux frissons. On m'accordera que j'excelle à la ramener dès qu'elle se dérobe. Parfois je m'interromps pour m'adresser une prière :

O moi, univers dont je possède une vision, chaque jour plus claire, peuple qui m'obéit au doigt et à l'œil, ne crois pas que je te délaisse si je cesse désormais de noter les observations que ton développement m'inspire ; mais l'intéressant, c'est de créer la méthode et de la vérifier dans ses premières applications. Somme sans cesse croissante d'âmes ardentes et méthodiques, je ne décrirai plus tes efforts ; je me contenterai de faire connaître quelques-uns des rêves de bonheur les plus élégants que tu imagines. Continuons toutefois à embellir et à agrandir notre être intime, tandis que nous roulerons parmi les tracas extérieurs. Soyons convaincus que les actes n'ont aucune importance, car ils ne signifient nullement l'âme qui les a ordonnés et ne valent que par l'interprétation qu'elle leur donne.

Lettre à Simon.

J'ai écrit dernièrement à Simon :

« Avec vous, lui dis-je, j'avais vécu dans l'Église Militante, faite de toutes les misères de l'Esprit molesté par la vie. Demeuré seul, j'ai projeté devant moi, par un effort considérable, ce pressentiment du meilleur que nous portions en nous; j'ai réalisé cette Église Triomphante que parfois nous entrevoyions; j'ai participé de ses joies. Rien de plus délicat que de se maintenir sur ce sommet de l'artificiel. Mes passions ont cabalé pour la vie... Aussitôt mon âme me signalait leur insurrection, et, toute coalisée, les réduisait. Cependant j'avais glissé plus bas que jamais nous ne fûmes. Il faut que je remonte la série d'exercices spirituels qui nous avaient si fort embellis, mon cher ami.

» C'est une grande erreur de concevoir le bonheur comme un point fixe; il y a des méthodes, il n'y a pas de résultats. Les émotions que nous connûmes hier, déjà ne nous appartiennent plus. Les désirs, les ardeurs, les aspirations sont tout; le but rien. Je fus inconsidéré de croire que j'étais arrivé quelque part. Mieux averti, je vais recommencer nos curieuses expériences.

» Vous et moi, mon cher Simon, nous sommes de la petite race. Nos examens de conscience, les excursions que nous fîmes botte à botte hors du réel et l'assaut que je viens de subir ne me laissent pas en douter. Je ne veux pas me risquer à rien inventer; je veux m'en tenir à des émotions que j'aurai pesées à l'avance. Rien de plus dangereux que nos appétits naturels et notre instinct. Je les étoufferai sous les enthousiasmes artificiels se succédant sans intervalle.

» Ce système excellent pour l'individu serait, à la vérité, déplorable pour l'espèce. Les voluptueux de mon ordre demeurent stériles. Mais je ne crains pas que la masse des hommes m'imite jamais : il faut, pour garder la mesure que je prescris, un tact, une clairvoyance infinis.

» Vous le savez bien, Simon, s'il m'eût plu, j'étais un merveilleux instrument pour produire des phénomènes rares. Je penche quelquefois à me développer dans le sens de l'énervement; névropathe et délicat, j'aurais enregistré les plus menues disgrâces de la vie. Je pouvais aussi prétendre à la compréhension; j'ai un goût vif des passions les plus contradictoires. Enfin je suis doué pour la bonté; je me plais à plaire, je souris; en persévérant, j'aurais atteint à cette vertu royale, la charité. Mais décidément je ne m'enfermerai dans aucune spécialité; je me refuse à mes instincts, je dérangerais les projets de la Providence. Que mes vertus naturelles soient en moi un jardin fermé, une terre inculte! Je crains trop ces forces vives qui nous entraînent dans l'imprévu, et, pour des buts cachés, nous font participer à tous les chagrins vulgaires.

» Je vais jusqu'à penser que ce serait un bon système de vie de n'avoir pas de domicile, d'habiter n'importe où dans le monde. Un chez moi est comme un prolongement du passé; les émotions d'hier le tapissent. Mais, coupant sans cesse derrière moi, je veux que chaque matin la vie m'apparaisse neuve, et que toutes choses me soient un début.

» Mon cher ami, vous êtes entré dans une carrière régulière; vous utiliserez notre dédain, qui nous conduisit à Jersey, pour en faire de la morgue de haut personnage; notre clairvoyance, qui fit nos longues méditations, deviendra chez vous un scepticisme de bon ton; notre misanthropie, qui nous sépara, une distinction et une froideur justement estimées de ce monde sans déclamation où vous êtes appelé à réussir. Nul doute que vous n'arriviez à proscrire pour des raisons supérieures ce que le vulgaire proscrit, et à approuver ce qu'il sert. Certaines natures avec leur fine ironie s'accommodent à merveille, quoique pour des raisons très différentes, du vulgaire bon sens. Alors, assistant de loin au développement de ma carrière, si vous la voyez tourner à mille choses faciles que j'étais né pour mépriser toujours ne vous étonnez pas. Croyez que je demeure celui que vous avez connu, mais poussé à un tel point que les attitudes mêmes que nous estimions jadis, je les dédaigne : car vis-à-vis des rêves que j'entrevois, un peu plus, un peu moins, c'est bien indifférent. Et ces rêves eux-mêmes n'ont pas grande importance, parce que je mourrai un jour, parce que je ne suis pas sûr que dans cette courte vie elle-même mon idéal d'aujourd'hui soit demain mon idéal, enfin parce que je sais n'avoir une idée claire qu'à de rares intervalles, au plus deux heures par jour dans mes bonnes périodes. — En conséquence, j'ai adopté cinq ou six doutes très vifs sur l'importance des parties les meilleures de mon *moi*.

» L'évidente insignifiance de toutes les postures que prend l'élite au travers de l'ordre immuable des événements m'obsède. Je ne vois partout que gymnastique. Quoi que je fasse désormais, mon ami, jugez-moi d'après ce parti pris qui domine mes moindres actes.

» Il est impossible que nous cessions de nous intéresser l'un à l'autre; il est probable cependant que nous cesserons de nous écrire. Cela ne vous blessera pas, mon cher Simon. Vous savez si je vous aime; en réalité, nous sommes frères, de lits différents, ajouterai-je, pour justifier certaines différences de nos âmes; nous avons une partie de notre *moi* qui nous est commune à l'un et à l'autre; eh bien! c'est parce que je veux être étranger même à moi que je veux m'éloigner de vous. *Alienus!* Étranger au monde extérieur, étranger même à mon passé, étranger à mes instincts, connaissant seulement des émotions rapides que j'aurai choisies : véritablement Homme libre! »

Cette lettre écrite, je réfléchis que ce désir d'être compris, ce besoin de me raconter, de trouver des esprits analogues au mien était encore une sujétion, un manque de confiance envers mon *moi*. Et si je la fis tenir à Simon, c'est uniquement par esprit d'ordre, pour fermer la boucle de la première période de ma vie.

Avril 1887.

Le Jardin
de Bérénice

Quelques personnes ayant manifesté le désir de désigner par un nom particulier le personnage, jusqu'alors anonyme, de qui nous avons coutume de les entretenir, nous avons décidé de leur donner cette satisfaction, et désormais il se nommera Philippe.

C'est ici le commentaire des efforts que tenta Philippe pour concilier les pratiques de la vie intérieure avec les nécessités de la vie active. Il le rédigea peu après une campagne électorale, afin d'éclairer divers lecteurs qui saisissent malaisément qu'un goût profond pour les opprimés est le développement logique du dégoût des Barbares et du « culte du moi », et sur le désir de Mme X..., qui lui promit en échange de lui obtenir du chef de l'État la concession d'un hippodrome suburbain.

CHAPITRE PREMIER

Position de la question

Il est en nous des puissances qui ne se traduisent pas en actes; elles sont invisibles à nos amis les plus attentifs, et de nous-mêmes mal connues. Elles font sur notre âme de petites taches, cachées dans une ombre presque absolue, mais insensiblement autour de ce noyau viennent se cristalliser tout ce que la vie nous fournit de sentiments analogues. Ce sont des passions qui se préparent; elles éclateront au moindre choc d'une occasion.

Une force s'était ainsi amassée en moi, dont je ne connaissais que le malaise qu'elle y mettait. Où la dépenserais-je?... C'est toute la narration qui va suivre.

Mais avant que je l'entame, je désire relater une conversation où j'assistai et qui, sans se confondre dans la trame de ce petit récit, aidera à en démêler le fil.

En m'attardant ainsi, je ne crois pas céder à un souci trop minutieux : les considérations qu'on va entendre de deux personnes fort autorisées et qui jugent la vie avec deux éthiques différentes, m'ont suggéré l'occupation que je me suis choisie pour cette période. Elles ont incliné mon âme de telle sorte que mes passions dormantes ont pu prendre leur cours. N'est-ce pas en quelque manière M. Chincholle qui proposa un but à mon activité sans emploi, et n'est-ce pas de la philosophie de M. Renan que je suis arrivé au point de vue qu'on trouve à la dernière page de cette monographie ?

Cette soirée, c'est le pont par où je pénétrai dans le jardin de Bérénice.

*

C'était peu de jours après la fameuse élection du général Boulanger à Paris, dont chacun s'entretenait. M. Chincholle dînait en ville avec M. Renan et, comme il fait le plus grand cas du jugement de cet éminent professeur, il saisit l'occasion où celui-ci était embarrassé de sa tasse de café pour l'interroger sur le nouvel élu.

— Monsieur, répondit M. Renan, éludant avec une certaine adresse la question, mon regrettable ami, que vous eussiez certainement aimé, le très distingué Blaze de Bury, avait une idée particulière de ce qu'on nomme le génie. Il l'exposa un jour dans la Revue : « Certains hommes, écrivit-il, ont du génie comme les éléphants ont une trompe. » Cela est possible, mais au moins une trompe est-elle, dans une physionomie, bien plus facile à saisir que le signe du génie, et quoique j'aie eu l'honneur de dîner en face du général Boulanger, je ne peux me prononcer sur sa génialité.

— Mon cher maître, j'ai lieu de vous croire antiboulangiste.

— Que je sois boulangiste ou antiboulangiste ! Les étranges hypothèses ! Croyez-vous que je puisse aussi hâtivement me faire des certitudes sur des passions qui sont en somme du domaine de l'histoire ? Avez-vous feuilleté Sorel, Thureau-Dangin, mon éminent ami M. Taine ? Au bas de chacune de leurs pages, il y a mille petites notes. Ah ! l'histoire selon les méthodes récentes, que de sources à consulter, que de documents contradictoires ! Il faut rassembler tous les témoignages, puis en faire la critique. Cette besogne considérable, je ne l'ai pas entreprise ; je ne me suis pas fait une idée claire et documentée du parti revisionniste... Les Juifs, mon cher monsieur, n'avaient pas le suffrage universel, qui donne à chacun une opinion, ni l'imprimerie, qui les recueille toutes. Et pourtant j'ai grand-peine à débrouiller leurs querelles que j'étudie

258

chaque matin, depuis dix ans. M. Reinach lui-même voudrait-il me détourner du monument que j'élève à ses aïeux, et où je suis à peu près compétent, pour que je collabore à sa politique, où j'apporterais des scrupules dont il n'a cure ?

Et puis, aurais-je assez de mérite pour y convenir, je ne me sens pas l'abnégation d'être boulangiste ou antiboulangiste. C'est la foi qui me manquerait. Qu'un vénérable prêtre se fasse empaler pour prouver aux Chinois, qui l'épient, la vérité du rudiment catholique, il ne m'étonne qu'à demi ; il est soutenu par sa grande connaissance du martyrologe romain : « Tant de pieux confesseurs, se dit-il, depuis l'an 33 de Jésus-Christ, n'ont pu souffrir des tourments si variés pour une cause vaine. » Je fais mes réserves sur la logique de ce saint homme (et volontiers, cher monsieur, j'en discuterai avec vous un de ces matins), mais enfin elle est humaine. Je comprends le martyr d'aujourd'hui ; l'étonnant, c'est qu'il y ait eu un premier martyr. En voilà un qui a dû acquérir cette gloire bon gré mal gré ! Si vous l'aviez interviewé à l'avance sur ses intentions, nul doute que vous n'eussiez démêlé en lui de graves hésitations.

— Je vous entends, dit Chincholle après quelques secondes, vous refusez une part active dans la lutte ; mais ne pourriez-vous, mon cher maître, me préciser davantage le sentiment que vous avez de l'agitation dont le général Boulanger est le centre ?

M. Renan leva les yeux et considéra Chincholle, puis lisant avec aisance jusqu'au fond de cette âme :

— Le sentiment que j'ai du boulangisme, dit-il, c'est précisément, monsieur, celui que vous en avez. En moi, comme en vous, monsieur, il chatouille le sens précieux de la curiosité. La curiosité ! c'est la source du monde, elle le crée continuellement ; par elle naissent la science et l'amour... J'ai vu avec chagrin un petit livre pour les enfants où la curiosité était blâmée ; peut-être connaissez-vous cet opuscule embelli de chromos : cela s'appelle *les Mésaventures de Touchatout*... c'est le plus dangereux des libelles, véritable pamphlet contre l'humanité supérieure. Mais telle est la force d'une idée vraie que l'auteur de ce coupable écrit nous fait voir, à la dernière page, Touchatout qui goûte du levain et s'envole par la fenêtre paternelle !

Laissons rire le vulgaire. Image exagérée, mais saisissante : Touchatout plane par-dessus le monde. Touchatout, c'est Gœthe, c'est Léonard de Vinci : c'est vous aussi, monsieur! Avec quel intérêt je m'attache à chacun de vos beaux articles! Le général et ses amis vous ont distrait, ils ont éveillé dans votre esprit quatre ou cinq grands problèmes de sociologie (comment naît une légende, comment se cristallise une nouvelle âme populaire), vous vous êtes demandé, avec Hegel, si les balanciers de l'histoire ne ramenaient pas périodiquement les nations d'un point à un autre.

Et ces hautes questions, avec un art qui vous est naturel, vous les rendez faciles, piquantes, accessibles à des cochers de fiacre. C'est, dans une certaine mesure, la méthode que j'ai tenté d'appliquer pour propager en France les idées de l'école de Tubingue.

Chincholle rougit légèrement et répondit en s'inclinant :

— Je suis heureux des éloges d'un homme comme vous, mon cher maître. Il est vrai, j'ai été curieux jusqu'à l'indiscrétion des moindres détails de ce tournoi, et je n'ai reculé de satisfaire aucune des curiosités que soulevait le principal champion, à qui sont acquises, on le sait, toutes mes sympathies. Mais il est un point où je me sépare, croyez-le, de mes amis. J'aime la modération, je réprouve les injures : la violence des polémiques parfois m'attrista.

— Je vous coupe, s'écria Renan; c'est les injures que je préfère dans le mouvement boulangiste et je veux vous en dire les raisons.

Oui, cher monsieur, je pense peu de bien des jeunes gens qui n'entrent pas dans la vie l'injure à la bouche. Beaucoup nier à vingt ans, c'est signe de fécondité. Si la jeunesse approuvait intégralement ce que ses aînés ont constitué, ne reconnaîtrait-elle pas d'une façon implicite que sa venue en ce monde fut inutile ? Pourquoi vivre, s'il nous est interdit de composer des républiques idéales ? Et quand nous avons celles-ci dans la tête, comment nous satisfaire de celle où nous vivons ? Rien de plus mauvais pour la patrie que l'accord unanime sur ces questions essentielles du gouvernement. C'est s'interdire les améliorations, c'est ruiner l'avenir.

Sans doute il est difficile de comprendre, sans y avoir sérieusement réfléchi, toute l'utilité des injures. Mais prenons un exemple : nul doute que M. Ferry ne soit enchanté qu'on le traîne dans la boue. Ça l'éclaire sur lui-même. En effet, il est bien évident qu'entre les louanges de ses partisans et les épithètes des boulangistes, la vérité est cernée. Peut-être, après les renseignements que publient ses journaux sur le Tonkin, était-il disposé à s'estimer trop haut, mais quand il lit les articles de Rochefort, nul doute qu'il ne s'écrie : « L'excellent penseur! Si je me trompe sur moi-même, il est dans le vrai. Les intérêts de la vérité sont gardés à pique et à carreau! » Grande satisfaction pour un patriote!

J'ajoute que le lettré se consolerait malaisément d'être privé de nos polémiques actuelles, où la logique est fortifiée d'une savate très particulière.

Ayant ainsi parlé, M. Renan se mit à tourner ses pouces en regardant Chincholle avec un profond intérêt.

Celui-ci, renversé en arrière, riait tout à son aise, et je vis bien qu'il se retenait avec peine de devenir familier.

— Mon cher maître, disait-il, cher maître, vous êtes un philosophe, un poète, oui, vraiment un poète.

— Me prendre pour un rêveur, mon cher monsieur Chincholle!, pour un idéaliste emporté par la chimère! ce serait mal me connaître. Ce ne sont pas seulement les intérêts supérieurs des groupes humains qui me convainquent de l'utilité des injures, j'ai pesé aussi le bonheur de l'individu, et je déclare que, pour un homme dans la force de l'âge, c'est un grand malheur de ne pas trouver un plus petit que soi à injurier.

Il est nécessaire qu'à mi-chemin de son développement le littérateur ou le politicien cesse de pourchasser son prédécesseur afin d'assommer le plus possible de ses successeurs. C'est ce qu'on appelle devenir un modéré, et cela convient tout à fait au midi de la vie. Cette transformation est indispensable dans la carrière d'un homme qui a le désir bien légitime de réussir. Le secret de ce continuel insuccès que nous voyons à beaucoup de politiciens et d'artistes éminents, c'est qu'ils n'ont pas compris cette nécessité. Ils ne furent jamais les réactionnaires de personne; toute leur vie, ils s'obstinèrent à marcher à l'avant-garde, comme ils le faisaient à vingt ans. C'est une grande folie qu'un enthousiasme aussi prolongé. Pour l'ordinaire un fou trouve à quarante ans un plus fou, grâce à qui il paraît raisonnable. C'est l'heureux cas où nos boulangistes mettent les révolutionnaires de la veille.

— Oui, soupira Chincholle, je vois bien les avantages pour le pays et même pour certains antiboulangistes, mais voilà! le général réussira-t-il?

— Je vous surprends dans des préoccupations un peu mesquines. Mais j'entre dans votre souci, après tout explicable et très humain. Et je vous dis : Si vous marchez avec la partie forte, avec l'instinct du peuple, qu'avez-vous à craindre? Vous n'avez qu'à suivre les secousses de l'opinion; toujours la vérité en sort et le succès. Les mouvements que fait instinctivement la femme qui enfante sont précisément les mouvements les plus sages et qui peuvent le mieux l'aider. Que vous inquiétiez-vous tout à l'heure de savoir si le général Boulanger a du génie! L'essentiel, c'est de ne pas contrarier l'enfantement et de laisser faire l'instinct populaire.

Dans les loteries, on prend la main d'un enfant pour proclamer le hasard. Il n'y a pas de hasard, mais un ensemble de causes infiniment nombreuses qui nous échappent et qui amènent ces numéros variés qui sont les événements historiques. Le long des siècles, les plus graves événements sont présentés à l'historien par des mains qui vous feraient sourire, Chincholle.

Mais, tenez, pour achever de vous rassurer, je vais vous dire un rêve que j'ai fait.

Par quelle circonstances avais-je été amené à me rendre sur un hippodrome, cela est inutile à vous raconter. Cette foule, cette passion me fatiguèrent; je dormis d'un sommeil un peu fiévreux, j'eus des rêves et entre autres celui-ci :

J'étais cheval, un bon cheval de course, mais rien de plus; je n'arrivais jamais le premier. Cependant je me résignais, et pour me consoler je me disais : Tout de même, je ferai un bon étalon!

C'est un rêve qui s'applique excellemment au général Boulanger.

— Mais, dit Chincholle un peu déçu, le général est vieux.

— Chincholle, vous prenez les choses trop à la lettre;

j'ai déjà remarqué cette tendance de votre esprit. Je veux dire qu'à Boulanger, non vainqueur en dépit de ses excellentes performances, succédera Boulanger II; je veux dire que jamais une force ne se perd, simplement elle se transforme.

Réfléchissez un peu là-dessus, ça vous épargnera dans la suite de trop violentes désillusions.

— Si je vous ai bien suivi, résuma Chincholle qui avait pris des notes, vous refusez de prendre position dans l'un ou l'autre parti, mais vous estimez que, pour le pays, et même pour ceux qui se mêlent à la lutte, il y a tout avantage dans ces recherches contradictoires, fussent-elles les plus violentes du monde.

Vous croyez aussi qu'aucune force ne se perd, et que l'effort du peuple, quoique sa direction soit assez incertaine, aboutira. A qui sera-t-il donné de représenter ces aspirations ? voilà tout le problème tel que vous le limitez.

Eh bien! mon cher maître, pourquoi vous-même ne collaborez-vous pas à cette tâche de donner un sens au mouvement populaire, de l'interpréter comme vous dites, ou encore de lui donner les formes qu'il vivifierait ? Pourquoi à des ambitieux inférieurs laisser d'aussi nobles soins ?

— Mes raisons sont nombreuses, répondit M. Renan visiblement fatigué, mais je n'ai pas à vous les détailler, une seule suffira : mon hygiène s'oppose à ce que je désire voir modifier avant que je meure la forme de nos institutions.

CHAPITRE II

Philippe retrouve dans Arles Bérénice, dite Petite-Secousse

La conversation de ces messieurs m'éclaira brusquement sur mon besoin d'activité et sur les moyens d'y satisfaire.

Ayant fait les démarches convenables et discuté avec les personnes qui savent le mieux la géographie, c'est la circonscription d'Arles que je choisis.

Le lendemain de mon arrivée dans cette ville, comme je dînais seul à l'hôtel, une jeune femme entra, vêtue de deuil, d'une figure délicate et voluptueuse, qui, très entourée par les garçons, alla s'asseoir à une petite table. Tandis qu'elle mangeait des olives d'un air rêveur, avec les façons presque d'une enfant : « Quel gracieux mécanisme, ces êtres-là, me disais-je, et qu'un de leurs gestes aisés renferme plus d'émotion que les meilleures strophes des lyriques! »

Puis soudain, nos yeux s'étant rencontrés :

— Tiens, m'écriai-je, Petite-Secousse!

J'allai à elle. Elle me donna joyeusement ses deux mains.

— Mon vieil ami!

Mais aussitôt, songeant que ce mot de vieil ami pouvait m'offenser, avec sa délicatesse de jeune fille qui a été élevée par des vieillards, elle ajouta :

— Vous n'avez pas changé.

Elle m'expliqua qu'elle habitait Aigues-Mortes, à trois heures d'Arles, où elle venait de temps à autre pour des emplettes.

— Mais vous-même? me dit-elle.

J'eus une minute d'hésitation. Comment me faire entendre d'elle, qui lit peu les journaux. Je répondis, me mettant à sa portée :

— Je viens, parce que je suis contre les abus.

Quand elle eut compris, elle me dit, un peu effrayée :

— Mais vous ne craignez pas de vous faire destituer ?

Voilà bien la femme, me disais-je ; elle a le sentiment de la force et voudrait que chacun se courbât. Il m'appartient d'avoir plus de bravoure civique.

— D'ailleurs, ajoutai-je, je n'ai pas de position.

Je vis bien qu'elle s'appliquait à ne pas m'en montrer de froideur.

— Je vous disais cela, reprit-elle, parce que M. Charles Martin, l'ingénieur, ne peut pas protester, quoiqu'il reconnaisse bien qu'on me fait des abus : ses chefs le casseraient.

— Charles Martin ! m'écriai-je, mais c'est mon adversaire !

Et je lui expliquai qu'étant allé, dès mon arrivée, au comité républicain, j'avais été traité tout à la fois de radical et de réactionnaire par Charles Martin, qui s'était échauffé jusqu'à brandir une chaise au-dessus de ma tête en s'écriant : « Moi, monsieur, je suis un républicain modéré ! »

— Vous m'étonnez, me répondit-elle, car c'est un garçon bien élevé.

Nous échangeâmes ainsi divers propos, peu significatifs, jusqu'à l'heure de son train, mais quand je la mis en voiture, elle me rappela soudain la petite fille d'autrefois, car dans la nuit, elle m'embrassa en pleurant :

— Promets-moi de venir à Aigues-Mortes, disait-elle tout bas. Je te raconterai comme j'ai eu des tristesses.

CHAPITRE III

Histoire de Bérénice.
Comment Philippe
connut Petite-Secousse

Il n'est pas un détail de la biographie de Bérénice — Petite-Secousse, comme on l'appelait à l'Éden — qui ne soit choquant; je n'en garde pourtant que des sensations très fines. Cette petite libertine, entrevue à une époque fort maussade de ma vie, m'a laissé une image tendre et élégante, que j'ai serrée de côté, comme jadis ces œufs de Pâques dont les couleurs m'émouvaient si fortement que je ne voulais pas les manger.

Je l'ai connue, avais-je dix-neuf ans? à la suite d'une longue discussion sur l'ironie, ennemie de l'amour et même de la sensualité : « Les femmes, me disait un aimable homme, qui dans la suite devint gaga, les femmes sont maladroites. Parce qu'il arrive souvent qu'elles ont les yeux jolis, elles négligent de les fermer quand cela conviendrait, elles voient des choses qui les font sourire; aussi, malgré la rage qu'elles ont d'être nos maîtresses, ne peuvent-elles se décider à le demeurer. » L'amour, dans son opinion, est l'effort de deux âmes pour se compléter, effort entravé par l'existence de nos corps qu'il faut le plus possible oublier. Mais cette conception des choses sentimentales, délicate en son principe, le menait un peu loin. Elle le menait à Londres, tous les mois, par amour des petites filles : « Seules, disait-il, elles font voir intacte la part de soumission que la nature a mise dans la femme et que gâtent les premiers succès mondains. » Et suivant son idée, vers les minuit, il me conduisit à la sortie de l'Éden, où figuraient alors dans un ballet des centaines d'enfants écaillés d'or, se balançant autour d'une danseuse lascive.

Je lui faisais la critique de son système, quand soudain, sur la rue Boudreau, s'ouvrit une porte d'où se déploya en éventail un troupeau de petites filles fanées. Elles sautaient à cloche-pied et criaient comme à la sortie de l'école, pouvant avoir de six à douze ans. Sur le trottoir en face, mal éclairé, nous étions des vieux messieurs, des mamans, mon ami et moi, une vingtaine de personnes mornes. Une fillette nous aperçut enfin et courut au peintre avec une vivacité affectueuse. Lui, la prenant doucement par la main : « Ma petite amie Bérénice », me dit-il. Elle s'était fait soudain une petite figure de bois où vivaient seuls de beaux yeux observateurs. Elle nous quitta pour embrasser une grande jeune femme, sa sœur aînée, d'attitude maladive et honnête, à qui mon compagnon me présenta.

Cette scène m'emplit d'un flot de pitié. Tous quatre nous remontions la rue Auber ; je tenais Bérénice par la main, et j'étais très occupé à préserver ce petit être des passants. Je ne cherchais pas à lui parler, seulement j'avais dans l'esprit ce que dit Shakespeare de Cléopâtre : « Je l'ai vue sauter quarante pas à cloche-pied. Ayant perdu haleine, elle voulut parler et s'arrêta palpitante, si gracieuse qu'elle faisait d'une défaillance une beauté. »

Ce privilège divin, faire d'une défaillance une beauté, c'est toute la raison de la place secrète que, près de mon cœur, je garde, après dix ans, à l'enfant Bérénice. Elle eut plus de défaillances qu'aucune personne de son âge, mais elle y mit toujours des gestes tendres, et sur cette petite main, après tant de choses affreuses, je ne puis voir de péché.

Quand nous fûmes assis à la terrasse d'un mauvais café de la rue Saint-Lazare, mon compagnon félicita la sœur aînée de la robe de Bérénice. Elle en parut heureuse, et répondit avec cette résignation qui m'avait d'abord frappé :

— Je fais ce que je puis pour la bien tenir ; notre vie est difficile. Petite-Secousse a des dépenses au-dessus de son âge, des dépenses de grande fille.

La grande fille, qui mangeait des tartes avec une vive satisfaction, s'interrompit pour compter sur ses doigts :

— Je gagne à l'Éden douze sous par jour ; j'ai pour ma

première communion dix sous par semaine de M. le curé, et il y a M. Prudent qui donne dix louis par mois.

— C'est vrai, répondit la sœur, mais à l'Éden on attrape des amendes; pour la première communion, il faudra un cierge, la robe blanche et ma toilette, et puis il y a les cigares de M. Prudent.

Mon compagnon se divertissait infiniment; M. Prudent surtout le ravit.

L'enfant, à qui il faisait voir un écu, le saisit des deux mains avec une furie de joie; puis son visage reprit cette froideur sous laquelle je devinais une folle puissance de sentir. Masque entêté de jeune reine aux cheveux plats! Jamais on ne vit d'yeux si graves et ainsi faits pour distinguer ce qui perle d'amertume à la racine de tous les sentiments.

Oh! celle-là n'avait pas le tendre sourire des enfants sensibles, qui pleurent si l'on ne sourit pas quand ils sourient. Et pourtant je sais bien qu'elle eût aimé avec passion une mère élégante et jeune à qui elle eût prodigué ses succès. Avec leur fierté, les petits êtres de cette sorte peuvent aimer seulement ceux qui émeuvent leur imagination. Ils vont des princes de ce monde aux pires réfractaires. Non admises à être la maîtresse adulante d'un roi, de telles filles sont des révoltées dont l'âcreté et la beauté piétinée serrent le cœur. Bérénice fut particulière en ceci que, pour charmer son imagination, il suffit du plus banal des romanesques, du romanesque de la mort. Pour l'heure, elle était une petite cigale, pas encore bruyante, si sèche, si frêle, que j'en avais tout à la fois de la pitié et du malaise. Tous trois maintenant, sans parler, avec des sentiments divers où dominait l'incertitude, nous la regardions, comme font trois amateurs autour de la chrysalide où se débat ils ne savent quel papillon.

Mon ami, qui habitait Asnières et que pressait l'heure de son train, me demanda de reconduire nos singulières compagnes. Son sourire me froissa, je n'avais plus que mauvaise humeur d'être mêlé à une aventure de cet ordre. Je comptais bien ne pas m'y attarder cinq minutes! et par la suite je lui ai dû de prendre conscience de deux ou trois sentiments qui jusqu'alors avaient sommeillé en moi.

Dans la voiture, la petite fille s'assit entre sa sœur et moi, et comme c'était tout de même une enfant de dix ans, elle nous prit la main à tous deux. Sur mes questions, elle me raconta d'un ton très doux le détail et la fatigue de ses journées de petite danseuse, en appelant ses camarades par leurs noms et avec des mots d'argot qui me rendaient assez gauche. Elle n'était à Paris que depuis quelques mois et avait été élevée dans le Languedoc, à Joigné.

— Ah! m'écriai-je comme parlant à moi-même, le beau musée qu'on y trouve!

— Vous l'aimez? demanda Bérénice en me serrant de sa petite main chaude.

Je lui dis y avoir passé des heures excellentes et leur en donnai des détails.

— Notre père était gardien de ce musée, me dit la grande sœur; c'est là que Bérénice se plaisait; elle pleure chaque fois qu'elle y pense.

— Et pourquoi pleurez-vous, petite fille?

Elle ne me répondit pas, et détourna les yeux.

— Il n'y venait jamais personne, reprit la grande sœur; les tapisseries, les tableaux étaient si vieux! Si vous nous connaissiez depuis plus longtemps, je croirais que vous parlez de Joigné pour faire plaisir à Bérénice.

Nous étions arrivés chez elles, là-bas, sur ce flanc de la butte Montmartre qui domine la banlieue. Je pris dans mes bras cette petite fille maigre pour la descendre de voiture, et déjà la légère curiosité qu'elle m'avait inspirée se faisait plus tendre à cause de notre passion commune pour ce musée de Joigné, ce musée du roi René, d'un charme délicat et misérable, comme la petite bouche si fine et à peine rose de cette enfant aux cheveux nattés.

CHAPITRE IV

Histoire de Bérénice *(suite)*.
Le musée du roi René

C'est un art très étroit, mais c'est de l'art qu'on trouve au « musée du roi René », et ses trois salles du quinzième siècle présentent même une des étapes les plus touchantes de notre race.

La plupart des hommes n'y voient que des beautés mortes et presque de l'archéologie, mais quelques-uns, d'âme mal éveillée, attendris de souvenirs confus, n'admettent pas qu'on dénoue si vite les liens de la vie et de la beauté. Cet art franco-flamand qui, au quatorzième siècle, fut la fleur du luxe et de la grâce, ne leur est pas seulement un renseignement, il les émeut.

Peut-être ces bibelots, du temps qu'ils étaient d'usage familier, leur eussent paru vulgaires, mais le silence et la froideur des musées, qui glacent les gens sans imagination, disposent quelques autres à la plus fine mélancolie.

Cette collection a été formée par une façon de patriote qui consacra la première partie de sa vie à envisager le français et le latin comme deux langues sœurs sorties du gaulois, et il s'indignait, dans des revues départementales, de la manie qu'on a de dériver nos mots de vocables latins. Par un raisonnement analogue, il affirmait que le réveil artistique, dit Renaissance, s'était manifesté dans un même frisson, à la même heure, sur toute l'Europe; et il démontra avec passion que l'influence italienne n'avait été qu'une greffe néfaste, posée sur notre art français, à l'instant où celui-ci, d'une merveilleuse vigueur, allait épanouir sa pleine originalité. Et comme, à l'appui de sa première manie, il avait publié une liste de mots français, tout indépendants du latin et d'évidente origine celtique, pour édifier sur les qualités autochtones de la première renaissance française, il réunit des panneaux, des miniatures et des orfèvreries des douzième et treizième siècles, qui ne trahissent rien d'italien.

Ses curiosités désintéressées le servirent. Il correspondait avec les curés pour obtenir d'eux des vocabulaires de patois locaux, il visitait les plus misérables masures pour y dénicher des choses d'art; aussi devint-il populaire près de l'un et l'autre parti. L'ardent patriotisme de ses monographies du Languedoc et de la Provence le dispensèrent de profession de foi, en sorte que, par la suite, il parvint au Sénat.

Dans sa gratitude, il offrit au département sa collection, qui, en grossissant, l'accablait, et qu'on installa sous le nom de *Musée du roi René* dans une propriété de l'État, au château de Joigné, bâti jadis par le roi René. Il y fit placer comme gardien le mari d'une jeune femme qu'il aimait et qui avait pour fille la toute petite Bérénice.

Et c'est ainsi que l'enfant grandissante alimenta ses premiers appétits dans un cycle de choses, mortes pour l'ordinaire des hommes.

*

La vaste pièce qu'occupait le musée dans cette lourde et humide construction était chauffée pendant l'hiver et toujours fraîche au plus fort de l'été.

La petite fille y passa de longues après-midi, seule parmi ces beautés finissantes qu'elle vivifiait de sa jeune énergie et qui lui composaient une âme chimérique.

Les murs étaient recouverts d'une tapisserie de haute lice, connue sous le nom de *Chambre aux petits enfants*, toute semée de grands herbages, de petits enfants et de rosiers à roses, parmi lesquels plusieurs dames à devises faisaient personnages d'Honneur, de Noblesse, de Désintéressement et de Simplicité.

Honneur était si fort mangé des vers que Bérénice ne put savoir au juste ce que c'était; de *Noblesse*, elle distingua simplement la belle parure; mais *Désintéressement* et *Simplicité* lui sourirent bien souvent, tandis qu'elle les contemplait, haussée sur la pointe des pieds, pour mieux les voir et pour ne pas effaroucher le silence, qui est une part de leur beauté. Peut-être quelquefois l'enfant les déchira-t-elle [légèrement du bout des doigts, énervée par les longs mistrals, tandis que le petit village sonnait chaque heure avec une précision si inutile au milieu de ce désert. Mais toute sa vie elle n'aima rien tant que ces dames de *Désintéressement* et de *Simplicité*, doux visages qui évoquaient pour elle les résignations de la solitude.

La gloire de ce musée est une abondante collection de panneaux peints, mi-gothiques, mi-flamands, traités les uns avec la finesse et la monotonie de la miniature, les autres dans la manière des vitraux. A qui les attribuer ? Voilà une question d'esprit tout moderne et que nos aïeux ne se posaient pas plus que ne fit Bérénice.

La peinture, pour les êtres primitifs, est un enseignement. Ces panneaux ne sont pas l'expression d'un rêve particulier, mais la description de l'univers tel qu'il apparaissait aux meilleurs esprits du quinzième siècle. Ce sont, rassemblées dans le plus petit espace et infiniment simplifiées, toutes les connaissances qu'un esprit très orné de cette époque pouvait avoir plaisir à trouver sous ses yeux. Un tableau avait-il du succès ? il était copié indéfiniment, comme on reproduit un beau livre. C'est ce qui explique que, dans ce musée du roi René, nous retrouvions à peine modifiés des tableaux d'Avignon, de Villeneuve-lez-Avignon, d'Aix, et de tous ces villages de Provence. Ces tableaux, pas plus que les chansons de geste ou les rapsodies, ne peuvent être dégagés de la manière générale du cycle dont ils font partie. Mais quelle abondance de détails des artistes, reprenant sans trêve un même thème pour l'améliorer, ne parvenaient-ils pas à rassembler dans leurs panneaux !

Bérénice y trouva des notions d'astronomie et de géographie, et tout son catéchisme, puis de petites anecdotes qui l'amusaient, et enfin des bonshommes agenouillés, les portraits du donateur, qui lui indiquèrent nettement quelle attitude sérieuse et sans étonnement il convient d'apporter à la contemplation de l'univers.

La suite de sa vie me donne lieu de croire qu'elle profita surtout devant *la Pluie de sang* : c'est Jésus entre deux saintes femmes, dont Marie l'Égyptienne, personne maigre qui, vêtue de ses cheveux comme d'une gaine, est tout à fait délicieuse. Véritable « fontaine de vie », le pauvre Jésus dégoutte d'un sang qu'elles recueillent, et il s'épuise pour les deux belles dévotes. Cette image désolante parut à l'enfant une représentation exacte de l'amour suprême qui est, en effet, de se donner tout, se réduire à rien pour un autre. Plus tard, ne l'ai-je pas vue qui se conformait, jusqu'à mourir de langueur amoureuse, à cette éducation par les yeux ?

D'autres tableaux étaient plus sévères pour l'imagination d'une fille. Travaux de miniaturiste agrandis, du genre qu'on voit à Aix. Le *Buisson ardent*, par exemple : dans le panneau du milieu, la Vierge accroupie tient sur son giron Jésus tout nu, et ce petit Jésus s'amuse d'une médaille représentant sa mère et lui-même ; au-dessous d'eux, dans une campagne faite de prairies, de rivières et de châteaux, flamboie un buisson emblématique de chênes verts qu'entrelacent des lierres, des liserons, des églantiers, et plus bas encore, Moïse se déchausse sous les yeux d'un ange, tandis qu'un chien garde des moutons et des chèvres. Ces beaux sujets sont largement encadrés par une suite de figures peintes en camaïeu, entre lesquelles l'enfant distinguait un ange qui sonne du cor et qui, le pieu à la main, poursuit une licorne réfugiée dans le giron d'une vierge.

Tout cela lui parut incompréhensible, mais nullement désordonné. Il était dans le tempérament de ce petit être sensible et résigné de considérer l'univers comme un immense rébus. Rien n'est plus judicieux, et seuls les esprits qu'absorbent de médiocres préoccupations cessent de rechercher le sens de ce vaste spectacle. A combien d'interprétations étranges et émouvantes la nature ne se prête-t-elle pas, elle qui sait à ses pires duretés donner les molles courbes de la beauté !

Quand, de son musée, Bérénice, orpheline, vint à Paris pour être ballerine à l'Éden, elle ne s'étonna pas un instant, car l'ordonnance des tableaux où elle figura autour des déesses d'opérette lui rappelait assez les compositions du roi René. Elle trouva naturel d'y participer, ayant pris, comme tous les enfants, l'habitude de se reconnaître dans quelques-unes des figures de ces vieux panneaux. Elle accepta l'autorité du maître de danse, comme les simples se soumettent aux forces de la nature. C'est un instinct commun à toutes les jeunes civilisations, à toutes les créatures naissantes, et fortifié en Bérénice par les panneaux religieux du roi René, de croire qu'une intelligence supérieure, généralement un homme âgé, ordonne le monde.

Son acceptation, d'ailleurs, avait toute l'aisance des choses naturelles, sans le moindre servilisme. Ce sentiment avait été développé en elle par l'image familière et bonhomme que la légende lui donnait du roi René, fondateur du château et patron de cet art. Elle savait plusieurs anecdotes où ce prince accueille avec bonté les humbles. L'imagination qu'elle se fit de ce personnage contribua pour une bonne part à lui former cette petite âme qui n'eut jamais de platitude. Bérénice considérait qu'il est de puissants seigneurs à qui l'on ne peut rien refuser, mais elle ne perdit jamais le sentiment de ce qu'elle valait elle-même. Excellente éducation! qui eût fait d'elle la maîtresse déférente mais non intimidée d'un prince, et qui lui laissait tous ses moyens pour donner du plaisir. Qualité trop rare!

En vérité, ce musée convenait pour encadrer cette petite fille, qui en devint visiblement l'âme projetée : d'imagination trop ingénieuse et trop subtile, comme les vieux fonds de complications gothiques de ces tableaux; de sens bien vivant, comme ces essais de paysages et de copies de la nature, où la Renaissance apparaît dans les œuvres du quatorzième siècle.

Cette petite femme traduisait immédiatement en émotions sentimentales toutes les choses d'art qui s'y prêtaient. Les grandes tapisseries de Flandre et les peintures d'Avignon formèrent sa conscience; les orfèvres de Limoges, les chaudronniers de Dinan, lui faisaient une maison parée, où elle vécut sans camarade et apprit les rêveries tendres, qui sont choses exquises dans un décor élégant.

Il y avait dans une vitrine une dentelle précieuse pour sa beauté; et l'enfant, qui se distrayait à suivre les visiteurs et à écouter les explications que leur donnait son père, avait observé que les messieurs souriaient et que les jeunes femmes, rougissant un peu, se penchaient sur cette claire vitrine avec plus d'intérêt que sur aucun autre numéro du catalogue. Cette dentelle avait été offerte par le roi charmant, le Louis XV des premières années, à l'une de ces maîtresses d'un soir qu'on avait soin de lui présenter à chaque relais, afin qu'il pût se rendre compte des ressources de son royaume. Ce gage, qu'avaient peut-être trempé les pleurs de la mélancolique délaissée, était gardé dans sa famille, une des premières du Languedoc, et transmis précieusement à celle qui épousait le fils aîné de la maison. Quand la mort eut dissipé la dernière goutte de ce sang honoré par les rois, la légère dentelle fut recueillie dans le musée. Les érudits méprisaient fort cet anachronisme, mais Bérénice, le nez écrasé contre la vitre, souvent rêva d'un prince René, très jeune et revenant des pays du soleil avec des voitures pleines d'un art joyeux. Les petites filles bien nées rêvent toutes confusément d'une renaissance italienne : c'est l'état d'âme de notre race au quinzième siècle, un peu seule et desséchée, aspirant au baiser sensuel de l'Italie.

J'ai des doigts bien lourds pour vous indiquer, dans les sourires et les plis délicats du visage de Bérénice, tout ce qu'y marquèrent ces vieilles œuvres. Ne croyez pas du moins qu'elle fût triste. Comme ceux de son âge, elle avait des jouets, mais par économie on les lui choisissait dans les vitrines.

Son album d'images, c'était la reproduction photographique d'un livre qu'à leur retour d'Italie portaient avec eux, comme galante mémoire, les compagnons de Charles VIII, car y étaient dépeintes, sous divers costumes et à l'état naturel, beaucoup de femmes violées par ces seigneurs.

Elle adopta comme poupée une petite image de Notre-Dame en or, qui s'ouvrait par le ventre et où l'on voyait la Trinité. Tous ses jeux étaient ennoblis.

Il y avait encore, pour la distraire, un précieux ex-voto dédié à sainte Luce à qui, comme on le sait, les païens arrachèrent les yeux, et cette relique était un merveilleux vase avec des yeux peints au fond — ce qui pour le père, bonhomme un peu lourd, pour la mère, jeune femme vive et rieuse, et pour la jeune Bérénice, elle-même, était un inépuisable sujet de joie.

Ainsi les choses lui faisaient une âme sensible et élégante.

Le danger était qu'elle s'enfermât dans la vie intérieure, qu'elle ne soupçonnât pas la vie de relations.

En cela son éducation fut excellemment complétée par le compagnon ordinaire de ses jeux, un singe, que sa mère avait obtenu pour un long baiser d'un matelot à peine débarqué à Port-Vendres. Et ce singe, en même temps qu'il lui apprit l'art de figurer les passions, lui vivifiait l'univers, jusqu'alors pour elle un peu morne.

Mais le mot essentiel sur la vie, la formule d'action, réduite à ce qu'en peut fournir une petite rêveuse de grande indigence intellectuelle, lui fut dit sous la galerie en demi-cloître du château.

Dans cette cour pleine de pierres tombales, de sculptures mutilées, de verdures et des herbes violentes du Languedoc, elle vit un débris gothique dont l'énergique symbolisme, ironie et vérité trop crues, la frappa singulièrement : c'était un monstre qui d'une main se mettait une pomme dans la bouche, et de l'autre, avec un doigt délicat, désignait le bas de son échine.

Cette attitude si simple et nullement équivoque fut un enseignement pour cette petite fille. Le cynique professeur lui fit voir qu'il y a une corrélation entre la nécessité de vivre et le geste de la sensualité. De ce sphinx-gargouille elle reçut le tour d'esprit qui lui fit accepter toute sa vie les familiarités des vieillards.

Ainsi l'enfant grandit durant dix années, jusqu'à la mort des siens ; et chaque saison, elle faisait mieux voir les vertus que ce musée déposait en elle. Elle ressentait tous les mouvements de ce passé compliqué, ardent et jeune, auquel elle avait laissé prendre son cœur.

Mais si cette vapeur de mort, qui se dégage des objets ayant perdu leur utilité, purgeait le cœur de Bérénice de toute parcelle de mesquin et de bas, peut-être à trop pénétrer cette petite fille la rendait-elle maladroite à supporter la vie. Une âme embrumée, dans un corps infiniment sensible, telle était celle que nourrissait ce tombeau orné. Son masque entêté offrait de grandes analogies avec le petit buste du musée d'Arles, où la légende voit le mélancolique Marcellus, le jeune prince qui ne put vivre. Quand elle descendait dans l'appartement des siens, une façon de loge de concierge, elle s'y sentait étrangère et comme une petite exilée. Virgile, s'il est vrai qu'il pleura sur la pauvre race italiote, trop attachée au passé, incapable de supporter sans gémir les temps nouveaux, eût été entraîné vers cette fille qui, pour se préparer à la dure vie des dédaignées, ne savait que s'envelopper de la part originelle de sa race.

Parfois, à la fraîcheur du soir, après ces journées du Midi si grossières de sensualité, sa mère, jeune femme distraite et toute à se désoler de son vieux mari, la préparait pour sortir. Dans l'armoire à glace, fortement parfumée des herbes recueillies sur la garrigue, le soleil couchant envoyait quelques rayons, et sa mère, pour la coiffer, en tirait un petit chapeau de velours rouge, qui remplissait l'enfant passionnée du sentiment de la beauté et brisait ses nerfs d'une douceur délicieuse, dont l'ébranlement retentit jusqu'en sa chère agonie. Mais elle se contraignait jusqu'à ce qu'elle fût sur la route, où sa mère s'écartait pour rire avec des jeunes gens. Alors, dans l'obscurité descendue, elle sanglotait, comprenant confusément que la vie des êtres sensibles est chose somptueuse et triste.

O ma chère Bérénice, combien vous êtes près de mon cœur.

CHAPITRE V

Bérénice à Aigues-Mortes

J'étais à Arles depuis quelques jours, et cependant que j'en visitais les mélancoliques beautés, je m'étais mis en relation avec les esprits les plus généreux de l'arrondissement, avec ceux qui sont impatients de toute modification et avec ceux qu'on avait mécontentés. Nous causâmes ensemble des injures subies par la patrie, tant à l'intérieur qu'à l'extérieur, et de politiques nos relations devinrent presque cordiales.

Au milieu de ces délicates démarches, c'est Bérénice qui m'occupait. Arles, où rien n'est vulgaire, me parlait de l'enfant du musée du roi René. Ses arènes et ses temples dévastés manifestent que les hommes sont des flétrisseurs ; or, si j'ai tant aimé ma petite amie, c'est qu'elle était pour moi une chose d'amertume. Mon inclination ne sera jamais sincère qu'envers ceux de qui la beauté fut humiliée : souvenirs décriés, enfants froissées, sentiments offensés. Saint-Trophime, humide et écrasé, dit une louange irrésistible à la solitude et s'offre comme un refuge contre la vie. J'y retrouve le sentiment exact qui m'emplissait jadis, quand, m'échappant de mes dures besognes ou d'études abstraites, je courais, fort tard dans la soirée, à mes étranges rendez-vous avec Petite-Secousse. Ce n'était, vraiment, ni amour, ni amitié ; dans cette trop forte vie parisienne, qui créait en moi la volonté mais laissait en détresse des parts de ma jeunesse, c'était un besoin extrême de douceur et de pleurs.

Ainsi rêvant à l'enfant pitoyable et fine qui est devenue une fille éclatante, je me promène sous le cloître. Des colombes roucoulent sur son bas toit de tuiles, les écoliers énervés tapagent dans la ruelle, et pourtant c'est la paix où mon rêve est à l'aise. Arles, visitée tant d'hivers, toujours me fut une cité de vie intérieure. Chevaux qui riez avec un entrain mystérieux dans l'*Adoration des rois* de Finsonius, — petite vierge de quinze ans, grave et délicate, avec vos yeux à nous faire mourir, qui présidez un *Conseil provincial* de jolis hommes vêtus avec une brillante diversité de chapes d'or, d'argent, de pourpre et de noir tombant sur de longues robes blanches, — et vous surtout, ma très chère reine de Saba, de la seconde travée de la galerie est du cloître, vous qui existez à peine, mais que je maintiens dans mon imagination, — l'âme que je vous apporte, si différents que soient les gestes où elle se témoigne, n'a pas varié. Les petites intrigues auxquelles je semble participer ne me pénètrent que pour se modifier harmonieusement en moi; elles sont les conditions négligeables du culte nouveau que je vous rends.

Aux Alyscamps, un de ces soirs, mes années écoulées me semblèrent pareilles aux sarcophages vides qui bordent, sous des platanes, cette mélancolique avenue. Mes années sont des tombeaux où je n'ai rien couché de ce que j'aimais; je n'ai abandonné aucune des belles images que j'ai créées, et Bérénice, qui me fut l'une des plus chères, est ressuscitée...

Au musée, devant les deux danseuses mutilées qu'on y voit, je m'arrêtai : Pauvres petites dames qui avez tant allumé les désirs des hommes, vous êtes aujourd'hui mutilées? L'une a un pied nu qui appelle le baiser, un sein dévêtu, des draperies flottantes, mais sa jambe, qu'elle projetait dans un geste charmant, a été brisée. Les Barbares n'ont pas épargné ces fleurs légères.

Et soudain mon désir devint irrésistible d'aller voir à Aigues-Mortes ce qu'ils avaient fait de Bérénice.

*

Dans le train si lent à traverser la Camargue, je rêvais de ces mornes remparts qui depuis sept siècles subsistent intacts. J'évoquais ces mystérieux Sarrasins, ces légers Barbaresques qui pillaient ces côtes et fuyaient, insaisis même par l'Histoire. Aigues-Mortes, le vieux guerrier qu'ils assaillaient sans trêve, est toujours à son poste, étendu sur la plaine, comme un chevalier, les armes à la main, est figé en pierre sur son tombeau.

Sur ce plat désert de mélancolie où règnent les ibis roses et les fièvres paludéennes, parmi ces duretés et ces sublimités prévues par mon imagination, la belle petite fille vers qui j'allais m'excitait infiniment.

Aigues-Mortes! consonance d'une désolation incomparable! quand je descendis de la gare, déjà les grenouilles avaient commencé leur coassement; il n'était pas encore cinq heures, mais cette plaine immense, toute rayée de petits canaux, est leur fiévreux royaume. Une jeune fille, à qui je demandai la villa de Rosemonde, s'offrit à me conduire; nous contournâmes les hautes murailles, puis quittant l'ombre de la ville, muette et dure dans sa haute enceinte crénelée, nous prîmes une chaussée étroite entre deux eaux stagnantes. C'est à quelque cent mètres, sur un terre-plein, que je trouvai la pâle maison de Bérénice, faisant face au soleil couchant. Cinq à six arbres l'entouraient, les seuls qu'on aperçût dans la vaste étendue où cette soirée d'hiver mettait une transparence de pleine mer. A l'entrée de son grêle jardin, ma chère Bérénice m'attendait, et je ne verrai de ma vie un geste plus gracieux que celui de son premier accueil.

Cette année, la mode était des couleurs jaunes, vieux rose, violet d'évêque, scabieuse et vert d'eau; elle portait une robe de l'un de ces tons, et le paysage, avec ces étrangetés de l'hiver méridional, faisait voir des couleurs identiques ou complémentaires.

Cette pâle maison de Rosemonde, rosée à cette heure d'un étrange soleil couchant, me séduisit dès l'abord par l'inattendu d'une installation sobre et froide d'Angleterre, au lieu du taudis méridional que je redoutais. Petite-Secousse faisait là aussi étrange figure qu'une brillante perruche des Iles dans une cage de noyer ciré. Je crus y sentir une maison d'amour, glacée par l'absence d'amour; mais le petite main brûlante qu'elle me tendit plusieurs fois pour me témoigner son contentement de me revoir me donnait la fièvre.

Singulière fille! Elle me montra, qui jouait, dans son jardin, un de ces ânes charmants de Provence, aux longs yeux résignés, et des canards, un peu viveurs et dandineurs, qui des étangs revenaient pour leur repas du soir. Je reconnus cette générosité d'âme, jadis devinée sous son masque trop serré d'enfant. Pourquoi toujours rétrécir notre bonté, pourquoi l'arrêter au chien et au chat ? En moi-même, je félicitai Petite-Secousse d'avoir précisément choisi l'âne et le canard, pauvres compagnons, à l'ordinaire sevrés de caresses et même de confortable, parce que, sur leur maintien philosophique, ils sont réputés se satisfaire de très peu de chose. Leur volonté amortie de brouillards, leur entêtement de besogneux, elle comprenait tout cela sans dédain ni répugnance. N'avait-elle pas vécu jadis dans un profond rapport avec nos aïeux du quinzième siècle, comme ceux-ci maladroits, très proches de la nature et étriqués ?

Nous nous tûmes un long instant, car j'étais saisi par l'émouvante simplicité du paysage. A Aigues-Mortes, l'atmosphère chargée d'eau laisse se détacher les objets avec une prodigieuse netteté et leur donne ces colorations tendres qu'on ne retrouve qu'à Venise et en Hollande. Devant nous se découpait le carré intact des hautes murailles crénelées, coupées de tours et se développant sur deux kilomètres. Au pied de cette masse rude, campée dans l'immensité, jouaient des enfants pareils à des petites bêtes chétives et malignes. Mais mon regard détourné se fondait au loin sur la plaine profonde et ses immenses étangs d'un silence éternel et si doux !

Quand j'obéis à Bérénice, qui redoutait pour moi la fièvre qui rôde le soir sur ces landes, et quand je la suivis dans le petit salon dont les vastes glaces nous laissèrent suivre le coucher du soleil, une émotion presque pieuse gonflait mon cœur. Le thé que nous buvions ne devait pas apaiser mon énervement, mais elle me parlait avec une gaieté légère et un imprévu plein de tact qui n'appartiennent qu'aux personnes maladivement sensibles et qui ne laissèrent pas mon excitation se souiller. Entre mille riens, pour m'exprimer la joie de me revoir, elle m'apprit que cette maison lui appartenait ; elle me parla d'une amie qu'elle avait au théâtre de Nîmes et appelait assez drôlement « Bougie-Rose », parce qu'elle est prétentieuse comme une bougie rose. Puis elle sonna sa domestique pour que je connusse tout le monde.

A dire vrai, j'étais un peu étonné de voir Petite-Secousse propriétaire, mais je ne jugeai pas convenable de l'interroger là-dessus. Du reste, peu m'importait le sens de ses discours ; elle avait une de ces voix graves et élégantes qui pénètrent sensuellement dans les veines, nous engourdissent et font éclore la mélancolie. C'était toujours l'ancienne petite fille, mais la puberté avait fondu sa dureté et comme feutré les brusqueries un peu sombres de sa dixième année. Du petit animal entêté qui m'avait un soir donné sa main fiévreuse, elle n'avait conservé, parmi ses grâces de jeune femme, que cette saveur de sembler un être tout d'instinct et nullement asservi par son milieu.

Charmante et secrète ainsi, elle excitait infiniment mon imagination et m'emplissait de volupté. Je ne sais rien de plus troublant que de retrouver dans une grande fille le sourire qu'on lui vit enfant. Cela éveille l'idée si passionnante des transformations de la nature, nous distinguons confusément que ce jeune corps qui nous enchante n'est pas une chose stable, mais le plus bel instant d'une vie qui s'écoule. Avec une sorte d'irritation sensuelle, nous voudrions la presser dans nos bras, la préserver contre cette force de mort qu'elle porte dans chacune de ses cellules, ou du moins profiter, dans une sensation plus forte que les siècles, de ce qui est en train de périr.

Quand Bérénice était petite fille, dans mon désir de l'aimer, j'avais beaucoup regretté qu'elle n'eût pas quelque infirmité physique. Au moins pour intéresser mon cœur avait-elle sa misère morale. Une tare dans ce que je préfère à tout, une brutalité sur un faible, en me prouvant le désordre qui est dans la nature, flattent ma plus chère manie d'esprit et, d'autre part, me font comme une loi d'aimer le pauvre être injurié pour rétablir, s'il est possible, l'harmonie naturelle en lui violée. Je m'écarte des êtres triomphants pour aimer, comme aime Petite-Secousse, les beaux yeux résignés des ânes, les tapisseries fanées, ou encore, comme j'aurais voulu qu'elle fût elle-même, les petites malades qui n'ont pas de poupées. C'est qu'il n'est pas de caresse plus tendre que de consoler.

A Aigues-Mortes, toutefois, ayant vu sa nuque souple et ses grands cils mélancoliques, je m'égarai de cette façon de sentir. Je me sentis disposé à la posséder. Et comme le plus sûr moyen dans le tête-à-tête, pour arriver à la sensualité, me parut toujours les sentiers de la mélancolie, au soir tombant je priai Petite-Secousse de me raconter ces tristesses qu'elle m'avait indiquées d'un mot léger à Arles, quand une de ses larmes tomba sur sa main que je baisais.

LES AMOURS DE BÉRÉNICE
ET DE FRANÇOIS DE TRANSE

Je n'essayerai pas de vous retracer ce récit tel que je l'entendis de Petite-Secousse; elle disait ses souvenirs avec un frémissement de vie intérieure longtemps contenue, avec une exaltation trop tendre.

Bérénice, à toutes les époques, fut remplie d'une chère pensée comprimée qui la rendait indifférente au monde extérieur. D'ailleurs cette pensée, elle eût été bien incapable de la définir, alors même qu'elle s'y livrait avec le plus de mollesse. Vous savez qu'elle naquit avec un secret dans l'âme. C'est pour mieux le caresser qu'elle s'était tant plu dans la solitude du musée du roi René, et son air un peu dur d'enfant témoignait ces dispositions chimériques. Quand l'âge en fut venu, cette mélancolie qui ignorait ses motifs se fixa dans un amour.

Elle s'attacha très sincèrement à un jeune homme, François de Transe, qui l'entretint et l'aima avec passion. D'une excellente famille de Nîmes, il avait connu Petite-Secousse à Paris, dans un souper où le fêtait son oncle, vieux viveur, ami des Casal et autres gens de cercle; aussi ne pouvait-il se faire d'illusion sur les inconséquences passées de cette jeune libertine, mais elle était, avec ses dix-sept ans, une si belle petite fille! puis ils avaient tous deux des âmes d'enfants généreux, et l'un pour l'autre une vraie sensualité.

Ils vécurent pendant deux ans à Aigues-Mortes. « Nous ne nous ennuyions jamais, me dit Bérénice, et l'heure des repas nous surprenait toujours. Nous avions les animaux, le tir au pistolet, et puis il jouait à me porter dans le jardin.

En été, nous allions au Grau-du-Roi, qui est, à trois kilomètres, une petite station de bains de mer. Chaque année nous faisions un voyage à Nice et à Paris. » Elle eût pu ajouter qu'à vingt ans ceux qui s'aiment dorment beaucoup.

M. de Transe menait là une vie qui déplut à sa famille. On le somma de faire le tour du monde; il devait, comme c'est la coutume, rencontrer les Princes à Java et leur être présenté. Les derniers jours que passèrent ensemble ces deux jeunes gens furent la fièvre la plus triste. Le valet de chambre qui venait le matin habiller M. de Transe s'essuyait les yeux en les regardant tous deux couverts de pleurs.

Elle le mena à la gare, mais ne se sentit pas le courage d'aller jusqu'à Marseille. Aurait-elle pu supporter la solitude du retour, à travers les joies grossières de cette ville! D'ailleurs, il convenait qu'il donnât ces derniers jours aux siens. Quand il fut dans le train de Nîmes, il ne put retenir ses larmes, de sorte que, se rejetant en arrière, il lui dit adieu et leva la glace. Elle courut à l'endroit où la route se rapproche de la voie ferrée, espérant faire encore de la main des adieux à son ami, mais le train passa comme un train d'étrangers. Sans doute il avait relevé son manteau sur ses yeux et il songeait qu'un jour elle appartiendrait à un autre.

Petite-Secousse, de son côté, avait les plus tristes pressentiments : peu de jours après cette séparation, en l'absence de sa camarade Bougie-Rose, elle ouvrit une lettre adressée à cette dernière et ainsi conçue : « Venez me parler à Nîmes, j'ai une grave nouvelle à vous communiquer qui intéresse votre amie. » La lettre était signée d'un aimable homme, plus âgé que M. de Transe, mais de qui celui-ci avait souvent parlé avec amitié à Bérénice.

Au milieu des pires agitations, elle ne put dormir de la nuit. Dès le premier train, le cœur et le visage défaits, elle partait pour Nîmes. « Oh! ma pauvre petite, lui dit celui qu'elle interrogeait avec anxiété, ce n'est pas vous que j'aurais voulu voir, mais Dieu ne permet pas que le coup vous soit atténué. — François est mort! » s'écria-t-elle.

Ce qui me frappa le plus dans le touchant récit qu'elle me fit de ces pénibles circonstances, c'est son acceptation absolue des conventions sociales. Elle était née sans aucun goût pour refaire la société, ni même la contester ; puis les tableaux du roi René lui avaient enseigné que l'Univers est un vaste rébus. C'est ainsi qu'elle avait accepté dans sa dixième année tant de familiarités qui convenaient peu à son âge. Elle avait un sentiment très fin et très susceptible de la tendresse et de la politesse que lui devaient ses amis. Pourtant sa reconnaissance était vive de ce qu'un homme sérieux, comme elle disait, se fût préoccupé de la prévenir doucement. M. de Transe était mort d'un sot accident, au huitième jour de son voyage, pris de fièvre typhoïde.

Au reste le récit de Bérénice était obscur et minutieux, avec des lacunes. C'était comme une vision qu'elle me décrivait en serrant ma main dans les siennes, et les yeux fixes. « J'étais gaie autrefois, mais, de chagrin, maintenant je reste des heures sans penser. » Et sa douleur, à se raconter, devenait aussi neuve que le jour même, où elle apprît, à Nîmes, la mort de son ami. « Savez-vous, me disait-elle, quelle idée j'avais, étant seule dans le train, ce soir-là ? J'aurais voulu entrer au couvent ! »

Elle rougissait de sa confidence, craignant que je ne la comprisse pas ; mais moi, je me sentais le frère de cette petite fille, désolée dans cette maison pâle, et je souffrais de ne savoir le lui faire connaître. Mon rêve fut toujours de convaincre celle que j'aimerais qu'elle entre à la Réparation ou bien au Carmel, pour appliquer les doctrines que j'honore et pour réparer les atteintes que je leur porte.

Jamais plus intense qu'auprès de cette petite fille, je n'eus la sensation d'être étranger aux préoccupations actives des hommes... A travers les vitres, je contemplais un sentier filant en ligne droite vers le désert, puis, découpées en ombres chinoises, deux jeunes filles gaies, riant à des ouvriers qui rentraient du travail, et j'y vis le grossier désir de perpétuer l'espèce, tandis que des aboiements de chiens signifiaient nettement les jeux, les querelles, toutes les vaines satisfactions de l'individu. Accablé dans mon fauteuil et pénétré de la douleur de mon amie, je me sentais infiniment dégoûté de tous, sinon de ceux qui souffrent délicatement et composent dans leur imagination enfiévrée, des bonheurs avec les fragments qu'ils ont entrevus.

La maison lui avait été donnée par M. de Transe. Ce

pieux souvenir, mêlé à son sentiment de propriétaire, l'attachait infiniment aux moindres détails de son intérieur. Elle voulut me les faire connaître en signe de confiance et pour couper notre tristesse. Or, à la tête de son large lit, était suspendu un chapelet béni par le pape, un souvenir de M. de Transe. Je ne pus résister au plaisir de le prendre entre mes mains, heureux de m'associer à son culte, tandis qu'elle pleurait, le front dans l'oreiller, à cette place même où ils s'étaient tant aimés.

Dans le cours de cette soirée, elle me raconta encore une histoire que je trouve touchante.

M. de Transe aimait beaucoup sa grand-mère et lui confiait toutes ses préoccupations vives, sûr de trouver chez elle de l'affection et une pointe d'admiration pour tout ce qui le concernait. Comment se serait-il retenu de l'entretenir d'un amour dont il était tout rempli ? Cette excellente personne accueillit ses confidences avec indulgence : aucun de ceux qui aimaient son petit-fils ne pouvait être sans vertu à ses yeux, puis elle savait que cette jeune fille avait remis à François une médaille sainte qu'elle portait à son cou, en lui demandant de ne quitter jamais ce petit signe où se rejoignaient leur piété et leur amour.

De son côté, Bérénice, sur la foi de son amant, s'était prise de respectueux attachement pour cette vieille dame qu'elle ne connaissait pas, mais considérait un peu comme sa protectrice.

Or, un jour, à Nîmes, deux mois après ses gros chagrins, Bérénice, toujours pâlie de douleur, étant montée dans un tramway, se trouve assise en face d'une personne âgée, qu'à la couleur de ses yeux, à la douceur de la bouche, à mille traits qui l'émurent, elle n'hésita pas à reconnaître pour la grand-mère de M. de Transe. Sans nul doute, François avait montré à sa vieille confidente un des chers portraits qu'il portait toujours sur lui, car Bérénice vit bien qu'elle-même était reconnue. Les deux femmes ne se parlèrent point, mais, me disait Bérénice, la vieille dame baissait les paupières pour que je pusse la regarder tout à mon aise, et c'était la figure même de M. de Transe que je revoyais ; puis moi-même je détournais mon regard pour qu'elle me fixât sans gêne. Ainsi nous fîmes jusqu'au bout de notre

286

chemin, et j'ai bien vu qu'en descendant elle avait les yeux pleins de larmes.

J'admirais la tendre imagination de ma Bérénice et tout ce qu'elle prêtait de délicatesse à sa chétive tragédie.

Cette première soirée que je passai avec Petite-Secousse devenue grande me fut délicieuse sans restriction, et son récit avait détourné de telle manière mon idée que j'entrevis une forme d'amour supérieure à la possession.

Si Bérénice n'a guère de vertu, elle possède beaucoup d'innocence, ce qui est plus sûrement une chose bonne et gracieuse. La vertu est le résultat d'un raisonnement, c'est se conformer à des règles établies. Bérénice est toute spontanée; ses formes délicates renferment l'ardeur et l'abondance de sa race. Par le sentiment, elle atteint du premier bond ce qu'il y a de plus noble, la tristesse religieuse, cachée sous toutes les vives douleurs. Rien qui soit aussi contagieux. C'est pourquoi j'allai coucher à l'hôtel.

Journée que passa Philippe sur la tour Constance, ayant à sa droite Bérénice et à sa gauche l'adversaire

Dans mon sommeil, je vis Bérénice se promener parmi les romanesques paysages d'Aigues-Mortes, et ils lui faisaient le plus harmonieux des jardins.

Le jour ne dissipa rien du charme dont m'avait enveloppé son récit, et pour mieux m'en pénétrer je désirai reposer mes yeux sur ces étangs, ces landes et cette mer qui, hier au soir et dans mon rêve, s'harmonisaient si intimement aux nuances et aux frissons de mon amie.

On m'indiqua le point le plus élevé des remparts, la tour Constance, citadelle du treizième siècle, d'où je dominerais la région.

VUE GÉNÉRALE ET CONFUSE

Tandis que je gravissais le mince escalier qui se dévide dans l'épaisseur des murs énormes, ai-je regardé ce que me montrait le guide de l'ingéniosité des guerriers moyenâgeux à se verser des huiles bouillantes sur la tête par le mâchicoulis? Je ne pensais qu'aux misérables qui, dans ces salles superposées, abîmes glacés et suintants de ténèbres, avec un cœur défaillant comme le mien, connurent le désespoir. A chaque bruit, ils craignaient qu'on ne vînt les faire souffrir; à chaque silence, qu'on ne les laissât périr de faim.

Dégradés et abandonnés, comme ils sont pour moi pitoyables !

Le guide maintenant me décrit ce que furent ces salles pour les conseils qu'y tint Saint Louis, à la veille de ses croisades. De hautes boiseries, puis des tapisseries revêtaient ces murs ; les dalles étaient couvertes d'une litière de paille d'orge jonchée de fleurs fraîches qui la parfumaient. Nous avons perfectionné notre confortable ; avons-nous des méthodes pour mieux satisfaire la délicatesse de nos cœurs raffinés ?... J'ai rencontré à un tournant de mon ascension la chapelle aux arceaux nerveux, le coin secret où le roi s'agenouillait et suppliait Dieu qu'il lui accordât le don des larmes. Cette forte prière n'exprime-t-elle pas, avec la netteté des cœurs sans ironie, la volupté où j'aspire et que Bérénice semble porter aux plis des dentelles dont elle essuie ses tendres yeux ?

Dans cet angle étroit, je m'attarde, et je réfléchis que de ce long passé, des siècles qui font de cette tour la véritable mémoire du pays, rien ne se dégage pour moi que ceux qui méditèrent et ceux qui souffrirent...

En réalité, ils ne diffèrent guère.

Nos méditations, comme nos souffrances, sont faites du désir de quelque chose qui nous compléterait. Un même besoin nous agite, les uns et les autres, défendre notre moi, puis l'élargir au point qu'il contienne tout.

Telle est la loi de la vie. Avec nos futilités et parmi ces fausses nécessités qui nous pressent, qu'est-ce que Bérénice et moi-même ?

Cette tendre rêveuse souffre d'un bonheur perdu, rêve un peu confus et analogue à ces paradis que les peuples primitifs placent dans leur passé. Pour moi, dès mes premières réflexions d'enfant, j'ai redouté les barbares qui me reprochaient d'être différent ; j'avais le culte de ce qui est en moi d'éternel, et cela m'amena à me faire une méthode pour jouir de mille parcelles de mon idéal. C'était me donner mille âmes successives ; pour qu'une naisse, il faut qu'une autre meure ; je souffre de cet éparpillement. Dans cette succession d'imperfections, j'aspire à me reposer de moi-même dans une abondante unité. Ne pourrais-je réunir tous ces sons discords pour en faire une large harmonie ?

... Des problèmes analogues desséchaient le roi Louis,

tandis qu'agenouillé sur ces dalles, il implorait le don des larmes. Avec une religion aussi vive, et simplement modifiée par les circonstances, je me préoccupe, moi aussi, de servir mon âme qui veut être émue. Je n'ai pas comme Saint Louis de formule déterminée à laquelle me conformer, mais je cherche ma formule à travers toutes les expériences.

J'atteignais la plate-forme de la tour, et mon cœur se dilata à voir l'univers si vaste. Le passage de cette tour qui m'oppressait à cet illimité panorama de nature exprimait exactement le contraste de l'ardeur resserrée d'un Saint Louis et de mes désirs infiniment dispersés.

Mais un petit phare de douze mètres s'élevant encore sur cette terrasse, je me refusai à rien regarder avant que je m'y fusse installé pour embrasser le plus long horizon.

Maintenant, à mes pieds, Aigues-Mortes, misérable damier de toits à tuiles rouges, était ramassée dans l'enceinte rectangulaire de ses hautes murailles que cerne l'admirable plaine : terres violettes, étangs d'argent et de bleu clair, frissonnant de solitude sous la brise tiède; puis, à l'horizon, sur la mer, des voiles gonflées vers des pays inconnus symbolisaient magnifiquement le départ et cette fuite pour qui sont ardentes nos âmes, nous pauvres âmes, pressées de vulgarités et assoiffées de toutes ces parts d'inconnu où sont les réserves de l'abondante nature.

Longtemps, sans formuler ma pensée, je demeurai à m'émouvoir de ces vastes tableaux et à aimer ce pays, de telle façon que si mauvais procédés qu'il ait pour moi dans la suite et quand même cet échauffement qu'il me donne m'apparaîtrait déraisonnable, cela jamais ne puisse être effacé que nous n'avons fait qu'un et que j'ai participé de sa gravité après tant de vaines agitations. Magnifique mélancolie, et misérable pourtant! Satisfaction intense, mais privée de cette sécurité qui seule saurait me donner la paix. Car je suis une minute de ce pays et pour cet instant il repose en moi, mais combien d'autres avant mon heure ont distingué l'âme de ce pays et l'ont fondue avec la leur, de ce même point de vue où je suis assis, pour s'en faire une belle âme unique! puis cette beauté qu'ils s'étaient composée se dissipa, dans le même délai que mon émotion va s'affaisser.

Mais soudain de la plate-forme, des voix montèrent jusqu'à moi, et je reconnus ma délicieuse Bérénice qui causait avec un jeune homme.

J'allai la saluer.

VUE DISTINCTE ET ANALYTIQUE DES PARTIES

Bérénice fit la présentation :

— M. Charles Martin, ingénieur.

Je reconnus mon acharné adversaire du comité arlésien. C'est un vigoureux garçon, avec le genre de distinction que peut avoir un professeur, et, ce qui m'intéresse, il présente tous les caractères de l'homme passionné. Nous nous tînmes fort courtoisement, et chacun de nous s'en savait gré à soi-même. Quand on est né chien et qu'on rencontre une personne née chat, il est toujours flatteur de sentir qu'on fait voir en ce moment le plus beau résultat de la civilisation, en ne se jetant pas l'un sur l'autre.

— Je vous croyais rentré à Arles, me dit Bérénice.

— J'ai manqué mon train, un peu volontairement : voilà une heure que je suis dans la tour.

— Avouez que vous avez dormi là-haut, me dit M. Martin.

A ce ton, je reconnus immédiatement un de ces garçons qui se piquent d'esprit positif; ils ont au moins l'esprit scolaire, c'est-à-dire l'habitude contractée dans les classes de croire que leur manière de sentir est la raisonnable, et tout le reste sottise ou hypocrisie. Or personne plus que Charles Martin ne méprise la vie de contemplation. Il a l'habitude de déclarer : « Me prenez-vous pour un rêveur ? » Comme on dit : Suis-je un pourceau ! »

— Mais non, lui répondis-je, un peu sur la défensive; j'y ai pris, au contraire, un vif intérêt.

Il désirait la conciliation (d'où je le devinai amoureux de Bérénice), car il reprit :

— C'est juste, vous avez là quarante-deux mètres d'élévation, on y saisit à merveille la topographie. Il est fâcheux que vous n'ayez eu personne pour vous orienter dans ce panorama.

291

Il commençait des explications et même je pus craindre qu'il ne donnât des épithètes de beauté aux étangs, au désert, au ciel, aux choses d'archéologie. Heureusement, il s'en tint à étiqueter de leurs noms exacts ces mornes étangs, ces arbres contractés et ces âpres herbages. Superflue technologie! Les sentiments dont ils m'emplissaient me les désignaient suffisamment!

Parmi les notions toutes formelles qu'il nous donna, son expérience d'ingénieur du Rhône me fournit cependant certains détails qui confirmèrent et éclairèrent la physionomie que d'instinct je m'étais faite du pays d'Aigues-Mortes.

Toute cette plaine, nous dit-il, aux époques préhistoriques, était recouverte par les eaux mélangées du fleuve et de la mer.

Elle ne l'a pas oublié. La diversité de sa flore raconte les luttes de cette terre pour surgir de l'Océan : sur les bosses croissent des pins et des peupliers blancs qui trouvent ici l'eau de pluie nécessaire à leurs racines; dans les bas-fonds encore imprégnés d'eau salée, des joncs, des sourdes, de ternes salicornes... N'est-ce pas de cette persistance dans le souvenir, de cette continuité dans la vie que naissent l'harmonie et la paix profonde de ces longs paysages?

Bérénice, de qui je presse contre moi le bras, est harmonique à ce pays. C'est qu'elle a comme lui de profondes assises; j'en avais eu tout d'abord une perception confuse. Un sentiment très vif des humbles droits de sa race au bonheur et un secret fait de souvenirs et d'imaginations, voilà toute son âme. Combien j'envie à cette enfant et à cette vieille plaine cette continuité dans leur développement, moi qui ne sais pas même accorder mes émotions d'hier et d'aujourd'hui! C'est par là que j'aime ce pays, quoique je ne prétende pas en faire un champ de culture; c'est par là que j'aime Bérénice, quoique je ne songe pas à la faire ma maîtresse; et même, champ de culture ou maîtresse, je les aimerais moins que gardant leur tradition dans la tristesse, comme cette petite et ces sables salés.

A un autre instant, Charles Martin se félicitait que depuis trente ans on eût livré la majeure partie de ce pays à la culture et au défrichement.

— Il en est ainsi des habitants, me disais-je; les longues

époques où notre race était en friche sont passées. Peut-être sur nos âmes a-t-il apparu des modifications plus frappantes depuis cinquante ans que durant trois siècles. Chez beaucoup d'entre nous, ce devient une grande difficulté de retrouver le fonds; les âmes comme Bérénice sont bien rares. Mais allons à quelques pouces sous cette plaine d'Aigues-Mortes, très vite elle se révèle, et c'est par cette connaissance que nous pouvons l'utiliser. De même pour le peuple, il faut connaître sa tradition et ses besoins profonds. Cet ingénieur, qui le méprise et ne cherche pas à le pénétrer, veut lui imposer ce qu'il considère comme raisonnable!

Charles Martin, en effet, qui sait tout ce qu'on peut savoir de ces plaines tourmentées du Rhône, ne me paraît guère les comprendre; en lui tout demeure à l'état de notion sans se fondre en amour.

Il est monté avec Bérénice sur ce belvédère pour qu'elle embrasse la nécessité de certains travaux qui lèsent, dit-elle, sa villa de Rosemonde. Et ce qui me frappe dans ses explications, c'est jusqu'à quel point, en tout et sur tout, il se refuse à accepter ce pays tel qu'il est et prétend lui imposer sa discipline.

Charles Martin, dans sa suffisance de fonctionnaire et d'ingénieur, imagine qu'il doit plier cette région sur la formule d'un beau pays, telle que l'établissent les concours qu'il a brillamment subis.

Foi naïve à la science! Il croit que la parfaite possession de la terre, c'est-à-dire l'harmonie de l'homme et de la nature, résultera de l'application à tout le continent des mêmes procédés de culture et de transport. Des routes, des récoltes, des digues, ne sont pas pour lui des moyens, mais de pleines satisfactions où il s'épanouit. Comme il sourit de ces « assises profondes, de cette puissance de fixité » que perçoivent quelques-uns dans l'ensemble d'un paysage, dans un peuple! Ce sont elles pourtant qui m'invitent à m'affermir, à creuser plus avant et à étudier dans mon moi ce qu'il contient d'immuable. Quoi qu'en pense Martin, pour entreprendre utilement la culture de notre âme ou celle du monde extérieur, rien ne peut nous dispenser de connaître le fonds où nous travaillons. Il faut pénétrer très avant, se mêler aux choses, par la science, soit! par l'amour surtout, pour saisir d'où naît l'harmonie qui fait la paix et la singulière intensité de cette contrée. Sinon, vous continuez cette œuvre dont j'ai tant souffert, vous faites de la mobilité, de la vaine agitation. Vous croyez donnez à ce jardin mille aspects nouveaux, vous n'avez touché qu'à la surface, votre œuvre est de celles qu'emporte un caprice du Rhône ou quelque mouvement de notre humeur.

Ame triste et déshéritée de Bérénice, je vous aime; je ne prétends pas vous imposer mon âme, mais à vous qui n'avez pas bouleversé sous mille cultures la part originelle que vous avez reçue de votre race, je demande que je me soyez un directeur.

Et toi aussi, mélancolique pays, parent de Bérénice, enseigne-moi.

L'un et l'autre, vous avez suivi le fil de votre race et l'instinct de votre sève; moi je suis impuissant à rien défendre contre la mort. Je suis un jardin où fleurissent des émotions sitôt déracinées. Bérénice et Aigues-Mortes ne sauront-ils m'indiquer la culture qui me guérirait de ma mobilité? Je suis perdu dans le vagabondage, ne sachant où retrouver l'unité de ma vie. Je n'espère qu'en vous pour me guider.

Bérénice, qui attendait son amie de Nîmes, ne tarda pas à nous quitter, satisfaite de notre bonne entente et amusée de nous envoyer déjeuner côte à côte à l'hôtel.

Quoique pour l'ordinaire je répugne à supporter la contradiction, l'aventure me plut. Je sentais que ce compagnon méprisait d'une belle ardeur toutes les idées qu'il ne partageait pas, et c'est un plaisir de séduire des ennemis de cette sorte jusqu'à jeter ainsi le désarroi dans leur esprit catégorique.

Dès le potage, j'eus la satisfaction de voir net dans tous ses rouages, sans qu'il me comprît le moins du monde. Comme s'il eût posé cartes sur table, je connus tout le jeu d'images contradictoires où il s'embarrassait sur mon caractère.

Serait-ce un esprit chimérique? se disait-il, tandis que je lui parlais des misérables; ou immoral? quand j'en vins à vanter certain phalanstère religieux. Pour trancher, il eût admis volontiers l'une et l'autre hypothèse, mais mon affabilité d'un ton très simple le préoccupait, et de cette attitude sans signification il cherchait à tirer des conclusions, bien plus que des idées que je lui exposais. D'ailleurs, chacune de ses paroles était de vanité, et il me parut avoir, comme la plupart de ces hommes, un cerveau d'enfant dominé par des mots de spécialiste.

Saura-t-il jamais combien je l'ai goûté, l'excellent sot! C'était un ingénieur de trente ans, avec une figure confiante d'adolescent, un regard très pur et le charme d'un jeune animal. Tout en lui était énergie. Comme il tenait pour droiture parfaite chacune de ses pensées! Avec quel entrain il méprisait ceux qu'il désapprouvait! Ses certitudes, ses affirmations, son exclusivisme, étaient pour moi choses si folles, si dénuées de clairvoyance, qu'il n'aurait jamais pu me blesser, Martin, en vérité, m'excitait autant que merveille au monde; il m'emplissait d'une perpétuelle satisfaction à vérifier sur chacune de ses paroles combien je n'avais pas trop auguré de son animalité.

Je savais que les comités gouvernementaux d'Arles songeaient à lui offrir la candidature officielle, et je lui parlai de la situation politique dans le département. Aussitôt, du ton approprié :

— Je vous en prie, me déclara-t-il, j'aurai grand plaisir à causer avec vous sur tous sujets, mais pas de politique! nous avons là-dessus des idées absolument opposées.

Cette phrase me remplit d'un délicieux bien-être; je la prévoyais textuellement. Je l'assurai que je n'avais aucune intention de le contredire, ayant moi-même peu de confiance dans la dialectique, mais que je désirais me faire une vue claire des opinions qui lui étaient chères, afin de fortifier d'autant ma connaissance des vœux de tous les Français.

Ma réponse et mon sourire courtois lui parurent tels qu'il se fixa dans cette impression : « sceptique, sans conviction. » Parce que je montrais un goût très vif pour être renseigné sur toutes les convictions!

Mais pour que vous touchiez la faute constante de Charles Martin dans ses raisonnements, je noterai encore ce qui advint comme on servait le rôti. Un commis voyageur dit : « Avez-vous visité la tour Constance? les oubliettes?... il faut voir ça! c'est là que Saint Louis précipitait les protestants. » Il y eut un lourd silence, puis quelqu'un reprit, exprimant le sentiment de toute la table : « Ah! mes amis! nous avons la République, gardons-la bien! »

A cet instant, l'adversaire crut que j'allais railler, et pour prévenir mon sourire il haussa les épaules, et sa moue attristée signifiait qu'une telle ignorance de la chronologie est tout à fait fâcheuse.

— Je ne partage pas votre impression, lui dis-je à mi-voix. Une erreur historique c'est peu grave, et ce que veulent signifier ces messieurs est fort net. Ils témoignent un goût très vif pour la tolérance philosophique; ils entrevoient la conciliation possible de tous les idéals. Le même rêve m'obsède.

Distingue-t-on maintenant la qualité morale de Charles Martin?

Ah! celui-là n'est pas un égotiste, il méprise la contemplation intérieure, mais il vit sa propre vie avec une si grossière énergie qu'il la met perpétuellement en opposition avec chaque parcelle de l'univers. Il ignore la culture du moi : les hommes et les choses ne lui apparaissent pas comme des émotions à s'assimiler pour s'en augmenter; il ne se préoccupe que de les blâmer dès qu'ils s'écartent de l'image qu'il s'est improvisée de l'univers.

Dans la vie de relations, il est un sectaire; dans la vie de compréhension, un spécialiste. Il voit des oppositions dans la multiplicité et ne saisit pas la vérité qui se dégage de l'unité qu'elles forment. A chaque minute et de tous aspects, il est « l'*Adversaire* ».

RECONSTITUTION SYNTHÉTIQUE D'AIGUES-MORTES, DE BÉRÉNICE, DE CHARLES MARTIN ET DE MOI-MÊME, AVEC LA CONNAISSANCE QUE J'AI DES PARTIES

J'étais trop intéressé par ma chère Bérénice et par cette plaine, qui, toutes deux, manifestent si nettement cet immuable que je n'ai pas trouvé en moi; il me fallait y méditer encore.

Je ne retournai pas à la villa de Rosemonde, je voulais

goûter la forte nourriture que seule sait nous donner la solitude. Ses joies, dans leur brève durée, sont assez intenses pour effacer les longs ennuis inséparables de l'isolement; elles nous élèvent d'une telle ivresse que les plus distinguées frivolités de la vie de société dès lors sont mêlées d'amertume, pour qui se rappelle de quelle vigueur de sensation il se prive en se mêlant aux hommes.

A travers les petites rues, sur les remparts qui dominent l'horizon et dans la plaine si triste près des étangs, je remâchais mes réflexions de la journée et les travaillais, en sorte que d'heure en heure elles me devenaient plus fortes et fécondes.

J'aimais cette campagne et j'avais la certitude de m'en faire l'image même qui repose dans les beaux yeux et dans le cœur attristé de Bérénice. Comme mon amie, je laissais mon sentiment se conformer à ces étangs mornes et fiévreux, à ce pays lunaire plein de rêves immenses et de tristesses résignées. Mais en même temps que Bérénice liait ainsi par de ténues sentimentalités mon âme à Aigues-Mortes, je fortifiais cette union avec tous les petits renseignements que m'avait donnés cet esprit sec de Charles Martin.

Quand le soleil fut à son déclin, je montai à nouveau sur la tour Constance, ne doutant pas que je n'y trouvasse de plus fiévreuses émotions, à cette heure où les rêves sortent des étangs pour faire frissonner les hommes.

Les couchers du soleil sont prodigieux à Aigues-Mortes. Je n'y vis jamais rien de brutal : ses feux décomposés par l'humidité de l'air prenaient tous les coloris tendres de la gorge des colombes, mais avec une grandeur et une sublimité de désolation que Saint Louis, quittant ces rivages, ne dut pas retrouver égales dans les plaines de Damiette. Ici, rien de vulgaire, rien non plus qui date; ce lieu, qui se présente naturellement sous un aspect d'éternité, met en un clair relief combien est furtive la grâce de Bérénice, combien fugitive chacune de mes émotions les plus chères. Aigues-Mortes est une pierre tombale, un granit inusable qui ne laisse songer qu'à la mort perpétuelle.

Avec une prodigieuse netteté se détachaient les ondulations des côtes sur la mer. Et je songeais que le dessin en avait été modifié perpétuellement au cours des siècles. Ainsi que les flots, me disais-je, déforment chaque jour ce rivage, le flux et le reflux des mêmes passions agissent sur la sensibilité des hommes. Bérénice, Charles Martin et moi, nous sommes des instants divers de l'intelligence humaine.

Je touchais avec une certitude prodigieuse la puissance infinie, l'indomptable énergie de l'âme de l'univers que jamais le froid ne prend au cœur, qui ne se décourage sous la pierre d'aucun tombeau et qui chaque jour ressuscite.

A chaque minute, le paysage se transformait sous la lumière dégradante, de même que le long des siècles il s'est modifié sous l'ardeur de l'Océan, et de même qu'il se modifie dans les esprits qui le contemplent. Dans cette solitude, dans ce silence singulier de mon observatoire qui ne laissait aucun vain bruissement sur ma pensée, dans cette facilité d'embrasser tout un ensemble, les analogies les plus cachées apparaissaient à mon esprit. Je voyais cet univers tel qu'il est dans l'âme de Bérénice, la physionomie très chère et très obscure qu'elle s'en fait d'intuition, l'émotion religieuse dont elle l'enveloppe craintivement; je le voyais tel qu'il est dans le cerveau de « l'Adversaire », collection de petits détails desséchés, vaste tableau dont il a perdu le don de s'émouvoir, par l'habitude qu'il a prise de réfléchir sur quelques points. Et moi, me fortifiant de ces deux méthodes, je suis tout à la fois instinctif comme Bérénice, et réfléchi comme l'Adversaire; je connais et je sympathise; j'ai une vue distincte de toutes les parties et je sais pourtant en faire une unité, car je perçois le rôle de chacune dans l'ensemble. Je suis religieux comme Bérénice, mais je sais pourquoi. J'ai des émotions spontanées, mais je les cultive avec une méthode qui dépasse encore la méthode de Charles Martin.

L'obscurité était venue. J'exprimai au gardien de la tour le désir de rester là encore quelques instants, et je le priai qu'il s'éloignât.

Maintenant que l'univers était rempli de nuit, un tableau plus beau encore m'apparaissait. Dans ce recueillement, les êtres prenaient toute valeur : ce n'était plus Bérénice que je voyais, mais l'âme populaire, âme religieuse, instinctive et, comme cette petite fille, pleine d'un passé dont elle n'a pas conscience; pour Charles Martin, c'était la médiocrité moderne, la demi-réflexion, le manque de compréhension, des notions sans amour. Mais moi-même je n'existais plus, j'étais simplement la somme de tout ce que je voyais.

Toute passion individuelle avait disparu. Je n'opposais plus mon moi à Bérénice, ni à Charles Martin; ils m'apparaissaient comme un instant pittoresque des merveilleuses destinées de l'humanité. Et moi, enivré de cette compréhension, je me jugeais assis sur la tour Constance, réfugié dans ce qui est éternel, possesseur du grand et universel amour. J'atteignais enfin, pour quelque secondes, au sublime égoïsme qui embrasse tout, qui fait l'unité par omnipotence et vers lequel mon moi s'efforça toujours d'atteindre.

Tel est le récit de la merveilleuse journée que je passai sur la tour Constance, ayant à ma droite Bérénice et à ma gauche l'Adversaire. Et, en vérité, ce nom de *Constance* n'est-il pas tel qu'on l'eût choisi, dans une carte idéologique à la façon des cartes du Tendre, pour désigner ce point central d'où je me fais la vue la plus claire possible de ces vieilles plaines et de cette Bérénice remplie de souvenirs? C'est en effet l'idée de tradition, d'unité dans la succession qui domine cette petite sentimentale et cette plaine; c'est leur constance commune qui leur fait cette analogie si forte que, pour désigner l'âme de cette contrée et l'âme de cette enfant, pour indiquer la culture dont elles sent le type, je me sers d'un même mot : *Le jardin de Bérénice*.

CONCLUSION : CRITIQUE DE CE POINT DE VUE

Je regagnais Arles par le dernier train, le hasard me fit voyager avec Charles Martin. Nous échangeâmes quelques idées et du premier trait il faillit prendre barre sur moi.

Il remarquait avec complaisance que les vieilles maisons disparaissent d'Aigues-Mortes et qu'on y construit beaucoup de fabriques. M'étant penché à la portière, je ne pus que vérifier son assertion, et j'en eus de la tristesse au point de suspecter mes belles émotions de la tour Constance, car toutes naissent de l'idée qu'Aigues-Mortes est une vieille ville à qui les siècles n'ont pas fait oublier son passé et qui reçoit sa beauté de cette constance.

Mais très vite je sentis que, malgré tout, la dominante d'Aigues-Mortes demeurait d'être une ville de souvenirs. On ne peut pas interrompre la vie; il y a des choses récentes dans Aigues-Mortes, c'est vrai, mais baste! il suffit que nous y trouvions le fil de la vie, la tradition et cette unité dans la succession, grâce à quoi elle produit sur le visiteur une impression si particulière. Ma chère Bérénice, elle-même, a dans la tête des préoccupations banales; dans le cœur, peut-être des petitesses; elle n'est pas remplie que de noble mélancolie et de souvenirs; je vois en elle des choses de ce temps. Mais enfin elle est belle et précieuse, parce que son caractère est d'éveiller notre vieux fonds de sentiments et d'émotions héréditaires, et que comme Aigues-Mortes elle se souvient de soi-même.

Voilà comment j'échappai à l'objection que me proposait implicitement l'Adversaire. Il prétendait que tout le vieux temps avait disparu et que j'étais mené par des imaginations littéraires que ruinerait la moindre enquête. Critique de portée immense! car le fond de ma préoccupation n'était ni Bérénice ni la campagne d'Aigues-Mortes; je ne pensais qu'à l'action électorale que je venais entreprendre à Arles; je ne pensais qu'au peuple. « Quelle est son âme? me demandais-je, je veux frissonner avec elle, la comprendre par l'analyse du détail, comme l'Adversaire, et par amour, comme Bérénice; arriver enfin à en être la conscience. » Qu'aurais-je conclu, si j'avais dû reconnaître que je m'étais mépris en trouvant une part inaltérée dans Aigues-Mortes et dans Bérénice? Il m'eût fallu renoncer aussi à dégager la tradition de la masse!

Dès lors, il ne m'eût plus resté qu'à abandonner Arles et la vie active. Mais vraiment l'Adversaire s'y était pris trop grossièrement. Et la bassesse de sa dialectique m'empêcha de me dérober à ma nouvelle tâche.

CHAPITRE VII

La pédagogie de Bérénice

Mon enfant donne-moi ton cœur.
Proverbe.

Dès lors, je vins souvent d'Arles à Aigues-Mortes visiter ma chère Bérénice. Jusqu'à quel point son contact m'était délicieux, on ne le comprendra que si l'on imagine la fatigue, la poussière des complications électorales d'où je m'échappais pour me rafraîchir dans la petite maison des étangs.

Bérénice ne parlait guère, mais son sourire et la ligne de son corps avaient une façon si mélancolique et si fine, avec un naturel parfait! Il y avait en elle l'étrangeté délicate de cette renaissance bourguignonne du quinzième siècle qui fut la moins académique des tentatives. C'est au milieu des rares vestiges de cet art, qui poursuivit passionnément l'expression, parfois aux dépens de la beauté, que s'était ouverte sa première jeunesse. Elle avait de ces images leur finesse un peu souffrante, mais sans raideur gothique, plutôt mouillée de grâce. Il me semblait parfois que les faiblesses sensuelles de son âme avaient transpiré sur tout son jeune corps, en baignaient les contours.

Au bord de ces eaux pleines de rêves, son élégance froissée par aucun contact et son ignorance prodigieuse de toute intrigue faisaient d'elle le plus précieux des repos. Eûtes-vous jamais un sentiment plus ardent des arbres verts et des eaux fraîches que dans la paperasse des bureaux? jamais plus le goût d'une passion vive qu'au soir d'une journée de confus débats? Cette petite fille contentait le besoin de sincérité

301

et de désintéressement qui grandissait en moi, tandis que je me soumettais aux conditions de ma réussite électorale. Les heures passées auprès d'elle m'étaient un jardin fermé.

Notre ordinaire, dans mes séjours d'Aigues-Mortes, était de marcher dans cette campagne divine et de ne tolérer sur nos âmes que des sentiments analogues à ceux qui flottent sur ses étangs ou végètent sur sa lande. Notre conversation eût paru desséchée, comme paraît cette terre : c'est qu'en étaient bannies toutes banalités; nous n'admettions rien entre nous que de personnel et de parfaitement sincère. Nous avions nos longs silences, comme cette terre a ses landes pelées, et peut-être n'est-elle jamais plus noble que dans ces friches semées de sel et balayées du vent de la mer.

Nous réservions pour nos soins privés les instants grossiers du milieu du jour, ces après-midi où l'épaisse congestion nous prive tout à la fois de frivolité et de profondeur, mais la fraîcheur du réveil et la lassitude du soir favorisaient également notre délicieux commerce d'abstractions.

Un matin, à travers les marais salants, nous allâmes visiter le bourg du Grau-du-Roi, qui est le port d'Aigues-Mortes. Un vent léger rafraîchissait le front, les yeux, la bouche, de mon amie Bérénice et découvrait sa nuque énergique de petite bête. Elle franchit avec aisance ces trois kilomètres, sans daigner regarder ce paysage plus qu'un jeune bouleau ne s'inquiète de la noble tristesse des horizons du Nord dont il est un des caractères. Pour moi, étranger dans cette vie harmonieuse, j'en prenais une conscience intense.

Le Grau-du-Roi, groupe de maisons basses bordant un canal jusqu'à la mer qui s'espace à l'infini, porta mon imagination en pleine Venise, comme une note donnée par hasard nous jette dans la cavatine fameuse de quelque opéra italien... C'était vers les dix heures, par un tendre soleil, et la brise emportait au large toutes nos rêveries, symbolisées sur l'horizon par des voiles déployées. Au Grau-du-Roi, les maisons des pêcheurs sont teintes de rose pâle, de jaune et de vert délayé. Aucun bruit que le long bruissement qui vient de la mer ne froissa mes nerfs suprasensibles, tandis qu'assis auprès d'elle, qui représente pour moi la force mystérieuse, l'impulsion du monde, je goûtais dans le parfum léger de son corps de jeune femme toute la saveur de la passion et de la mort. Or, comparant mes agitations d'esprit et la sérénité de sa fonction, qui est de pousser à l'état de vie toute ce qui tombe en elle, je fus écœuré de cette surcharge d'émotions sans unité dont je défaille, et je songeai avec amertume qu'il est sur la terre mille paradis étroits, analogues à celui-ci, où, pour être heureux, il suffirait d'être, comme mon amie, une belle végétation et de me chercher des racines, ces assises morales qu'elle avait trouvées en pleurant dans les bras de M. de Transe.

Parfois, le soir, après le repas, quand je sentais, dans un soupir de Bérénice un peu affaissée, que notre manie allait la lasser, je la laissais à sa futile camarade, Bougie-Rose, à sa domestique, de qui sa bonne grâce avait su tirer une humble amie, et je gagnais Aigues-Mortes par le sentier des étangs.

Seuls les saints la connurent, mon hystérie de méditation et cette violente variété d'abstractions où je me plongeais, tout en côtoyant ces marais lunaires vers l'ombre gigantesque des murailles amplifiées par la nuit! Puis sur le large trottoir de la petite place où veille un Saint Louis héroïque de Pradier, apercevant dans une demi-obscurité la rude église du douzième siècle, je m'énorgueillissais que ce pays ne fût utile qu'à mon éducation et que Bérénice, non plus, n'eût d'autres mission, enfant chargée de voluptés qu'elle laisse non cueillies se faner royalement sur elle-même.

Cela est certain qu'elle ne se serait pas refusée, mais cette assurance que j'en prenais dans ses yeux de petit animal, au moment même où elle pleurait M. de Transe, le seul ami dont elle eût jamais frissonné, suffisait à ne pas irriter mon désir.

Visiblement, je lui plaisais, et comme il convient pour que le sentiment soit vrai, d'instinct physique et de confiance. Parfois, dans nos promenades, tandis que je m'enivrais sans jamais m'en lasser de cette tristesse épanouie à tous les plis de son beau visage, elle me disait, avec l'éclatant sourire dont ses années de libertinage lui firent connaître l'irrésistible empire : « Venez plus près de moi », et elle m'attirait au fond de la voiture contre son jeune corps. « A quoi pensez-vous ? » interrogeait-elle, un peu mal à l'aise de ce compagnon, de qui, aujourd'hui comme jadis, les mobiles lui échappaient. Mais que je fusse distrait, ce lui était un suffisant motif de me goûter davantage, pour mon *originalité*, disait-elle, bien à contresens, car je n'étais qu'un esprit compréhensif, enveloppé, et conquis par l'abondante végétation qu'elle projette comme une plante vigoureuse.

« A quoi pensez-vous, Philippe ? » et je songeais qu'il est sur la terre bien des femmes dont le sein cache un beau trésor de douceur et de haute sagesse selon la nature, et qu'aucun n'aimera avec désintéressement parce que leurs corps voluptueux troublent de désir qui les approche.

Elles-mêmes, si délicates pourtant, sollicitent ces grossiers hommages. Mais ma Bérénice, qui sur ses lèvres pâles et contre ses dents éclatantes garde encore la saveur des baisers de M. de Transe, ne sera pas déçue si je ne lui apporte qu'un amour en apparence brillant et froid, une tendresse clairvoyante. Car le jeune homme qui n'est plus lui a laissé de passion ce qu'en peut contenir un cœur de femme, et cette passion, loin de s'évaporer avec le temps, se concentre dans la souffrance. La mort, qui a clos les yeux aimés où se penchait Bérénice, seule aussi pourra dissiper le vertige que cette enfant y prit. Ainsi, remplie d'un grand amour, elle ne demande à mon amitié d'autre passion, d'autre caresse qu'une tendre curiosité pour le bonheur qu'elle pleure.

Or, moi-même, dans ma dispersion d'âme, je ne puis mieux me servir qu'en me faisant le collaborateur de ces sentiments de nature. Cette sympathie trouble de Bérénice pour sa race, pour l'univers, me sera une forte médication. Nulle ne fut dans de meilleures conditions que cette petite fille, toute ramassée dans l'amour d'un mort, pour avoir une grande unité de vie intérieure; je désirai y participer.

Précisément il était aisé d'y progresser à cause de son éducation particulière. Comme elle était habituée à faire voir son jeune corps sans voiles, elle laissa aussi mes mains se promener sur son âme passionnée.

Voici les principes de vie que m'inspira la mélancolie de son visage, les voici tels que durant nos longs colloques je les lui formulai : pour son usage, disais-je, mais aussi pour le mien. Ils peuvent se ramener à trois points que je vais indiquer brièvement. S'il m'arrive de systématiser des notions qui prenaient plus de mouvement des circonstances mêmes où elles naissaient, du moins suis-je assuré de n'en pas fausser le caractère.

LA MÉTHODE DE BÉRÉNICE

Ce qui me frappe dès l'abord en vous, Bérénice, lui disais-je, c'est que vous avez le recueillement, la vie intérieure et cette sève abondante qui élança chez quelques-uns de si admirables ascétismes.

Non pas qu'ayant fermé les yeux vous soyez arrivée à comprendre la loi du monde, comme font les Marc-Aurèle et les Spinoza, par la force logique de votre esprit, mais une passion dont tressaille votre petit corps vous a fait vivre parallèlement à l'univers. Vous n'avez pas mis dans une formule, comme ces sublimes raisonneurs, l'âme du monde, mais on voit s'agiter en vous la force même qui conduit le monde. Et vos inquiétudes passionnelles, qui précisément ne vous laissent pas prendre conscience de l'univers, m'aident à entendre la réclamation des simples fleurs, des pauvres animaux qui souffrent, comme vous, pour avoir entrevu un état plus heureux, et comme vous, comme nous tous, veulent monter dans la nature.

Ton rôle, ma Bérénice, est de faire songer aux mystères de la reproduction et de la mort, ou, plus exactement, il faut qu'en toi tout crie l'instinct et que tu sois l'image la plus complète que nous puissions concevoir des forces de la nature. Rien de plus, mais quelle tâche délicate !

N'essaie pas d'être nature, c'est souvent être artificiel. Une Espagnole à qui je reprochais un jour de ne pas ressembler assez à un Goya, me répondit très justement : « Chez nous, ce ne sont plus que les femmes du peuple qui portent des mantilles ; je ne serais pas une vraie Espagnole d'aujourd'hui, si je m'habillais ainsi. » Parole très fine ! Elle eût paru déguisée en Espagnole. Ainsi, ma chère amie, pour me donner l'image de l'instinct, ne t'avise pas de chercher la simplicité ! sois subtile, si ça t'est plus commode.

Ta méthode, tu le conçois bien, ne doit être en rien d'expliquer la vérité. Je dirais même que tu dois éviter la moindre explication, tu n'y réussirais pas (as-tu seulement le vocabulaire abstrait convenable?), mais sans que tu le saches, chacun des mouvements de ton âme me révèle le sens de la nature et ses lois.

LES PLAISIRS DE BÉRÉNICE

Ton plaisir, ma chère Bérénice, c'est d'être enveloppée par la caresse, l'effusion et l'enseignement d'Aigues-Mortes, de sa campagne et de la tour Constance. « C'est là seulement que je me plais », me dis-tu. Elles te tiennent des discours dont tu peux te demander si ce n'est pas toi qui les leur a confiés. Tu te mêles à Aigues-Mortes; tes sensations, tu les as répandues sur toutes ces pierres, sur cette lande desséchée, c'est toi-même qui te restitues la brise qui souffle de la mer contre ta petite maison, c'est ta propre fièvre qui te monte le soir de ces étangs.

Et pourtant, cette rêverie où vous vous abandonnez, Aigues-Mortes et toi, ne te suffit pas. Ton âme dispersée sur cette terre, ta souffrance émiettée, tu aurais plaisir à les resserrer, à t'y recueillir, à en déguster chaque détail. Aigues-Mortes reste trop dans les généralités : tu as besoin d'un confident plus intime et aussi plus explicatif. Ta petite âme suave, si frémissante à toutes les solidarités de la nature, précisément parce qu'elle est neuve, obscure, a peu conscience d'elle-même; toi qui t'accordes profondément avec cette contrée, tu t'inquiètes pourtant, tu te crois isolée; tu aspires à rentrer dans le personnel. C'est pourquoi je projette que tu jouisses, que nous jouissions ensemble des voluptés de la confession.

En te révélant à moi, tu oublieras ta solitude; tu t'épancheras et donneras ainsi la gaieté des eaux vives aux douleurs qui croupissent en toi.

Par la méditation et l'examen de conscience en commun, on pénètre bien plus finement en soi-même. C'est une méthode que j'ai expérimentée avec mon ami Simon, — charmant garçon que j'ai un peu perdu de vue, mais que je veux te faire connaître. Je suis arrivé à faire en sa société quelques excursions sur des points tout à fait nouveaux de moi-même.

Enfin, étant ton confesseur, je serai en même temps ton directeur de conscience, et dans les commentaires que je veux faire sur ton âme, j'aurai soin de te la présenter sous le jour le plus favorable, en sorte que tu ressentes de la quiétude et une grande paix.

La volupté de l'épanchement, le bien-être de la pleine lumière et le calme du pardon, voilà ce que tu trouveras dans la confession, qui est véritablement le seul plaisir digne de Bérénice.

LES DEVOIRS DE BÉRÉNICE

Tu as des devoirs, Bérénice. Il ne suffit pas que tu sois une petite bête à la peau tiède, aux gestes fins, et une enfant qui se confesse avec naïveté : tu dois être mélancolique.

Que ton visage m'offre le plus souvent cette touchante gravité qu'il prend quand tu songes à M. de Transe et même à rien du tout. Le pli de ta bouche, la nuance de tes yeux, ton silence, me remplissent de tristesse et d'amour; c'est dans nos tristesses que nous désirons le plus posséder la vérité, pour qu'elle nous soit un refuge, et c'est par l'amour que nous la trouvons, car elle n'est pas chose qui se démontre.

Aussi je vous dirai : louez votre souffrance, n'en prenez pas de découragement. Votre mélancolie est plus noble et plus utile qu'aucune alacrité. Quelle que soit votre répugnance à l'admettre, croyez bien que jamais vous n'avez rien éprouvé d'aussi précieux que vos grandes tristesses de jeune veuve amoureuse. Jamais votre sentiment ne fut aussi épuré de vulgarité, aussi proche d'un sentiment religieux. Non, rien ne pouvait être plus fécond que votre deuil, sinon peut-être les profondes amertumes que vous eussiez connues au soir de vos jours d'amour, si vos désirs avaient été mêlés de jalousie.

Les jouissances de l'amour n'augmentent guère l'individu ; le plus net d'elles profite à l'espèce. Peut-être l'amour heureux s'épanouit-il en vertus physiques et morales chez les descendants, mais les amants n'en gardent que le vague souvenir d'un incident peu qualifié. Les souffrances d'amour, au contraire, marquent ceux qui les supportent, au point que quelques-uns en sortent méconnaissables ; elles décantent nos sentiments, fécondent des cellules jusqu'alors stériles de notre moelle, et nous poussent aux émotions religieuses.

Tes lèvres pâlies de chagrin dans ton visage incliné, la désolation de ton regard, tandis que tu soutiens entre tes douces mains — entre ces mains qui participèrent à tant de caresses — le corps de M. de Transe, toute cette image que j'ai de toi sous mes paupières, me sont, o ma chère madone, un plus enivrant spectacle que tu ne lui fus jamais quand tu te pâmais dans ses bras. Et ce jeune homme même, qui n'était qu'un oisif élégant, par sa port devient un admirable appui à notre exaltation ; la beauté et la noblesse sans ombre ne vêtirent jamais un vivant, mais qui les contesterait à celui qui repose ayant pour oreiller ton cœur !

*

Cet enseignement de la méthode, des plaisirs et des devoirs de Bérénice, je le dessèche pour l'exposer selon les procédés scolastiques, mais il se mêlait vivant et épars à tous les circuits de nos longues promenades. Que goûtiez-vous, dira-t-on, sur cette terre sèche avec de si sèches idéologies ? La plus prodigieuse exaltation d'esprit.

Ne la preniez-vous jamais dans vos bras ? Vulgaire imagination ! D'ordinaire, les hommes sont si peu capables de donner une solution à notre haut problème de méthode (concilier la complexité des sentiments et leur unité) qu'ils n'entendent même pas que l'ardeur des sens et l'amour sont des passions distinctes, fort séparables. Elles sont réunies au plus bas de la série des êtres ; d'accord ! mais c'est que chez les plantes et chez les pauvres animaux des premières étapes toutes les fonctions sont mal différenciées. Comment l'homme affiné s'entêterait-il dans cette grossière simplification ? Très souvent, c'est l'empêchement où nous sommes de charger notre train de maison qui nous force à demander ces satisfactions à un même objet. Mais pour ces fonctions délicates, peut-on trouver un bon maître Jacques ! Que d'autres procèdent par élaguement ; qu'ils satisfassent leurs sens et suppriment l'amour ; je me chéris trop pour me priver d'aucun plaisir. Seulement, à Bérénice, ce que je demande, ce n'est pas le petit corps, d'ailleurs fort élégant, qu'on lui voit, mais sa puissance de se concentrer, son sentiment du passé, tout ce misérable et charmant instinct qui m'avertit mieux qu'aucun naturaliste des véritables lois de la vie.

Le meilleur usage que je pus tirer d'elle, c'était bien nos heures de pédagogie, alors que je raisonnais, en les élargissant, tous les mouvements de cette petite âme qui ne peut rien dissimuler.

« Quel sentiment avez-vous pour moi ? » me demanda-t-elle un jour, avec son sourire un peu triste, dont elle avait assurément remarqué qu'il accompagnait toujours avec avantage ce genre de question. « De l'inclination », lui répondis-je, étonné moi-même de trouver sans hésitation le mot exact, celui qui convient tout à fait au sentiment qui m'incline sur elle, pour y saisir les lois mystérieuses de la vie, la bonne méthode.

Admirable soirée, celle où je lui dis ce mot ! Comme elle résume dans mon souvenir toute cette phase de ma vie ! La plaine était désolée et sèche sous le soleil couchant et nous la traversions après une longue conversation aride et fiévreuse. Pourtant notre discours, pas un instant n'avait été sans grâce ; le genre de Bérénice, qui tout de même est Petite-Secousse, ne permet pas que notre pédagogie glisse jamais à la pédanterie. Et la terre avait aussi son charme, car ces doux hivers du Midi mettent des mollesses de Bretagne sous le ciel abaissé d'Aigues-Mortes. Telle était cette lande et tel notre débat qu'il me semblait que nous revenions d'une promenade sur l'emplacement de la forêt des Ardennes défrichée.

A petits pas nous rentrions à Rosemonde ; elle n'avait

pas de fleurs dans ses mains, et moi, de notre course, je ne rapportais non plus aucune notion. Mais au sang de ses veines s'était mêlé plus de soleil, plus de sel marin, plus de parfum des fleurs, et en moi s'était rafraîchi l'instinct, la force vive qui produit les hommes.

Et si, dans ce couchant, elle se chagrinait légèrement que je ne ressentisse pour elle que de l'inclination, elle n'en goûtait que plus de volupté à caresser le souvenir de M. de Transe. Dès lors je l'aimais davantage, cette chère petite veuve, puisque c'est en cette piété que nous nous rejoignons; et elle-même, à se sentir si dépourvue, eût voulu se serrer plus fortement contre moi, car n'est-ce pas son isolement qui la fait se complaire sous ma tendre direction?

Sa chère tristesse, ses douces mains vides, voilà mon précieux trésor.

CHAPITRE VIII

Le voyage à Paris et la grande répétition sous les yeux de Simon

Dans ce temps-là, j'eus à parler au général Boulanger. Pour distraire Bérénice, je la décidai à m'accompagner, et j'écrivis à mon ami Simon de nous rejoindre à Paris. Depuis quelque temps, je désirais vivement les rapprocher l'un de l'autre. Quoi de plus piquant que d'essayer, dans une même soirée, ces deux compagnons, que je pourrais nommer les deux meilleurs trapèzes de ma gymnastique morale, les plus belles raquettes qu'ait trouvées mon imagination !

Après l'expérience de Saint-Germain, Simon s'était retiré dans la propriété de ses parents. Depuis huit mois, il y vivait en hobereau, s'appliquant à acquérir les tics du chasseur et du propriétaire, se composant, pour tout dire, cette même tête de vieux philippiste anglomane qu'il supportait si impatiemment chez ses voisins. Contradiction qu'il justifiait par le raisonnement suivant : « Moi, disait-il, je me fais hobereau après avoir médité sur les autres vies, et parce que c'est encore de celle-ci que s'accommodent le mieux mon dégoût d'effort et ma pénurie d'argent ; mes parents, au contraire, et mes voisins ne sont dans ces manies que par ignorance de ces curiosités variées dont ils professent tant de dédain. Ce qui résulte chez moi d'une large compréhension, chez eux n'est qu'étroitesse d'esprit. »

Vous avez reconnu là une application rurale de notre axiome essentiel : « Les actes ne sont rien, la méthode qui nous y mène est tout. » Simon avait toujours une excellente philosophie.

Aux champs, elle gâtait ses plaisirs : en ce sens que, même

à la chasse, il pensait, et ses idées lui étaient si fort ressassées qu'elles l'écœuraient et que la chasse elle-même lui devint un temps de dégoût. On conçoit que mon invitation lui agréa.

*

A Paris, la tristesse de ma Bérénice s'accentua au point que cette petite fille devint capricieuse; la vie d'hôtel a des fatigues excessives pour une jeune femme déshabituée de notre civilisation parisienne sans confortable. Et puis, cette sécheresse, cette hâte des grandes villes, comment ne froisseraient-elles pas des regrets amoureux, auxquels la brume des étangs d'Aigues-Mortes avait été un liniment et un feutrage contre la vie.

Le jour de l'important dîner que je vais raconter, nous avions passé notre après-midi, Bérénice et moi, dans les magasins, où j'aurais voulu lui faire plaisir, mais l'extrême indécision de nos caractères nous laissait l'un et l'autre dans le plus pénible énervement. Le soir tombait, une fin de novembre pleine d'humidité, quand au milieu de Paris, soudain attristé de gaz, nous sortions de chez les couturières; que de regrets n'emportait-elle pas? Alors, sous la fatigue et à cause du crépuscule, elle demeurait dans un mutisme qui n'était pas bouderie, maix la souffrance d'un pauvre animal, mêlée de défaillance physique et de regrets obscurs. Petite fille qui se figure s'être tant amusée avec celui qui est mort!

Et moi, j'aurais aimé la prendre doucement dans mes bras et lui dire : « Ne proteste pas contre ton souvenir, aime l'image de celui qui est mort, donne-toi à cette image jusqu'à satiété, pleure et je m'attristerai à ton côté, de regret pour tout ce que je ne puis posséder. Tu es douce, sincère et chagrinée; je te goûte, petite amie, mais je suis trop maladroit pour caresser ton instinct dont j'ai une si grande curiosité; parle du moins, parle beaucoup et tu croiras vivre. »

Simon, arrivé dans la journée, nous avait priés à dîner aux Champs-Élysées. L'heure était venue de nous rendre à ce passionnant rendez-vous.

Quand le garçon nous ouvrit le cabinet où Simon nous attendait, ce véritable ami eut son geste sec et nerveux qui est à la fois d'un demi-épileptique et d'un cabotin de névrose, comme le deviennent en quelque mesure tous les analystes; puis nous prîmes plaisir à rire en nous regardant, car Simon et moi nous nous sommes organisés dans la vie des fêtes très particulières, et le bouquet de tous ces vins bus, évoqué par notre rencontre, nous remplissait, dès ce premier abord, d'une délicieuse ivresse. Cependant, il lançait sur Bérénice un regard d'amateur sympathique, dont la conviction me parut une complaisance délicate de ce vieil idéologue.

Mais déjà, laissant le garçon soumettre le menu à Bérénice, nous rentrions de plain-pied dans notre domaine métaphysique, et Simon avec feu s'informait de l'atmosphère morale que me fait ma spécialité actuelle.

Ces deux minutes nous avaient suffi pour constater que nos sourires, que nous guettions, ont gardé cette lumière qui jadis nous désigna l'un à l'autre.

Simon a véritablement le sens de la géographie des âmes; il sait dans quelle région intellectuelle je suis situé. Pas un instant il n'a admis que je fisse de l'*action*, au sens qu'ils opposent à *contemplation*. Dans la retraite de Saint-Germain, il se le rappelle, nous coupions nos fortes méditations par des parties de raquettes; de même, je m'accommode, comme d'une détente hygiénique, de faire méthodiquement et sans plus discuter qu'un militaire, ce que la politique comporte de démarches; mais l'important, c'était de jeter du charbon sous ma sensibilité qui commençait à fonctionner mollement.

— Tu sais, lui dis-je, que ma méthode de culture est de créer des sentimentalités nouvelles pour les projeter sur mon univers qui se fane à l'usage avec une prodigieuse rapidité. J'ai essayé ces temps-ci le contact avec les groupes humains, avec les âmes nationales, et ce que j'en ai tiré, tu le verras, dépasse singulièrement toute prévision. Mais organiser des comités, donner audience, polémiquer, ce sont besognes où je ne mets que la partie de moi-même qui m'est commune avec le reste des hommes. C'est ainsi que j'imagine très bien un Spinosa, un saint Thomas d'Aquin, employés tant d'heures par jour dans un greffe, sans rien y compromettre de ce qui leur est essentiel. De ces conditions inévitables de ma poursuite, je n'emporte que des impressions fort superficielles; au plus pourraient-elles me fournir des plaisanteries de conversations, si d'ailleurs je ne jugeais oiseux ce genre-là.

— Fort bien, me dit Simon, tu as excellemment posé ton attitude. Mais dis-moi maintenant quelle réaction produit sur ton vrai moi ta nouvelle gymnastique.

A peine lui répondais-je que, sur mes premiers mots, il m'arrêta...

... Un formidable malentendu se révélait entre nous. Ne croyait-il pas que je visitais les hommes importants de la région, grands propriétaires, chefs d'usine, notaires! Quand je lui eus affirmé que je me souciais du peuple seul, de la masse, il n'en revenait pas.

Il se tourna vers Bérénice pour lui demander son appui.

— Enfin, m'objectait-il avec une fâcheuse âpreté, que les notables soient d'esprit grossier, sans désintéressement, je l'accorde, mais au moins ce sont gens qui se lavent!

Il montrait peu de délicatesse à surprendre ainsi l'appui de Bérénice, qui réellement n'est pas éclairée sur la question, et j'en fus si froissé que je fis devant elle ce que toujours je considérai comme une inconvenance : dès le potage, je m'exprimai en termes abstraits.

Aussi bien n'était-il pas essentiel d'arrêter net Simon, qui parlait presque comme un Charles Martin!

— Tu viens de juger, lui dis-je, avec ce que tu as d'inférieur; tu as consenti à avoir du peuple une perception sensible, toi, si mal doué (comme moi, d'ailleurs) pour ce qui est des yeux! Ne sais-tu pas que si tu étais peintre, tu le trouverais pittoresque. Que chacun se construise son univers avec ses moyens! rentrons dans notre domaine, qui n'est pas le pire; il nous appartient de juger les choses *sub specie œternitatis*.

Nous avons la propriété de sentir ce qui est éternel dans les êtres. Ne rougirais-tu pas d'avoir raillé la misère de saint Labre? Je t'en permets des quolibets de concession mondaine, mais devant toi-même reconnais la magnificence de cet homme qui se renonçait. C'est essentiellement ce que toi et moi appelons un bonhomme propre. Du même point

314

de vue, mais avec un horizon infiniment plus large, discerne quel trésor somptueux est l'âme populaire!

Elle a le dépôt des vertus du passé, et garde la tradition de la race; en elle, comme dans un creuset, où tout acte dégage sa part d'immortalité, l'avenir se prépare. Vas-tu la juger sur un peu de poussière et quelque sueur dont la couvre un pareil labeur?

En m'approchant des simples, j'ai vu comment, sous chacun de mes actes, à l'activité consciente collabore une activité inconsciente, et que celle-ci est la même qu'on voit chez les animaux et chez les plantes; je lui ai simplement ajouté la réflexion... Tu souris, Simon, du mot *simplement*... Il te semble que la puissance de notre réflexion est une grande chose! Petite agitation, en vérité, auprès de l'omniscience et de l'omnipotence que manifeste dans sa lenteur l'inconcient!

Avec le seul secours de l'inconscient, les animaux prospèrent dans la vie et montent en grade, tandis que notre raison, qui perpétuellement s'égare, est par essence incapable de faciliter en rien l'aboutissement de l'être supérieur, que nous sommes en train de devenir et qu'elle ne peut même pas soupçonner. C'est l'instinct, bien supérieur à l'analyse, qui fait l'avenir. C'est lui seul qui domine les parties inexplorées de mon être, lui seul qui me mettra à même de substituer au moi que je parais le moi auquel je m'achemine, les yeux bandés.

... Voilà ce que m'ont enseigné ces hommes grossiers, ces ignorants que tu t'étonnes de me voir fréquenter. Ils sont de sublimes professeurs, bien qu'ils ne se possèdent pas eux-mêmes. Chacun d'eux représente une des étapes de mon âme le long des siècles. Je me suis penché sur eux, comme sur un pays que j'aurais gravi par une nuit sans lune et sans en garder rien que de confuses images.

Comment pouvais-tu croire qu'à ces masses d'une telle fierté créatrice, désintéressées, spontanées, je préférerais la médiocrité des salons, la demi-culture des bacheliers? Je vois bien que tu ne connais pas l'Adversaire! Pour le mieux, de telles gens peuvent me communiquer des faits, quelques notions parfois exactes; le peuple me donne une âme, la sienne, la mienne, celle de l'humanité!

315

J'entends bien l'objection où tu te réfugies :

« Que tu ne sois allé ni au salon, ni à la brasserie, soit! » me diras-tu. « Mais pourquoi aller au peuple? Pourquoi ne pas rester parmi les hommes de culture, de haute clairvoyance? »

Pour tout dire, tu supportes malaisément que je fasse aussi bon marché de notre éducation de Jersey.

Eh! qu'avais-je appris de ces saints divers, le Benjamin Constant du Palais-Royal, le jeune Sainte-Beuve et quelques autres familiers de notre institution? J'avais reconnu chez eux, et avec plus de netteté que sur moi-même, quelques-unes de mes particularités. Tel un jeune employé du Louvre, lisant Alfred de Musset, se fait une vue plus claire de l'ardeur, ivresse ou jalousie, qui l'agitèrent le dimanche passé auprès de sa maîtresse. Mais quoi! ces analystes ne me parlaient que de mes excès, se limitaient à m'éclairer sur les pousses extrêmes de ma sensibilité; ils m'eussent perdu dans la minutie.

Sans doute, à étudier l'âme lorraine puis le développement de la civilisation vénitienne, je compris quel moment je représentais dans le développement de ma race, je vis que je n'étais qu'un instant d'une longue culture, un geste entre mille gestes d'une force qui m'a précédé et qui me survivra. Mais la Lorraine et Venise m'enfermaient encore dans des groupes, ne me laissaient pas sortir de ma famille, pourrais-je dire. Seules, les masses m'ont fait toucher les assises de l'humanité.

Je n'avais pas su dans l'étude de mon moi pénétrer plus loin que mes qualités; le peuple m'a révélé la substance humaine, et, mieux que cela, l'énergie créatrice, la sève du monde, l'inconscient.

Toutefois, j'aurais pu parler dans les comités, dans les réunions, suffire à toute l'activité d'un politicien, sans rien soupçonner de ces forces spontanées et secrètes. Mes sens furent affinés dans l'atmosphère de Bérénice.

Ah! mon cher Simon, que ne sommes-nous dans le triste jardin de Rosemonde! Comme certains soirs d'automne, mieux qu'aucun soir, exaspèrent la senteur des tilleuls, ce décor qui ne laisse subsister que des idées graves met en valeur les vertus de Bérénice, mieux qu'aucun lieu du monde.

Parfois, par un simple geste, cette jeune femme me découvre, sur la vie profonde et le sentiment des masses, des aperçus plus sérieux que n'en mentionnent les enquêtes des spécialistes, les programmes des politiciens et les vœux des réunions publiques.

Viens à Aigues-Mortes, dans son étroit jardin qui ne voit pas la mer. Les murailles closes, cette tour Constance qui n'a plus qu'à garder ses souvenirs, cette plaine féconde seulement en rêves, mettent ma Bérénice dans sa vraie lumière, — comme l'oiseau de paradis n'est vraiment le plus beau des oiseaux que sur les branches suintant de chaleur des mornes forêts du Brésil. Et ses animaux eux-mêmes, de qui son chagrin se plaît à égayer les humbles vies, s'accordent avec elle, avec ces landes, avec ces dures archéologies, et tous se donnent un sens dont je me suis nourri.

Ah! Simon, si tu étais là et que tu visses Bérénice, ses canards et son âne échangeant, celle-là, des mots sans suite, ceux-ci des cris désordonnés d'enfants, et ce dernier, de longs braiements, témoignant chacun d'un violent effort pour se créer un langage commun et se prouvant leurs sympathies par tous les frissons caressants de leurs corps, tu serais touché jusqu'aux larmes. Isolées dans l'immense obscurité que leur est la vie, ces petites choses s'efforcent hors de leur défiance héréditaire. Un désir les porte de créer entre eux tous une harmonie plus haute que n'est aucun de leurs individus.

Viens à Aigues-Mortes et tu découvriras entre ce paysage, ces animaux et ma Bérénice des points de contact, une part commune. Il t'apparaîtra qu'avec des formes si variées, ils sont tous en quelque façon des frères, des réceptables qui mourront de l'âme éternelle du monde. Ame secrète en eux et pourtant de grande action. Je me suis mis à leur école, car j'ai reconnu que cet effort dans lequel tous ces êtres s'accordent avec des mœurs si opposées, c'est cette poursuite même, mon cher Simon, dont nous nous enorgueillissons, poursuite vers quelque chose qui n'existe pas encore. Ils tendent comme nous à la perfection.

Ainsi, ce que j'ai découvert dans le misérable jardin d'une petite fille, ce sont les assises profondes de l'univers, le désir qui nous anime tous!

Ces canards, mystères dédaignés, qui naviguent tout le jour sur les petits étangs et venaient me presser affectueusement à l'heure des repas, et cet âne, mystère douloureux qui me jetait son cri délirant à la face, puis, s'arrêtant net, contemplait le paysage avec les plus beaux yeux des grandes amoureuses, et cet autre mystère mélancolique, Bérénice, qu'ils entourent, expriment une angoisse, une tristesse sans borne vers un état de bonheur dont ils se composent une imagination bien confuse, qu'ils placent parfois dans le passé, faisant de leur désir un regret, mais qui est en réalité le degré supérieur au leur dans l'échelle des êtres. C'est la même excitation qui nous poussait, toi et moi, Simon, à passer d'une perception à une autre. Oui, cette force qui s'agite en nos veines, ce moi absolu qui tend à sourdre dans le moi déplorable que je suis, cette inquiétude perpétuelle qui est la condition de notre perpétuel devenir, ils la connaissent comme nous, les humbles compagnons que promène Bérénice sur la lande. En chacun est un être supérieur qui veut se réaliser.

La tristesse de tous ces êtres privés de la beauté qu'ils désirent, et aussi leur courage à la poursuivre les parent d'un charme qui fait de cette terre étroite la plus féconde chapelle de méditation.

Dans cette campagne dénudée d'Aigues-Mortes, dans cette région de sel, de sable et d'eau, où la nature moins abondante qu'ailleurs semble se prêter plus complaisamment à l'observation, comme un prestidigitateur qui décompose lentement ses exercices et simplifie ses trucs pour qu'on les comprenne, cette petite fille toute d'instinct, ces animaux très encouragés à se faire connaître, m'ont révélé le grand ressort du monde, son secret.

Combien la beauté particulière de cette contrée nous offrait les conditions d'un parfait laboratoire, il semble que tous parfois nous le reconnaissions, car il y avait des heures, au lent coucher du soleil sur ces étangs, que les bêtes, Bérénice et moi, derrière les glaces de notre villa, étions remplis d'une silencieuse mélancolie...

Mélancolie ou plutôt stupeur ! devant cet abîme de l'inconscient qui s'ouvrait à l'infini devant moi.

En attendant que tu fasses le voyage, regarde donc ma

chère Bérénice, sa grâce, sa douceur. Les femmes adoucissent notre âpreté nerveuse, notre individualisme excessif; elles nous font rentrer dans la race. Le fâcheux est que trop souvent nous négligeons d'utiliser pour notre culture morale l'émotion qu'elles répandent dans nos veines. Mais je t'en prie, observe Bérénice, cette petite chose, cette curieuse construction. En voilà une qui sait utiliser la sève de l'humanité. L'as-tu examinée à la loupe? Quel effort! Certes elle ne se connaît guère. Et comment se posséderait-elle? Elle ne se regarde même pas. C'est une enfant aveugle, emportée par les forces secrètes de son âme. Interroge-la donc. Elle ne te parlera que de M. de Transe; elle croit regretter le passé; simplement dans un effort douloureux elle enfante quelque chose qui sera mieux qu'elle. Par cette tension que lui donnent son chagrin et son regret sans réalité, elle atteint un objet qu'elle n'a pas visé. Ah! c'est bien elle, la chère petite fille, qui m'a aidé à comprendre la méthode créatrice des masses, de l'homme spontané!

Alors pour achever de convaincre Simon, je me retourne vers Bérénice et je lui rappelle nos bonnes soirées d'Aigues-Mortes, où si souvent je la pressai qu'elle me parlât avec une intimité plus tendre de M. de Transe, que j'aime en elle et n'ai pas connu.

Les deux syllabes de ce nom qui déchire son âme et qu'elle répète avec un indicible chagrin de petite bête malade retentissent profondément dans son cœur, d'autant que ce long débat, ces fortes critiques, l'ont accablée. Son œil absent et ses bâillements me le disent. Son esprit est ailleurs. Il vague là-bas où elle se figure avoir eu l'âme satisfaite. Pour ramener Bérénice auprès de nous, je lui fis un éloge exalté de François de Transe. J'en vins même à lui reprocher avec une réelle amertume ce qu'elle m'avait avoué un jour, par mégarde, au détour d'une histoire : d'avoir voulu le quitter. Et ses nerfs étaient montés au point qu'elle se prit à pleurer.

Visiblement, Simon avait compris les raisons de mon profond intérêt pour les masses et en quoi Bérénice m'est un sujet excellent pour m'édifier sur la psychologie de l'humanité se développant sans le consentement de l'âme individuelle. Je déclarai donc la séance close; toutefois, désireux de méditer encore avec Simon, je m'autorisai de l'abattement que faisait voir Bérénice pour la mettre en voiture.

Nous allumâmes nos cigares.

— Hein, dis-je à Simon, la vie a-t-elle des dessous assez abondants ? Tu vois comme j'ai déshabillé devant toi Bérénice. Cela t'a fait le même effet de pitié et d'âpre curiosité que si on avait écrasé sous tes yeux la patte d'un chien. Eh bien! la misère universelle de l'humanité s'épuisant vers le mieux retentit en moi de cette façon-là.

Comprends-tu, ajoutai-je, car j'étais plein de mon sujet, combien je suis heureux de dévêtir auprès d'elle mon personnage habituel d'indifférence et d'impertinence pour être irréfléchi. Si tu savais combien j'aime les naïfs, ceux qui me disent des choses dont j'aurais soin de rire s'il fallait les énoncer moi-même. As-tu jamais soupçonné que ma sécheresse n'était que du dégoût pour le manque de désintéressement que je vois partout et pour la frivolité. Mais ceux qui ne raillent jamais, les gobeurs, si tu savais comme je les aime, ceux-là! Si tu savais comme je me sens le frère des petites filles qui, avec une grande fortune, de beaux cheveux et connaissant déjà le monde, entrent au couvent. Bérénice, tiens, en réalité, je m'agenouille devant sa simplicité.

— Eh! me dit-il, elle est un peu maigre!

— Simon! lui répondis-je avec vivacité, chaque jour un écart plus grand se fait entre nous. Parfois je me demande si jamais, d'un sentiment sincère, tu as aimé la souffrance.

— Tu as de la chance, me répliqua-t-il, tu es tout à fait dans le ton pour goûter Saint-Trophime.

A cette réflexion très juste sur mon état d'esprit, je vis bien que Simon comprenait encore ce qu'est la vie intérieure, mais il ne croit plus qu'aux satisfactions tangibles. Pour ce qui est des variétés de l'idéalisme, il ne sympathise plus, il classe. C'est là que j'avais été sur le point d'en arriver, quand mon cœur n'avait pas d'autre maître que moi-même. Je l'ai prêté à cette petite mendiante d'affection pour qu'elle me le rafraîchît entre ses mains.

A la campagne, Simon avait pris l'habitude de faire un tour après son repas, quel que fût le temps (j'ai déjà indiqué

320

sa tendance à la congestion); moi-même j'étais très échauffé par ma démonstration; nous décidâmes de regagner à pied notre hôtel. Il m'accompagna jusqu'à la chambre de Bérénice, de qui je tenais à prendre des nouvelles avant de me coucher. Là, nous échangeâmes encore quelques mots.

— Enfin, disais-je à Simon, près de la porte entrebâillée, si j'en croyais le témoignage de mes sens, elle m'aimerait, car elle est prête à se donner à moi; or je sais qu'il n'en est rien.

Tout d'abord, il ne me comprit guère, puis :

— Chut! me dit-il en se frottant les yeux, parle plus bas, tu blesserais sa délicatesse.

— Pas de subterfuge, m'écriai-je; avoue qu'en réalité tu n'as jamais aimé que Spencer : tu fais prédominer le rationalisme... Peut-être vas-tu historiquement jusqu'à regretter que la France n'ait pas accepté le protestantisme...

Il me déclara qu'il se sentait réellement fatigué.

— Simon, lui dis-je avec amertume, je croyais que j'aurais plus de plaisir à te revoir.

J'entrai chez Bérénice et je trouvai la lampe encore allumée. Comment m'allait-elle recevoir? Ah! cette tristesse de s'endormir près d'une lampe qui semble attendre! A côté d'elle étaient des biscuits et une bouteille de bourgogne vidée. Cela me fit sourire : cette enfant adorait le bon vin après les émotions; ai-je tort de la tenir pour une incarnation de l'âme populaire? Elle ouvrit les yeux avec un joli sourire d'animal reposé; il semblait qu'elle eût laissé toute sa bouderie dans son sommeil et qu'elle s'éveillât à une vie nouvelle. Alors nous nous mîmes à bavarder, et par une pente irrésistible, la conversation revint sur celui que nous aimons, sur M. de Transe. Aussitôt toute ma sensibilité s'intéressait à la conversation, mais elle, cette fois, parlait de lui avec joie, riait des bons tours qu'ils avaient faits ensemble.

Ah! qu'elle jouisse du bonheur dans la mort, l'aïeule qui t'a fait la naïveté de tes yeux et t'a mis au cœur tant de gravité!

CHAPITRE IX

Le chapitre des défaillances

LES MIENNES

Dès mon retour dans Arles, l'action électorale commença. Nous organisions chaque semaine des réunions sur quelque point de l'arrondissement, et je ne manquai jamais de me rendre à celles de nos adversaires. Souvent j'étais rappelé d'Aigues-Mortes par dépêche.

Un soir je quittai en hâte Bérénice, et comme je marchais dans la nuit, le long des grandes murailles, vers la gare, trois petites filles me précédaient, qui chantaient d'une voix douce et qui pourtant va loin sur la plaine, d'une voix qui va jusqu'à mon cœur.

...Que de fois ailleurs je l'ai entendue, cette chanson! Mais pourquoi ce soir me décourage-t-elle?... J'irai jusqu'au bout de la pensée qui m'attristait : les landes de ce pays pour moi n'eurent jamais de mirages; elles ne font apparaître qu'à d'autres les princesses des Baux. Huguette, Sibylle, Blanchefleur et Baussette, me disais-je, pourquoi les herbes de la Crau ne m'ont-elles pas conservé l'odeur de vos corps exquis? ou plutôt pourquoi donner mes belles soirées à de grossières tâches?

C'est sur les canaux de Venise, dans les faubourgs de cette ruine somptueuse que, pour la première fois, j'entendis cette cadence que me répètent trois pauvres enfants. Soirées divines, celles-là! Saturés de toute sensualité, mes yeux, mes oreilles gorgés de splendeurs, au point que dans cette abondance ils ne pouvaient plus rien percevoir, je pris conscience de l'essentiel de moi-même, de la part d'éternité dont j'ai le dépôt. Saurai-je jamais les exalter assez haut par-dessus toutes mes heures, ces jours d'âcreté et de manie mystique où, jusqu'alors simple coureur amusé de choses d'art, je sentis la beauté abstraite sur les Fondamenta Zattere, en face de cette église de Palladio, qui, par un effet contraire au métaphysicien Gœthe, révéla la beauté classique ?

O mon cher Rousseau, mon Jean-Jacques, vous l'homme du monde que j'ai le plus aimé et célébré sous vingt pseudonymes, vous, un autre moi-même, vous les avez connus à l'île de Saint-Pierre, au milieu du lac de Bienne, cette haine des vivants, ces longues solitudes avec la peur de rencontrer des hommes, ces instants où l'on se circonscrit en soi, ne percevant rien que le sentiment de son existence... Vous fussiez-vous soumis aux conditions de la tâche que m'impose la culture méthodique de mon moi ?

Pourtant mon but n'est pas à désavouer. Aigues-Mortes, qui est une Venise plus avancée dans son développement, une lagune morte comme il arrivera des lagunes de l'Adriatique, détermine une évolution supérieure de mon moi. La qualité à l'acquisition de quoi je contribue ce soir me sera plus précieuse qu'aucune. Ce que je veux, c'est collaborer à quelque chose qui me survive. Il ne faut pas qu'un seul instant je perde la claire vision de ma tâche, et sa dignité doit me soutenir contre mes défaillances.

Alors, songeant quelle est ma supériorité, puisque j'ai la compréhension de tous les appétits, et qu'au contraire nul ne peut comprendre mes motifs, j'entrai dans la salle pleine de fureur.

Or les incidents qui s'y passèrent ce soir-là n'étant pas caractéristiques, puisqu'ils sont communs à toutes les réunions, ni généraux, car ils ne signifient rien d'essentiel à la race, ne méritent pas que nous nous y arrêtions.

ON NE RIVE PAS SON CLOU A L'ADVERSAIRE

Le lendemain, j'ai rencontré l'Adversaire, qui me parle de mes réunions : « Cela doit bien vous ennuyer ! » Je l'assure que je me plais plus avec les travailleurs du peuple que dans un salon d'Arles ou au café.

— Mais enfin, qu'y a-t-il de commun entre vous et un ouvrier ?

— Les différences sont en effet sensibles, moins fortes toutefois qu'entre le tour d'esprit d'un fonctionnaire, par exemple, et le mien. Mais vous commettez une erreur où je tombais dans les premiers temps. En causant avec des électeurs d'une certaine classe, pris individuellement, je croyais avoir affaire au peuple ; cela est faux. Les hommes réunis par une passion commune créent une âme, mais aucun d'eux n'est une partie de cette âme. Chacun la possède en soi, mais ne se la connaît même pas. C'est seulement dans l'atmosphère d'une grande réunion, au contact de passions qui fortifient la sienne, que, s'oubliant lui et ses petites réflexions, il permet à son inconscient de se développer. De la somme de ces inconscients naît l'âme populaire. pour la créer, seuls valent des ouvriers, des gens du peuple, plus spontanés, moins liés de petits intérêts que des esprits réfléchis. Elle est analogue à chacun de ceux qui la composent, et n'est identique à aucun. Elle dépasse tout individu en énergie, en sagesse, en sens vital. Ce qu'elle décide spontanément, ce sont les conditions nécessaires de la vie.

L'Adversaire s'est mis à rire. Et du ton d'un homme qui a passé des examens :

— Croyez-vous qu'une foule trouve une solution algébrique ?

— Il ne s'agit pas de cette sagesse-là, mais de vivre. Un arbre, sans rien soupçonner des belles théories de l'École forestière, sait mieux qu'aucun garde général quand il doit se développer, dans quel sens, selon quelle forme. C'est le secret de la vie que trouve spontanément la foule.

— Voilà bien de la philosophie, dit Martin en secouant la tête, mais comment un philosophe traite-t-il ou laisse-t-il traiter avec tant d'âpreté ses adversaires ? Par quel biais vous prêtez-vous à faire votre partie dans le concert des injures, vous qui vous piquez de comprendre toutes les opinions et de dégager ce qu'il y a de légitime dans chaque manière de voir ?

— Raisonnons, lui dis-je, et vous comprendrez que si

324

un peu de philosophie éloigne du ton ordinaire de la polémique, beaucoup y ramène.

Dans ses éléments en effet la philosophie nous enseigne que ni vous ni moi ne sommes la vérité complète, et nous engage ainsi à une grande modestie l'un envers l'autre. Mais poursuivons le raisonnement des maîtres : « Personne, disent-ils, n'est la vérité complète, tous nous en sommes des aspects. » Donc, si l'un de nous n'existait pas, un des aspects de la vérité manquant, la vérité complète ne serait plus concevable. Ainsi faut-il que je satisfasse à toutes les conditions de mon individualisme, parmi lesquelles une des plus impérieuses est que je vous nie.

Mais voici mieux encore : en admettant la méchanceté et la mauvaise foi de mes adversaires (ce qui est le thème ordinaire de toute polémique), je fais une hypothèse très précieuse et bien conforme à la méthode indiquée par Descartes dans ses *Principes*, par Kant dans sa *Critique de la raison pure*, et par Auguste Comte, qui vous touche peut-être davantage, dans son *Cours de philosophie positive*. La science, en effet, admet couramment ceci : « *La planète Neptune, n'eût-elle jamais été vue, devrait être affirmée. Fût-elle un astre purement fictif, la concevoir serait rendre un grand service à l'astronomie, car seule elle permet de mettre de l'ordre dans des perturbations jusqu'alors inexplicables.* » De même les vices de mes adversaires, fussent-ils fictifs, me permettent de relier, sans trente-six subtilités de psychologue, un grand nombre de leurs actes fâcheux; c'est une conception qui explique d'une manière très heureuse la réprobation et l'animosité qu'ils doivent en effet inspirer, quoique pour des raisons un peu plus compliquées. En combattant leurs vices imaginaires, vous triomphez de leurs défauts réels. Pour ce procédé je m'en rapporterai à un maître que vous goûtez certainement : personne n'a vu la figure du ferment rabique; personne n'a constaté expressément son existence, et Pasteur guérit de la rage en cultivant ce microbe hypothétique, peut-être absolument fictif.

Martin, qu'offensait ma logique, coupa court en souhaitant du moins que je n'aboutisse pas à une désillusion trop pénible.

— Je n'ai guère l'angoisse du résultat, lui répondis-je.

Quand on s'est institué un fort dédain du jugement des hommes et du but poursuivi, peu importe, hors que nous mourrons un jour. J'ai une vision si nette de ce que valent les choses, sitôt possédées, et des moyens de les acquérir, que la seule mesure de mon sentiment à leur égard tient en ceci que ce sont toujours ma compagnie et mon occupation du moment que je juge des plus misérables.

La conclusion paraîtra sèche pour ce pauvre Adversaire qui, dans mes instants de loisir, m'amusait pourtant comme une petite oie vaniteuse et sans bonté. Mais quoi! de fois à autre ne faut-il pas déblayer un peu toute cette racaille où nous commet la vie active! C'était d'ailleurs exprimer à Martin de profitables vérités. Je dois à quelque habitude d'analyser le sens des mots, le privilège de ne pas assujettir mes idées à la phraséologie familière.

Beaucoup de personnes, par l'usage quotidien de certains termes, « haine, rancune, regrets, désirs », sont tentées de croire à la réalité de ces sentiments en elles. Pour moi, je vois que les événements n'éveillent guère sur mon moral d'impressions plus variées que la tuile qui me frôle en tombant; je note, pour l'éviter, le toit d'où elle glissa, je me soigne si elle m'a blessé; en aucun cas, je ne m'attarde à m'en faire une opinion sentimentale. Seulement j'ai à l'égard des tuiles possibles une continuelle méfiance, à laquelle je donne une allure de déférence. Un homme fort distingué, employé d'une grande administration, disait : « Je salue les huissiers le premier, pour être sûr qu'ils me salueront. » — « Moi aussi », lui répondis-je. Comme je ne suis employé d'aucune administration, il crut que je ne l'avais pas écouté. Mais en réalité que de fois je consulte des niais, simplement pour éviter qu'ils me conseillent ou me désapprouvent!

Il faut opposer aux hommes une surface lisse, leur livrer l'apparence de soi-même, être absent. De qui a-t-on dit qu'il regardait tous les citoyens comme ses égaux, ou pour mieux dire comme égaux entre eux, ce qui fait qu'il plaisait assez naturellement à la masse?

Charles Martin était incapable de comprendre l'élévation morale, le parfait désintéressement de ces principes. C'était avec toute la fureur d'un sectaire, et même la réflexion d'un homme méthodique, qu'il se composait des préférences!

326

Par un mécanisme très fréquent, ses convictions d'ailleurs s'accordaient toujours avec ses intérêts. Il eût été incapable de trouver des torts à celui qu'il aimait. C'est par là qu'il arrivait à joindre l'agrément de relations douteuses à la satisfaction de s'élever contre les mauvaises fréquentations. J'en avais un piquant exemple sous les yeux. La biographie de Bérénice, pour qui il avait une passion sensuelle, naturellement voilée sous l'intérêt le plus élevé, le gênant fort, il la concevait comme l'histoire d'un jeune homme de grande famille que les siens avaient brutalement empêché d'épouser cette jeune fille. Version qui avait un instant étonné mon amie, puis très vite lui avait paru la vérité, tant nous sommes tous conduits à modifier les faits d'après nos sentiments.

DÉFAILLANCE SINGULIÈRE DE BÉRÉNICE

Je touche ici un point délicat de la vie de Petite-Secousse. La présence auprès d'elle de Bougie-Rose, jolie fille un peu lourde, m'avait souvent étonné. « Ces deux personnes, me disais-je, n'ont guère de point de contact, car Bérénice a naturellement une sentimentalité très fine. Se plairaient-elles par quelque autre côté que le sentimental ? »

Des allures très molles de Bougie-Rose, un fin sourire de mon amie éveillèrent ma perspicacité.

Je confessai Bérénice; elle me répondit avec une aisance, bien éloignée de l'effronterie et mêlée de douceur, qui me toucha d'une sensualité un peu malsaine. Je pus me convaincre que les images plaisantes et libres, tous ces jeux de la passion dont elle avait nourri ses yeux de petite fille, dans le musée du roi René, lui avaient donné une opinion fort différente de celle que nous nous faisons pour l'ordinaire des rapports de la sensualité et de l'amour. Son esprit ne s'était pas plié à établir entre ces deux formes de notre sensibilité les attaches étroites qui font que pour nous l'une ne va guère sans l'autre.

Et pour achever de vous dévoiler la pensée de Bérénice, telle que je la surpris dans des entretiens d'un charme inexprimable, j'ai lieu de croire que ce vice naquit chez mon amie d'une extrême délicatesse : jeune et ardente, désœuvrée et solitaire, elle n'aurait pourtant pas voulu tromper M. de Transe; elle crut lui garder son amour, jusque dans les cheveux démêlés de sa molle amie.

Du point de vue de la raison froide, peut-être Bérénice a-t-elle raison. L'amour n'a pas grand-chose à voir avec les gestes sensuels. Une femme parfaite se choisirait un amant plein d'ardeur dans l'élite de la cavalerie française et, pour l'aimer d'amour, un prêtre austère, comme notre divin Lacordaire, dont le seul regard la pénétrerait plus qu'aucune caresse dans aucun lit. Ces réflexions pourtant ne me satisfaisaient guère à cause du caractère peu harmonieux de cette défaillance de Bérénice.

Comment, me disais-je, ce petit animal, de qui le mérite est d'être instinctif, se laisse-t-il aller à ces déviations ? Quand elle s'abandonne, ne voit-elle pas les détails fâcheux de sa chute : Bougie-Rose, sans doute, a un tact naturel assez développé et puis elle-même ferme les yeux. N'empêche qu'un jour, dans une de nos promenades, je me laissai aller à lui vanter avec amertume les délicates amours des plantes.

Peut-être avais-je trop lourdement appuyé. Elle m'écouta avec surprise, puis, dans une pénible confusion, ses yeux se remplirent de larmes. Si touchante, en ce moment, si confiante toujours, elle m'attendrit, me fit rougir de ma sotte enquête; et quand mes soupçons auraient quelque justesse, mon indignation n'était-elle pas faite, pour une part, de froissements personnels ?

Je pris sa main émue dans ma main et lui dis :

— Petite fille, vous êtes pour moi une chère fontaine de vie. Ce serait d'un homme grossier de réfléchir sur les inconvénients des diverses attitudes que notre condition d'homme nous contraint à prendre. Croyez bien que je n'ai pas cette médiocrité d'arrêter mon imagination sur les complaisances auxquelles vous engagent peut-être ces sens et cette beauté charnelle que vous reçûtes de vos aïeux. Si je m'inquiétai, c'est uniquement par piété pour M. de Transe. Après réflexion, il me semble bien que vous avez sauvé le meilleur de ce que vous lui donniez. Sans doute, aujourd'hui comme toujours, vous avez été la plus sage en faisant la part du feu.

Et même s'il vous arrive de priver celui qui est dans le cercueil d'une de vos pensées, qui sont maintenant tout ce qu'il peut attendre de vous, si quelque tendre erreur un jour humilie votre vertu, rassurez-vous : la puissance surabondante de l'amitié que je lui voue et des sacrifices que je lui fais, en ne demandant rien de votre beauté, s'appliquera à l'expiation de vos péchés.

Elle m'embrassa, et c'est ainsi que fut clos cet entretien.

Dans la soirée, Bérénice, qui est toute faite d'esprit de finesse et de douceur, crayonna un petit dessin, comme elle a coutume, tandis que je lui développe mes théories, puis me le tendit : c'était elle-même et une jeune femme, au-dessous de qui elle avait écrit « Bougie-Rose », pour qu'on ne pût s'y tromper, et cette légende, légèrement modifiée, de la divine parabole : « Marthe, vous vous embarrassez de soins superflus; Philippe a choisi la meilleure part. »

J'admirai que cette petite fille cachât une malice si gracieuse derrière sa physionomie. Cette misère la mit dans mon imagination plus près encore de la nature, et la grâce avec laquelle elle s'en expliqua transforma en sympathie un peu triste la répugnance que j'avais de sa défaillance.

« O ma beauté, disais-je, je vous remercie de ce que vous avez daigné être imparfaite, en sorte qu'il me restât quelque embellissement à apporter à votre édifice. »

Dans la suite je dus reconnaître que le sentiment exprimé sous forme séduisante dans cette phrase était gros des plus lourdes erreurs. C'est là que je rapporte l'origine des funestes manœuvres que j'allais tenter contre l'instinct, sous prétexte de faire rentrer Bérénice dans la sagesse vitale.

*

Ainsi, l'un et l'autre, nous avions nos défaillances et nos chagrins, et quoique sachant nous en faire des images supportables, nous étions loin de la pleine satisfaction de l'Adversaire, à qui nul homme ni événement ne rivera jamais son clou.

Ma Bérénice, en me devenant suspecte, et mon contact perpétuel avec les électeurs me mettaient dans un état assez particulier de tristesse nerveuse. Peut-être la fièvre qui monte des étangs d'Aigues-Mortes aux approches du printemps put-elle y contribuer. J'avais un désir âpre et indéfini de solitude; j'aurais voulu rêver seul en face de ma pensée. Une dépêche qui sonne à ma porte, mon courrier à dépouiller, me faisaient d'absurdes battements de cœur. Jamais je n'eus à un degré aussi intense l'ennui de faire de nouvelles connaissances, la fatigue de leur donner une image de moi-même conforme à leur tempérament, et tout l'écœurement de leur entendre exposer les principales anecdotes de leur existence avec la description de leur caractère. Mon réveil du matin, dans ces journées écrasées de menues besognes, était déjà troublé : n'ai-je pas entendu, me disais-je, un visiteur dans l'escalier ?

Pour réagir contre cet état nerveux, il n'est qu'un remède, empirique mais vraiment pas mauvais : dans les plus fortes angoisses de la vie de société et surtout dans les réveils de nuit, se raidir et prononcer une phrase, un raisonnement, préparés à l'avance. Cela peut surprendre, mais ces angoisses sont le résultat d'une force qui tourbillonne en nous (souvent un afflux de sang au cerveau). Il s'agit de l'utiliser, cette force; il faut ordonner un cerveau désordonné.

Deux ou trois fois, dans notre énervement, Bérénice et moi, nous dûmes convenir que nous augmentions notre malaise. Elle surtout, dans ce mélange malsain de sa tristesse et de mes inquiétudes, était prise de vertige, et l'Adversaire, visiteur plus rude accueilli, avec moins d'amitié et de confiance que moi, reposait pourtant l'enfant brisée.

CHAPITRE X

La mort d'un sénateur rend possible le mariage de Bérénice

Vers cette époque survint une grande modification dans la vie de Petite-Secousse. Elle fut mandée à Aix, chef-lieu de l'arrondissement où elle avait grandi. Près de mourir, le sénateur opportuniste du lieu voulait l'embrasser, et il lui déclara qu'il la tenait pour sa fille.

La mère de Bérénice en effet semble avoir été ce qu'on nomme un peu légèrement une drôlesse; du moins parmi ses excès avait-elle gardé le sens de la maternité et beaucoup de clairvoyance, car s'étant préoccupée de choisir un bon papa pour sa petite fille elle désigna entre ses amants un collectionneur qui, peu après, fut envoyé au Sénat par ses concitoyens. C'était un galant homme; comme nous l'avons dit, il nomma le mari de sa maîtresse gardien du musée du roi René — choix excellent, puisque Bérénice s'y fit l'âme qui nous plaît.

A ses derniers moments, ce sénateur s'inquiéta d'avoir négligé sa fille; et quand elle fut à son chevet, il lui adressa un petit discours, sous lequel il eut la satisfaction de la voir pleurer. Toute agonie remettait devant les yeux de Bérénice la tendre image de M. de Transe :

— Votre mère, lui dit-il, est en quelque sorte la première qui m'ait appelé à représenter mes compatriotes. Elle m'a désigné comme votre père, quand d'excellents citoyens pouvaient également prétendre à cet honneur. Mon notaire, qui sur ma prière a pris des renseignements, me dit que vous hésitez entre le candidat boulangiste et celui des saines doctrines. Sans vouloir faire de pression, je vous engage à réfléchir et à préférer M. Charles Martin, de qui je suis en mesure de vous dire qu'on fait grand cas dans les bureaux.

Peu après il mourut, léguant à Bérénice cent mille francs. Et la situation de mon amie se trouva excellente, car on crut la somme plus forte; puis elle avait donné des gages à tous les partis, en sorte que l'opinion lui fut favorable.

A cette époque, ma situation à Arles me préoccupait fort. Trop bonne pour être abandonnée, elle n'était pas telle que j'en eusse de la sécurité. Je ne pouvais me dissimuler ce que j'avais à redouter de la candidature projetée de Charles Martin.

Ainsi mes intérêts électoraux, la tristesse de Bérénice, qui tout de même se sentait très seule, mon désarroi de ses mœurs secrètes, une insensible satiété qui me gagnait de nos pédagogies, tout concourait à me faire accepter un mariage que la dot de la jeune femme et la sensualité de Charles Martin rendaient possible.

Elle n'eût pas recherché cette union, je doute même qu'elle l'eût jamais envisagée, mais chaque jour l'en rapprochait, tant les conversations avec son notaire sur le placement de ses capitaux lui révélaient de difficultés où elle se perdait. Puis quel préjugé ne court pas chez nous tous en faveur de l'état de mariage!

Je fus amené à lui en donner mon avis.

... Cette journée-là fut très triste. Nous avions parcouru en voiture les rues de Nîmes qui, la Maison Carrée exceptée, ne m'offre aucun agrément. Elle tenait ma main dans sa main. En toutes circonstances, ce qu'il y avait là d'un peu femme de chambre m'eût choqué, mais j'y sentais à cet instant comme le regard d'une pauvre petite bête à qui l'on fait du mal et qui déclare : « Je l'accepte parce que tu es le plus fort, mais si tu m'aimes bien, ne me fais pas trop souffrir. » J'aurais voulu trouver des mots d'une extrême douceur pour lui exprimer ma pensée. Mais obsédé par la nécessité de faire rentrer cette petite fille dans les voies de l'instinct, je ne savais que lui répéter :

— Je te regretterai, ma petite amie, je regretterai le délicieux état d'âme que tu me manifestes, mais je t'engage tout à fait à épouser Charles Martin.

Et nous eûmes un long dialogue sur la convenance de ce

mariage, que j'appuyai par des considérations tirées, comme on pense, de ses défaillances actuelles et même des chagrins qu'elle avait connus.

Je lui rappelais ce qu'elle m'avait dit souvent et qui peut se traduire ainsi : « J'ai toujours eu un violent désir d'être admirée et de plaire, et une violente souffrance de la brutalité qu'il y avait au fond de ceux qui profitaient de ma beauté. » Souvent, dans ses voyages à Arles, elle s'était offensée que des hommes mal vêtus ou des sots congestionnés se permissent de la regarder avec un appétit méridional.

— Je t'apprécie, mon amie, continuais-je, pour ta douleur et pour ta misérable vie. En te conseillant une nouvelle existence, je fais donc un sacrifice; je me prive du charme que sont pour moi ta tristesse, ton sourire et ta pâle maison pleine de ton cœur ardent.

Elle me répondit qu'à quitter tout cela elle ne trouverait pas le bonheur, et qu'elle le ferait seulement pour me plaire davantage.

J'en fus ému au point de compromettre ma thèse :

— Ma chère petite, ne rougis pas des malheurs qui t'ont offensée; crois bien que mon amour s'envenimait de ton chagrin habituel. Et même, saurais-je t'aimer si tu devenais joyeuse sans fièvre et simplement heureuse?

Il me sembla que cette dernière phrase redoublait sa tristesse et qu'en voulant écarter tout froissement de cette petite amie, je n'avais fait que gêner plus étroitement son cœur. J'essayai de revenir sur ma pensée :

— Mais pourquoi, heureuse dans une vie sans singularité, serais-tu moins belle? Peut-être, en y réfléchissant, les circonstances momentanées n'ont-elles que peu de part dans ton charme : ce qui vaut le plus en toi, c'est la longue préparation inconsciente que te firent tes aïeux : tu es macérée de douceur, la qualité religieuse de ton cœur est exquise.

Bérénice se tut, elle pensait à celui qui est dans le cercueil. Et ne pouvant éviter de toucher ce point, le plus délicat de tous, je lui dis :

— En vérité, ma chère Bérénice, M. de Transe lui-même porterait votre âme à l'acceptation. Gardez de lui dorénavant un souvenir plus modeste et gardez-moi aussi quelque amitié.

— Peux-tu croire, me dit-elle, que je t'oublie jamais ?
Son accent passait infiniment ses paroles. Et après un silence je lui répondis :

— Bérénice, je sens combien tu es aimable, et c'est parce que j'en ai un sentiment aussi vif que je décline la volupté si tentante d'associer nos vies. Si je te faisais l'existence que je te rêve, je te pousserais l'âme plus au noble encore et je la remplirais du culte de M. de Transe ; je te conduirais dans un cloître pour y connaître une exaltation délicieuse. Mais je crois que tu aurais des regrets plus tard. C'est pourquoi, petite fille, malgré tout il vaut mieux que tu épouses.

Pendant cette conversation, nous étions arrivés à la gare, j'avais pris mon billet et faisais enregistrer mes bagages. Quand je fus monté dans mon wagon :

— Je suis seule au monde, me dit-elle, et personne ne m'aime.

Je faillis redescendre sur le quai, ne pas rentrer à Arles ce soir-là. Mais quelle solution à cette aventure ? Je voyais bien qu'au fond elle ne m'aimait pas, mais avait seulement de la confiance en moi et détestait sa solitude. Je sentais d'autre part que je ne goûtais en elle que sa douleur sans défense, et que, gaie et satisfaite, elle m'eût été une compagne intolérable.

Le train s'éloigna, et je la vis, petite chose résignée, évoluer à travers les gros colis vers la sortie de la gare. Certes j'avais du désagrément sentimental, mais surtout je ressentais avec une vive indignation qu'une fille de dix-huit ans eût le cœur serré et des larmes sur les joues.

Et j'allai à mes besognes, plein d'un découragement qui n'a pas de nom et rempli d'une pitié à sacrifier bien des satisfactions pour obtenir un peu d'oubli et d'apaisement à ma chère Petite-Secousse et à tous ceux qui sanglotent dans la nuit.

Je me la représentais avec certitude, telle que je l'ai vue si souvent quand elle se sentait tout à fait misérable : roulée en boule sur son lit, où son chien avait coutume de sommeiller, et pleurant la figure cachée contre cet animal, dont la chaleur peu à peu l'assoupissait.

334

CHAPITRE XI

« Qualis artifex pereo »

VOYAGE AUX SAINTES-MARIES

Le mariage se fit, et la nouvelle m'en surprit en juin, au plus fort de ma campagne électorale. Elle assurait à peu près mon succès, car Bérénice ne permettrait paa à son amant heureux de me combattre. Mais contre ma raison j'en ressentis du chagrin.

Je cessai toute assiduité auprès de Bérénice : l'Adversaire eût pu s'en offenser, et désormais que dire à mon amie ? Elle-même ne vint plus à Arles. On me rapporta qu'elle était souffrante, mai, juin, juillet passèrent en besognes de candidat, et j'eus d'Aigues-Mortes, à de rares intervalles, les plus fâcheuses nouvelles.

Une seule fois, à l'improviste, je les rencontrai dans Arles ; elle marchait avec de gracieuses précautions de jeune animal sur les durs cailloux de ces rues antiques. J'entendis mon cœur sauter dans ma poitrine. Son sourire me parut éclatant de domination ; son visage lumineux, éclairé par ses yeux et par sa pâleur même, prit un air d'impériosité voluptueuse dont je fus accablé.

Cet instant-là m'aide à comprendre ce qu'on dit de la beauté éclatante et transparente des Vierges qui apparaissent à de jeunes dévots passionnés.

Mais le phénomène tout à fait curieux, c'est qu'elle, Petite-Secousse, que j'avais eue dans mon lit, pour ainsi dire, et de qui je m'étais fort amusé, me fit connaître à cet instant le sentiment respectueux de l'amant pour la femme d'un

335

autre, pour la femme toute de dignité qu'il ne peut ni ne veut imaginer en linge de nuit.

Je l'aurais honorée et servie, je ne pensais plus à la désirer. Tant de tristesses accumulées en moi durant ces derniers soirs se groupèrent soudain autour de sa figure et me firent une image singulièrement ennoblie de cette petite dont j'avais eu satiété.

Lui, avec la figure dure et bête qu'ils ont toujours, elle, triomphante de bonheur, sans qu'elle daignât même être méchante, ils me gênèrent au point que je ne les abordai pas. Deux jours après j'adoptais un chien égaré, qui me fêtait humblement vers les minuit dans la rue, et l'ayant rentré chez moi je le caressais quoiqu'il fût sale, en songeant que je lui étais supérieur, à elle, dans l'organisation du monde, car j'avais agi avec douceur envers un être qui avait de beaux yeux et de la tristesse.

(Ce n'est là qu'une impression vite atténuée, contredite par dix autres, mais, pour marquer la situation et ses progrès, je note chaque forme de ma défaillance, ma fièvre ne s'y jouât-elle qu'une minute.)

A l'ordinaire, pour fatiguer mon ennui, je me donnais à mes amis politiques et visitais ma circonscription.

Tous les matins je sortais d'Arles, et ma voiture m'emportait sur la grand'route, à travers la Camargue, dont la lente solitude m'enchantait, car par mille imaginations un peu subtiles j'y trouvais des témoignages sur mes propres dispositions.

N'avais-je pas laissé derrière moi ce trésor accroupi de Saint-Trophime, comme j'ai laissé Bérénice qui est mon autel et mon cloître! Dans cette Camargue, n'y a-t-il pas, comme en moi, la grande voie publique avec quelques cultures sur les côtés, et que je franchisse le fossé, je tombe dans l'anonyme de la nature. Dans ce désert, nulle place pour une vie individuelle : le vent, la mer et le sable y communient, n'y créent rien, mais se contentent de prouver avec intensité leur existence. Ils éveillent la mélancolie, qui est, elle aussi, une grande force sans particularisation. Là, les pensées individuelles se perdent dans le sentiment de l'éternel, de l'universel; les arbres y sont tendus, inachevés;

seules fixent l'attention quelques poignées de noirs cyprès, regrets sans mémoire, au milieu d'une lèpre de mousse et de baguettes.

Un jour, après six heures de voiture, par la route la plus malheureuse de cette région désolée, j'arrivai au plus triste village du monde, aux Saintes-Maries. C'est moins une église qu'une brutale forteresse aux murs plats, enfermant un puits profond; dans le clocher, à la hauteur du toit, est une chambre Louis XV, décorée de boiseries or et blanc, remplie de misérables ex-voto : c'est la chapelle, peu convenable, des graves saintes Maries.

J'allai sur la plage coupée de tristes dunes, chercher l'endroit où débarquèrent ceux de Béthanie, qui furent les familiers de Jésus. C'était Lazare le Ressuscité, le vieux Trophime, Marthe et Marie, la voluptueuse Madeleine, de qui la brise de mer ne put dissiper les parfums. Mais celle que je fais la plus belle dans mon imagination, c'est sainte Sara, qui servait les Notre-Dame dans la barque et qui est la patronne des Bohémiens. Plus mystérieuse que toutes dans sa volontaire humiliation, elle reporta ma pensée vers ma Bérénice, vers cette petite bohème à peine digne de délier les souliers des vierges ou des belles repenties, et qui semble avoir été désignée pour m'apporter la bonne doctrine.

C'est sur ce rivage, misérable mais sacré pour qui n'a rien dans l'âme qu'il ne doive à ces obscurs passionnés d'où naquit notre christianisme, c'est sur cette plage dont la légende m'étouffait de sa force d'expansion que je plaignis ma Bérénice d'être une vivante et d'obéir à des passions individuelles. Sans doute elle a fermé les yeux, mais fasse le ciel qu'elle ait perdu tout esprit, qu'elle soit devenue entre ses bras une petite brute sans clairvoyance ni réflexion, en sorte qu'elle ne soit pas à lui, mais à l'instinct et à la race, — et cela, je puis le croire, d'après ce que j'entrevois de son tempérament.

Quand je remontai dans ma voiture, fatigué par de telles méditations mêlées à ma propagande de candidat, et légèrement fiévreux, un orage tombait sur la Crau. On leva les vitres sur le devant de la capote, qui me firent durant six heures une prison étroite où le vent qui écorche ces plaines jetait et écrasait la pluie. Les chevaux, surexcités par la tempête et leur cocher, filaient avec une extrême rapidité. Je m'endormis d'un sommeil que je dominais pourtant et qui ne m'empêchait guère de suivre mon idée. État qui n'est pas de rêve, mais plutôt l'engourdissement de notre individu, hors une part qui veille et bénéficie de toute la force de l'être.

Sur ce premier campement de l'Église de France, je venais de servir les doctrines sociales qui me séduisent, en même temps que je rêvais de Lazare le Ressuscité, et, tous ces soins se mêlant dans mon sommeil lucide, je réfléchis qu'il avait fait, celui-là, la même traversée que j'entreprends maintenant, en sorte que je lui prêtais quelques-unes de mes idées ; et j'en vins à resserrer tout ce brouillard dans la lettre suivante, qui n'est que mon dialogue intérieur mis au point.

CONSOLATION DE SÉNÈQUE LE PHILOSOPHE
A LAZARE LE RESSUSCITÉ

« Mon cher Lazare,

» Aux dernières fêtes de Néron, votre air soucieux a été remarqué. Je sais que des personnes de votre famille désirent vous entraîner sur les côtes de la Gaule, où elles comptent prendre une attitude insigne dans le nouveau mouvement d'esprit. La détermination est grave.

» Vous ne m'avez pas caché le culte que vous gardez à la mémoire de votre malheureux ami, et, d'après sa biographie que vous m'avez communiquée, je me rends parfaitement compte qu'il dut avoir beaucoup d'autorité : il était complètement désintéressé, puis il aimait les misérables, ce qui est divin. Il m'eût un peu choqué par sa dureté envers les puissants ; en outre, je ne puis guère aimer ceux sur qui je n'ai pas de prise, ces amis frottés d'huile qui me possèdent et que je ne possède pas. Avec ces réserves, je comprends que vous l'aimiez beaucoup, d'autant que c'est pour vous une façon de monopole. Vous avez en effet sur la plupart de ses fidèles cette supériorité d'avoir été mêlé si intimement à sa vie qu'en l'exaltant c'est encore vous que vous haussez.

» Vous le voyez, mon cher Lazare, je me représente d'une façon très précise l'intéressant état de votre âme à l'égard de Jésus : vous l'aimez. La question est de savoir si vous voulez conformer vos actes à votre sentiment.

» Confesserez-vous que sa vie et sa doctrine sont les meilleures qu'ont ait vues ? Lui chercherez-vous des disciples, ou vous contenterez-vous de le servir passionnément dans votre sanctuaire intérieur ? Telle est la position exacte de votre débat. Il vous faut peser si ce vous sera un mode de vie plus abondant en voluptés de partir avec Mesdemoiselles vos sœurs pour être fanatique, en Gaule, ou de demeurer à faire de l'ironie et du dilettantisme avec Néron.

» Que vous restiez dans cette cour trop cultivée ou partiez vers des régions mal civilisées, de vous à moi, dans l'un ou l'autre cas, ça pourra mal finir, car les peuplades de la Gaule seront excitées à vous mettre à mort, à cause de votre obstination à leur procurer le bonheur, et, d'autre part, Néron est un dilettante si excessif que, vous goûtant personnellement et sachant qu'on vous calomnie, il est fort capable de vous sacrifier, tant il est peu disposé à plier ses actes d'après ses idées, à protéger ceux qu'il honore et à appliquer la justice. Dans la vie, les sentiers les plus divers mènent à des culbutes qui se valent; en dépit de tous les plans que nous concertons, les harmonies de la nature se font selon un mécanisme et une logique où nous ne pouvons influer. J'écarte donc les dénouements qui sont irréformables et je m'en tiens aux avantages divers de l'une et l'autre attitude.

» Eh bien! il n'y a pas de doute, un fanatique (c'est-à-dire un homme qui transporte ses passions intellectuelles dans sa vie) est mieux accueilli par l'opinion que l'égotiste (homme qui réserve ses passions pour les jeux de sa chapelle intime). Les publicistes seront plus sévères à Néron qu'à Marthe, quoique très certainement cette dernière introduise dans le monde plus de maux que le premier, et que la part de responsabilité dans les malheurs qui naissent d'une mésentente idéologique soit plus lourde pour les victimes que pour les bourreaux. C'est que l'espèce humaine répugne à l'égotisme, elle veut vivre. Le fanatique représente toujours le premier mot d'un avenir, il met en circulation, plus ou moins déformées, les vertus qu'il a aperçues; l'égotiste au contraire garde tout pour lui, il est le dernier mot.

» Néron, mon cher Lazare, excusez-moi d'y insister, est un esprit infiniment plus large que vos deux excellentes sœurs, mais il est dans son genre le bout du monde; en lui les idées entrent comme dans un cul-de-sac; Marthe et Marie sont deux portes sur l'avenir. Le sectaire est donc plus assuré, tout pesé, de l'estime de l'humanité, puisqu'il la sert. Il est un rail où elle glisse les provisions qu'elle adresse aux races futures, tandis que l'égotisme est une propriété close.

» Une propriété close, c'est vrai! mais où nous nous cultivons et jouissons. L'égotiste admet bien plus de formes de vie; il possède un grand nombre de passions; il les renouvelle fréquemment; surtout il les épure de mille vulgarités qui sont les conditions de la vie active. De ces vulgarités inévitables, n'avez-vous pas souffert quelquefois dans l'entourage si généreux pourtant, si loyal, de vos excellentes sœurs ?

» Par moi-même, j'avais de solides raisons pour être fanatique : cela eût été plus décent pour un philosophe. Des amis trop honnêtes m'y engageaient fort. Mais la vie est trop courte! Quand j'aurais, selon le système des sectaires, traduit ma passion dans une attitude contagieuse, ce qui d'ailleurs la déforme toujours, quel temps me serait resté pour acquérir de nouvelles passions ? D'ailleurs, il eût fallu conformer mes actes à mes idées. C'est le diable! comme vous dites, vous autres chrétiens. Puisque, en ce monde, mon souci se limite à découvrir l'univers qui est en puissance en moi, et à le cultiver, qu'avais-je à me préoccuper de mes actes ? Moi qui ne fais cas que du parfait désintéressement, j'ai accepté certaines faveurs qui vinrent à moi en dépit de ma pâleur et de ma frêle encolure; j'ai favorisé diverses fantaisies de Néron, et ces complaisances me nuisirent devant l'opinion. A tout cela, en vérité, je prêtais fort peu d'intérêt; je n'ai jamais suivi que mon rêve intérieur. Dans mes magnifiques jardins et palais, je vantais le détachement; j'en étais en effet détaché, j'étais sincère. Le comprendrez-vous, Lazare, ce luxe m'excitant infiniment à aimer la pauvreté? Avez-vous jamais mieux goûté la pudeur que dans les bras de Marie-Madeleine ?

» J'entre dans ces détails intimes pour vous prouver combien j'ai toujours été éloigné de cette décision où vous penchez. Ah! ce n'est pas moi qui pensai jamais à suivre la voie sans horizon et si dure des sectaires. Et pourtant vous en dissuaderai-je? Suis-je arrivé au bonheur, en ne me refusant à aucun des sentiers qui me le promettaient? Suis-je parvenu à recréer l'harmonie de l'univers?

» J'ai voulu ne rien nier, être comme la nature qui accepte tous les contrastes pour en faire une noble et féconde unité. J'avais compté sans ma condition d'homme. Impossible d'avoir plusieurs passions à la fois. J'ai senti jusqu'au plus profond découragement le malheur de notre sensibilité, qui est d'être successive et fragmentaire, en sorte que, ayant connu infiniment plus de passions que le sectaire, je n'en ai jamais possédé qu'une ou deux, tout au plus, à la fois. C'est dans cette idée que Néron me demandant, il y a peu, de lui composer un mot philosophique qu'il pût prononcer avant de mourir, je lui ai conseillé : «*Qualis artifex pereo!* Quel artiste quel fabricant d'émotions je tue! »

» C'est d'ailleurs une exclamation qu'il pourrait jeter avec à-propos à toutes les heures de la vie. J'ai acquis une vision si nette de la transformation perpétuelle de l'univers que, pour moi, la mort n'est pas cette crise unique qu'elle paraît au commun. Elle est étroitement liée à l'idée de vie nouvelle, et comme son image est mêlée à tous les plaisirs de Néron, elle est mêlée à toutes mes analyses. La mort est la prise de possession d'un état nouveau. Toute nuance nouvelle que prend notre âme implique nécessairement une nuance qui s'efface. La sensation d'aujourd'hui se substitue à la sensation précédente. Un état de conscience ne peut naître en nous que par la mort de l'individu que nous étions hier. A chaque fois que nous renouvelons notre moi, c'est une part de nous que nous sacrifions, et nous pouvons nous écrier : *Qualis artifex pereo!*

» Cette mort perpétuelle, ce manque de continuité de nos émotions, voilà ce qui désole l'égotiste et marque l'échec de sa prétention. Notre âme est un terrain trop limité pour y faire fleurir dans une même saison tout l'univers. Réduits à la traiter par des cultures successives, nous la verrons toujours fragmentaire.

» J'ai donc senti, mon cher Lazare, et jusqu'à l'angoisse, les entraves décisives de ma méthode; aussi j'eusse été fanatique si j'avais su de quoi le devenir. Après quelques années

341

de la plus intense culture intérieure, j'ai rêvé de sortir des volontés particulières pour me confondre dans les volontés générales. Au lieu de m'individuer, j'eusse été ravi de me plonger dans le courant de mon époque. Seulement il n'y en avait pas. J'aurais voulu me plonger dans l'inconscient, mais, dans le monde où je vivais, tout inconscient semblait avoir disparu.

» Voici, au contraire, que vous survenez dans des circonstances où ce rêve devient aisé, et il semble bien que vous soyez sur le point de le réaliser, puisque ayant ressenti à la cour de Néron des inquiétudes analogues aux miennes, vous méditez de vous mettre de propos délibéré au service de la religion nouvelle. Malheureusement, mon cher Lazare, j'y vois un obstacle, qui, pour se présenter chez vous avec une forme singulière, n'en est pas moins commun à bien des hommes.

» Quand vous me parliez des curieux incidents de votre pays de Judée, vous ne m'avez rien celé du rôle important que vous y avez joué : le merveilleux agitateur vous a ressuscité. Vous êtes Lazare le Revenu. En conséquence, quoique vous ayez observé toujours la plus grande discrétion sur cette anecdote désormais historique, il est évident que vous êtes renseigné sur le problème de l'au-delà. Si vous balancez comme je vois, c'est que la vérité ne s'en impose pas, d'après ce que vous savez, d'une façon impérative. Dès lors, vous voilà dans un état d'esprit qui, pour naître chez vous de circonstances particulièrement piquantes, n'en est pas moins d'un ordre trop fréquent : vous n'êtes pas le seul revenu. Beaucoup, à cette époque, bien qu'ils ne soient pas allés jusqu'au tombeau, ont comme vous des lumières sur ce qui termine tout. Bien qu'ils n'aient pas eu les pieds et les mains liés avec les bandes funéraires, ils ne peuvent se donner aux passions de leurs contemporains. Leur sympathie est assez forte pour leur faire illusion quelques instants sur des idées généreuses, mais comme vous, qui vîtes pousser les fleurs par les racines, ils constatent que ce sont des songes sans racines sérieuses. Ils ont de tristes lucidités, et après de courts enthousiasmes, analogues à ceux que vous communiquent l'ardeur de Marthe et de Marie, l'humilité de Sara, la beauté de Madeleine et la jeunesse du vieux Trophime, ils s'écrient, infortunés clairvoyants qui regrettent de ne pouvoir se tromper avec tout le monde : *Qualis artifex pereo!* »

CHAPITRE XII

La mort touchante de Bérénice

Les élections nous réussirent. Sitôt élu, je quittai Arles et m'installai au Grau-le-Roi, où Bérénice, hélas! dépérissait auprès de l'Adversaire. Celui-ci ne se déjugeait pas : il ne pensait rien que de sévère sur un succès qu'il n'avait pas prévu, mais il avait trop le goût de la hiérarchie pour ne point se figurer, depuis le scrutin, que nous étions liés par « une sympathie plus forte qu'aucune politique ».

Qui donc avait répandu sur mon amie cette tristesse dont je la vis défaillante au Grau-le-Roi, dans les premiers jours d'octobre? « C'est la fièvre des étangs », disait Charles Martin, toujours enclin aux explications plausibles et médiocres. Ah! les étangs jusqu'alors n'avaient donné que de beaux rêves à la petite Bérénice; jusqu'alors ses insomnies étaient enchantées de l'image de M. de Transe, et dans ses pires délires elle n'avait reçu de lui que les signes d'une tendre amitié. Morne aujourd'hui pendant de longues heures, c'était une jeune adultère qui désespère du pardon et répète avec égarement : « Comment ai-je commis cela? » Jamais elle ne se plaignit, mais ses mains diaphanes m'avouaient tout et me reprochaient amèrement d'avoir poussé à cette union sans amour.

M'étais-je égaré sur ce que je croyais être son instinct? Ce mariage de convenance, que j'avais souhaité pour redresser la vie de mon amie, allait-il donner à sa destinée l'irréparable tournant? L'extrême difficulté qu'il y a d'interpréter la volonté de l'inconscient m'apparut avec une singulière netteté durant ces dernières semaines, au cours des longs silences de Bérénice, assise auprès de moi en face de la mer mystérieuse.

A ma table de travail, je défaillais sous ces intérêts refroidis qui encombrent un nouvel élu. Ces querelles émoussées, ces compliments, ces réclamations, m'étaient une chose de dégoût, comme l'idée fixe dans l'anémie cérébrale, ou, dans l'indigestion, le fumet des viandes qui la causèrent. La réussite me supprimait trop brutalement le but dont j'avais vécu depuis huit mois ; je n'avais plus d'impulsion à mon service. *Qualis artifex pereo !* me répétais-je par ces lentes matinées de loisir, vaguant de la vaste mer à ces vastes espaces couverts des seules digitales, et n'osant à chaque heure du jour visiter Bérénice. Étendu sur la grève, je m'abandonnais aux forces de la terre : il me semblait que son contact, sa forte odeur, sa belle santé me renouvelleraient mieux qu'aucun système. En dépit de mon âme hâtive, je me sentais solidaire de cette terre d'Aigues-Mortes, faite des lentes activités du sable et de l'Océan. Ne puis-je comparer le développement de ce pays au mien propre ? Les modifications géologiques sont analogues aux activités d'un être. Bérénice, qui sortit de son instinct pour suivre mes conseils et se marier, souffre comme souffrirait la nature entière si elle était soumise à des volontés particulières. Dans mon orgueil de raisonneur, j'ai traité mon amie comme l'Adversaire traite le Rhône et sa vallée. En échange de la révélation que m'a donnée de l'inconscient cette fille incomparable, je n'ai su que la faire pécher contre l'inconscient.

Sitôt que le crépuscule avait couvert d'ombre ma table de travail, le visage amaigri de la jeune malade m'apparaissait comme un reproche. Accoudé à mon balcon, sur ce doux canal du Grau-le-Roi qui va aboutissant à la mer, j'entendais dans une rue voisine les enfants, énervés de leur journée et trop bruyants, se débattre contre les grandes personnes qui les rappelaient au logis. Pour moi, j'attendais que huit heures sonnées me permissent d'aller auprès de Bérénice ; la fièvre l'empêchait de dormir, et je me consacrais à amuser le plus possible son extrême faiblesse.

Quand il était si évident que cet être infiniment sensible ne souffrait que d'avoir froissé les volontés mystérieures de son instinct, Martin nous fatiguait de sa thérapeutique matérialiste. De l'entendre, je m'étonnais qu'il pût valoir si peu en vivant dans une telle société. Par ses seules définitions de Bérénice, il me déformait la délicieuse image que je m'étais composée d'elle d'après nos pédagogies. Sa médiocrité me conduisit même à cette réflexion que, si Petite-Secousse devait disparaître à son contact, il ne m'en coûterait pas plus de soupirs qu'elle mourût tout entière, car Petite-Secousse est la partie de Bérénice que j'ai jugée digne de toutes mes préférences.

*

Les choses allèrent plus vite qu'il n'eût été raisonnable de le prévoir. En trois jours, cela fut au point que je ne doutai pas de sa fin prochaine. Sa figure et ses mains, pâles comme les linges où elle repose, gardaient ce petit air secret que nous lui avons toujours vu, mais une expression plus lente éteignait ses yeux qui m'ont éclairé si rapidement l'ordre de l'univers.

Une extrême faiblesse l'accablait dans son lit, et moi de tenir sa main je me sentais plus fort. Bérénice va disparaître, pensais-je, mais je garde le meilleur d'elle-même. Je me suis approprié son sens de la vie, sa soumission à l'instinct, sa clairvoyance de la nature; je suis la première étape de son immortalité. O mon amie, ce séjour était incertain pour toi, tu pouvais t'y abîmer, mais en moi prospéreront tes vertus.

À cet instant, ses yeux, ayant rencontré mes yeux, elle me sourit, mais quand son sourire s'effaça, je me sentis tout bouleversé, car je songeais à tout ce qu'il y a en elle de viager et qu'avant l'aube prochaine peut-être je ne verrais plus. Je baisai sa main, qui, sous la chaleur de la fièvre, n'était plus déjà qu'un léger ossement; et des larmes vinrent mouiller ses yeux, tandis que je répétais : hélas! hélas!

Peut-être se sentait-elle trop de faiblesse pour parler, et je n'avais d'elle que ses doigts qui caressaient doucement ma figure, mais je compris soudain avec épouvante qu'elle me regardait pour me voir une dernière fois. Depuis combien de temps cette pensée en elle? Ah! ces regards où de pauvres hommes et de pauvres bêtes nous avouent le bout de leurs forces! Regard tendre et voilé de ma Bérénice qu'affligeait la peur de la mort! il me parut plus pitoyable qu'aucun mot

345

désolant qu'elle eût inventé pour se plaindre. Je lui parlai des promenades que nous ferions encore dans la campagne, elle se mit à pleurer sans répondre.

Je ne crois pas qu'elle ait eu de graves souffrances physiques. La sœur qui l'assistait, et à qui, par délicatesse de femme, elle confiait toutes ses misères, m'a dit : « Si elle a beaucoup souffert, c'est de quitter sa beauté, ses souvenirs et toutes ses choses de sa villa. » Elle eut un délire de petite fille, et à moi, qu'elle avait fait asseoir au bord de son lit, cela paraissait si impossible que cette enfant participât d'un mystère sacré, comme est la mort que je croyais parfois à un jeu de fiévreuse.

J'ai vu Bérénice mourir; j'ai senti les dernières palpitations de son cœur qui n'avait été ému que de l'image d'un mort. Elle était couchée sur le côté, comme ces pauvres bêtes dont elle eut toute sa vie une si grande pitié. Sans doute elle sentit la mort la posséder, car son visage gardait une terreur inexprimable. Et moi, je cherchais un moyen de lui témoigner la plus tendre sympathie, d'adoucir ce passage misérable; j'embrassais ces yeux où roulaient les derniers pleurs. Je les embrassais comme elle avait mille fois embrassé son bel âne, sans préoccupation de politesse ni de sensualité, simplement pour lui témoigner ma fraternité. Ces baisers-là, elle ne les connut point de sa vie, car elle éveillait la volupté. « Maintenant, lui disais-je, tu as fini ta tâche, tu atteins ta récompense, qui est la certitude, vérifiée sur ma tristesse présente, que j'eus pour toi un réel attachement. Tu ne crains plus désormais d'être méprisée par ceux à qui les circonstances ont composé une vie plus facile. »

Je lui ai fait la mort que j'ai toujours tenue pour la plus convenable, sans tapage, ni larmes, ni vaines démonstrations, mais un peu grave et silencieuse. Elle eut la fin d'un pauvre animal qui pour finir se met en boule dans un coin de la maison de son maître, d'un maître dont il est aimé.

Et pourtant, faire une bonne mort était-ce un rôle suffisant pour elle ? Elle eût été précieuse surtout pour assister les autres à leur dernier moment, car elle savait sympathiser avec la nature dans ses plus tristes humiliations.

C'est vers les 5 heures qu'écartant les boucles de cheveux qui couvraient son front je fermai les yeux de cette fille dont la sagesse eût mérité mieux que de marcher côte à côte avec mes inquiéfudes raisonneuses. Dès lors, tout l'appareil des soins funéraires s'interposa entre moi et ce corps qui ne m'était plus qu'une chose étrangère. Je me retirai avec l'image que je gardais de cette véritable maîtresse.

CHAPITRE XIII

Petite-Secousse n'est pas morte!

Les journées qui suivirent l'enterrement de Bérénice, je les donnai avec une ponctualité en quelque sorte machinale aux devoirs de mon nouvel état. Mais déjà il ne m'était plus qu'une passion refroidie, un casier de mon intelligence. Et ce pays aussi, que j'avais dû orner de toutes mes émotions pour m'en faire un séjour utile, maintenant que j'allais le quitter n'avait plus pour mon âme d'impériosité.

C'était en moi et hors de moi un profond silence. Il me semblait que le monde et mon moi se fussent figés. J'étais un bloc de glace sur une mer qui l'étreint en se congelant. Sur cette banquise lourde et monotone que je composais avec l'univers, seule glissait comme un nuage bas l'image de Petite-Secousse. Image gelée, elle-même! De nos causeries, je ne savais plus que ses longs silences; de sa sensualité, rien que ses touchantes torpeurs, et de son corps élégant, je ne revoyais aucun détail, mais seulement j'étais rempli de cette tristesse que m'avait donnée chacune de ses grâces quand je songeais qu'elles passeraient. De tant de gestes par où elle me toucha, un seul m'obsède : c'est quand, la veille de sa mort, ses yeux rencontrant mes yeux, elle pleura sans parler.

Ainsi passais-je des soirées, avant que le Parlement fût convoqué, à m'attendrir sur le triste sort de la jeune Bérénice, qui mourut d'avoir mis sa confiance en l'Adversaire.

Sitôt ma correspondance et autres besognes mises au net, de toutes les parties de mon âme montait une sorte de vapeur qui me voulait le monde extérieur. Sous cette lente métaphysique, je demeurais très avant dans la nuit à contempler la reine par qui me fut révélée la vie inconsciente, et sa vue, mieux qu'aucune encyclopédie, m'enseignait les lois de l'univers. Même il m'arriva d'être rappelé à la réalité par une douleur au cœur; alors je souriais de m'exalter à ce point pour celle qui ne fut en somme qu'un petit animal de femme assez touchante. Rien au monde pourtant ne m'inspira plus vive complaisance.

Une nuit, je ressentis, avec une intensité toute particulière, que la préoccupation dont je venais de vivre pendant huit mois était assouvie et qu'il m'en fallait une nouvelle. Pourquoi ne puis-je comme l'océan pousser la vague qui naît dans la voie de la vague qui meurt, et comme lui me donner la puissance et la paix? Auprès de la mer unissonnante, je souffrais que ma vie fût une suite de sons privés d'harmonie. Ce problème, qui n'est autre que de me trouver une loi, m'était si agréable ce soir-là, et si doux aussi le vent généreux qui soufflait du large, que je résolus d'aller, en mémoire de Bérénice, jusqu'au jardin d'Aigues-Mortes.

Il eût été plus hygiénique de gagner mon lit, mais l'idée des transformations de mon moi me présentait avec une grande force la convenance de jouir de mes sensations jour par jour. Puisque nous sommes la victime de morts successives, je refuse de sacrifier une satisfaction d'aujourd'hui au bien-être de celui que je serais dans quelques années.

Ayant ainsi agrandi ma promenade par de hautes considérations, je fis les 4 kilomètres de bruyères et d'étangs qui séparent d'Aigues-Mortes le Grau-du-Roi. La haie franchie de la villa de Rosemonde, je me retrouvai sur ce sable où nous avions passé tant d'heures, et où je venais sans doute pour la dernière fois. Je revécus avec intensité le chemin que j'avais parcouru auprès de Bérénice, et je sentais que, haussé par cette étrange compagnie d'une année, j'embrassais avec plus de force un plus grand horizon.

Cette nuit d'octobre était si chaude, ou plutôt mon imagination si échauffée, que je résolus, étant un peu las, d'attendre le matin en me couchant sur des touffes de fleurs violemment parfumées. Dans mon état de nerfs, ces arbres et toutes ces choses que je connaissais si bien faisaient se dresser devant moi, à tous instants, des apparences fantastiques. La masse des remparts, l'immensité de la plaine, la voluptueuse désolation de ce petit jardin, mon amour de l'âme des simples, ma soumission de raisonneur devant l'instinct, toutes ces émotions que j'avais élaborées dans ce pays et tout ce pittoresque dont il m'avait saisi dès le premier jour, se fondaient maintenant dans une forme harmonieuse. Et comme ils avaient été dans mon cerveau des mouvements coexistants et simultanés, ils cessaient sous ma fièvre plus forte d'être isolés pour composer un ensemble régulier. Beau jardin idéologique, tout animé de celle qui n'est plus, véritable jardin de Bérénice!

Au sens matériel du mot, je ne puis dire que Bérénice me soit apparue, mais jamais je ne sentis plus fortement sa présence que dans cette importante veillée où je résumai mon expérience d'Aigues-Mortes. C'est qu'aussi bien, depuis un an, j'ai resserré autour de Bérénice tous les mouvements de ma sensibilité. Telle que j'ai imaginé cette fille, elle est l'expression complète des conditions où s'épanouirait mon bonheur; elle est le moi que je voudrais devenir. Or, pour une âme de qualité, il n'est qu'un dialogue, c'est celui que tiennent nos deux moi, le moi momentané que nous sommes et le moi idéal où nous nous efforçons. C'est en ce sens que j'ai vu Bérénice se lever de sa poussière funéraire. Pitoyable et fanée de péchés, elle avait un nimbe lumineux où s'éclairait ma conscience. Dans ces premiers violets de l'aube, je lui apportai ces mêmes sentiments d'humilité que d'autres connurent pour Isis qui les émouvait de son mystère et pour la Vierge tenant dans ses bras le Verbe fait petit enfant. Ma Bérénice, sous ses voiles de jeune élégante, possédait, elle aussi, les secrets de la nature, et pour apparaître en elle, la vérité, une fois encore, emprunta les balbutiements d'un être faible.

— Bérénice, lui disais-je, chacune de tes larmes a été pour moi plus précieuse qu'un raisonnement impeccable. Mais ce bénéfice ne survivra pas à ta mort.

Je crus entendre une voix :

— Mes larmes en coulant sur toi ont laissé comme un signe particulier, auquel les hommes reconnaîtront que tu as une part de l'âme d'une créature simple et bonne.

— Tu étais, ma Bérénice, le petit enfant sauveur. La sagesse de ton instinct dépassait toutes nos sagesses et ces petites idées où notre logique voudrait réduire la raison. Quand j'étais assis auprès de toi, dans ta villa, parfois tu partageais mes douloureux énervements; par une contagion analogue, j'ai participé de ta force qui te fait marcher du même rythme que l'univers. Malheureux que je suis, j'y ai manqué le jour que j'ai voulu corriger ton instinct et, par une double conséquence, en même temps que je prétendais te perfectionner, j'ai détruit l'appui que tu m'étais. Dès lors, que vais-je devenir ?

Bérénice me répondit :

— Il est vrai que tu fus un peu grossier en désirant substituer ta conception des convenances à la poussée de la nature. Quand tu me préféras épouse de Charles Martin plutôt que servante de mon instinct, tu tombas dans le travers de l'Adversaire, qui voudrait substituer à nos marais pleins de belles fièvres quelque étang de carpes. Cesse pourtant de te tourmenter. Il n'est pas si facile que ta vanité le suppose de mal agir. Il est improbable que tu aies substitué tes intentions au mécanisme de la nature. Je suis demeurée identique à moi-même; sous une forme nouvelle, je ne cessai pas d'être celle qui n'est pas satisfaite. Cela seul est essentiel. Toi-même tu te désoles de ne pas avoir de continuité; tu insistes sur ceci que toute augmentation de ton âme y suppose quelque chose qui s'anéantit. Dans cette succession où tu te désespères, quand comprendras-tu qu'une chose demeure, qui seule importe, c'est que tu désires encore. Voilà le ressort de ton progrès, et tout le ressort de la nature. Je pleurais dans la solitude, mais peut-être allais-je me consoler : tu me poussas dans les bras de Charles Martin pour que j'y pleure encore. Dnas ce raccourci d'une vie de petite fille sans mœurs, retrouve ton cœur et l'histoire de l'univers.

— Ah! Petite-Secousse, que tu étais fortifiante dans le triste jardin d'Aigues-Mortes !

— J'étais là; mais je suis partout. Reconnais en moi la petite secousse par où chaque parcelle du monde témoigne l'effort secret de l'inconscient. Où je ne suis pas, c'est la mort; j'accompagne partout la vie. C'est moi que tu aimais en toi, avant même que tu me connusses, quand tu refusais de te façonner aux conditions de l'existence parmi les barbares; c'est pour atteindre le but où je t'invitais que tu voulus être un homme libre. Je suis dans tous cette part qui est froissée par le milieu. Mon frisson douloureux agite ceux-là mêmes qui sont les plus insolents de bonheur, et si tu observes avec

351

clairvoyance, tu verras à t'attendrir sur eux : l'attitude provocatrice de celui-ci cache mal sa faiblesse, à laquelle il voudrait échapper ; la sécheresse que cet autre pousse jusqu'à la dureté, n'est qu'impuissance à s'épanouir. Estime aussi les misérables : parfois il est en eux de telles secousses que c'est pour avoir tenté trop haut qu'ils glissent bas. Personne ne peut agir que selon la force que je mets en lui. Je suis l'élément unique, car, sous son apparence d'infinie variété, la nature est fort pauvre, et tant de mouvements qu'elle fait voir se réduisent à une petite secousse, propagée d'un passé illimité à un avenir illimité. Pour satisfaire ton besoin d'unité, comprends qu'il faut t'en tenir à prendre conscience de moi, de moi seule, Petite-Secousse, qui anime indifféremment toutes ces formes mouvantes, qualifiées d'erreurs ou de vérités par nos jugements à courte vue.

Alors je m'agenouillai et j'adorai Petite-Secousse.

Le jour approchait. Les cimes des rares arbres bleuissaient déjà de lumière. Ce soleil qui se lève sur ce pays, où Bérénice a rempli son apostolat, me sera-t-il une aube nouvelle ?

J'entendis l'appel des animaux dans leur étable. Je n'eus pas de peine à leur ouvrir. Tous ces humbles amis de Bérénice me firent fête suivant leur tempérament, et quoique les canards filassent du côté des étangs sans politesse, je ne me trompai pas sur leur misère et sur le contre-coup qu'ils supportaient, eux aussi, de notre perte commune. Je restai un long temps à serrer la tête de l'âne dans mes bras, à plonger mes yeux dans ses yeux. Mais comme il appartient à une race longuement battue et que d'autre part cette heure religieuse du levant n'était pour lui que l'instant de sa pâture, il faisait des efforts pour se dégager et brouter. Ah ! me disais-je comment gagner les âmes.

Petite-Secousse, je crois en vérité que tu existes partout, mais il était plus aisé de te constater dans le cœur d'un léger oiseau de passage que de distinguer nettement comment bat le cœur des simples.

*

C'est après avoir réfléchi sur cette difficulté de gagner les âmes, de fraterniser avec l'inconscient, que Philippe forma ce désir dont il entretint Mme X... d'obtenir du chef de l'État la concession d'un hippodrome suburbain.

En effet, pour que les âmes s'épanouissent avec sincérité, il leur faut ces loisirs qu'eut Bérénice, par exemple, et qu'elles ne soient pas, comme cette âne famélique, distraites par l'âpre souci de quelques trochées d'herbes. Les souffrances, les nécessités de la vie, nous font comme une gangue misérable où notre individualisme est opprimé. Que l'heureux s'épanouisse, que nous saisissions avec aisance la direction particulière de sa vie, on le conçoit. Mais les misérables ! Pour qu'auprès d'eux je profite, pour qu'ils s'entrouvrent et deviennent une fleur utile du jardin de Bérénice, soyons à même de les libérer ; qu'ils cessent d'abord d'être des opprimés !

Et nous-mêmes, d'autre part, pour échapper à la dissipation et à l'altération que nous subissons des contacts temporels, ne convient-il pas que nous nous réfugions, comme dans un cloître, dans une forte indépendance matérielle ? Ce n'est qu'un expédient, mais sans cette indication ce *traité de la culture du moi* eût été incomplet. L'argent, voilà l'asile où des esprits soucieux de la vie intérieure pourront le mieux attendre qu'on organise quelque analogue aux ordres religieux qui, nés spontanément de la même oppression du moi que nous avons décrite dans *Sous l'œil des Barbares*, furent l'endroit où s'élaborèrent jadis les règles pratiques pour devenir *un homme libre*, et où se forma cette admirable vision du divin dans le monde, que, sous le nom plus moderne d'inconscient, Philippe retrouva dans le *Jardin de Bérénice*.

Deux notes

1° *A propos du titre.*

Ce volume — où se clôt la série commencée par *Sous l'œil des Barbares* — a été annoncé sous le titre *Qualis artifex pereo*, que l'auteur a cru devoir modifier, par convenance envers quelques amies qui se fussent peut-être embarrassées, le premier jour, de ce latin. Un ouvrage qui ne veut être qu'un acte d'humilité devant l'inconscient manquerait trop grossièrement son but, s'il apportait la plus légère contrariété à des femmes.

Qualis artifex pereo! Pour nous qui ne détestons pas certaines pédanteries qui aggravent et enrichissent le débat, elle exprimait fort bien, cette formule, le désarroi de celui qui constate ne pouvoir se donner un moi nouveau qu'en tuant le moi de la veille. Mais qu'elle eût paru lourde, cette fleur de collège, entre les seins de ma Bérénice!

2° *Sur le chapitre premier.*

Si déplaisant qu'il soit d'alourdir d'un commentaire cette fantaisie d'idéologue, je ne puis supporter qu'on méconnaisse ici ma pensée, et je tiens à souligner que je fais intervenir MM. Renan et Chincholle comme deux exemplaires, universellement connus, de façons fort diverses de regarder et d'apprécier la vie. Ils me sont des facilités pour abréger et mouvementer les discussions abstraites. Faut-il redire que j'use de M. Renan selon la méthode que Platon employa avec Socrate? Mais ce maître n'est pas mort, m'objectent quelques-uns. Il nous a mis du moins en possession de son héritage intellectuel : de tout mon effort je le fais fructifier.

Un nom plus affiché encore est mêlé à cet ouvrage, et chacun comprendra que je ne puis l'écrire qu'avec un profond sentiment. Mais c'est à chacune de ces pages que je voudrais étendre le bénéfice de cette note; on ne manquera pas de me chicaner avec des interprétations littérales ou fragmentaires. Tout est vrai là-dedans, rien n'y est exact. Voilà les imaginations que je me faisais, tandis que les circonstances me pliaient à ceci et à cela. Gœthe, écrivant ses relations avec son époque, les intitule : *Réalité et Poésie.*

TABLE

catalogue général

I - anthologies

- **anthologie du conte en France de 1750 à 1799** 1456°°°°°°°
  (a. martin)
- **anthologie critique de la littérature africaine anglophone**
  1552°°°°°°° (d. coussy)
- **anthologie du roman populaire** 1700°°°°°°° (m. nathan)
- **anthologie des troubadours** 1341°°°°°°° (p. bec)
- **anthologie des grands rhétoriqueurs** 1232°°°°°°°
  (p. zumthor)

dictionnaires
- **dupriez** gradus les procédés littéraires 1370°°°°°°°
  littré en 10/18, n° 190 (50 f)

II - les grands textes classiques

baudelaire écrits esthétiques 1773°°°°°°°

baudelaire les fleurs du mal 1394°°°° (préf. de c. pichois)

baudelaire les paradis artificiels 43°°°

bory tout feu tout flamme 1326°°°°°°°

chateaubriand la vie de rancé 243°°° (préf. de r. barthes)

contes pour rire, fabliaux des XIIIe et XIVe siècles 1147°°°°°°
(n. scott)

descartes discours de la méthode suivi des méditations métaphysiques 1°°°°°°

- **dupriez** gradus, les procédés littéraires 1370°°°°°°°

hugo l'homme qui rit t. I 1444°°°°°°° t. II 1445°°°°°°°
(préf. h. juin)

restif de la bretonne sara t. I 1668°°°°° t. II 1669°°°°°
(d. baruch)

rousseau du contrat social 89°°°°°°° (préf. de h. guillemin)

sade les crimes de l'amour 584°°°°°° (g. lély)

sade discours contre dieu 1358°°°°°° (g. lély)

sade histoire de juliette t. I 1086°°°°°°° t. II 1087°°°°°°°
t. III 1088°°°°°°° (g. lély)

sade histoire de sainville et de léonore 57°°°°°° (g. lély)

sade les infortunes de la vertu 399°°° (g. lély)

⋆ **sade** justine ou les malheurs de la vertu 444°°°°°° (tva 33%)
(g. lély)

sade la marquise de gange 534°°°°°° (g. lély)

sade la nouvelle justine t. I 1241°°°°°°° t. II 1242°°°°°°° (g. lély)

sade opuscules et lettres politiques 1321°°°°°° (g. lély)

sade la philosophie dans le boudoir 696°°°°°° (g. lély)

⋆ **sade** les prospérités du vice 446°°°°°° (tva 33%) (g. lély)

+ **théâtre de foire au XVIII**ᵉ 1597°°°°°°° (d. lurcel)

III - littérature africaine et magrébine

● **anthologie critique de la littérature africaine anglophone**
1552°°°°°°°.(d. croussy)

djebar (assia) les alouettes naïves 1248°°°°°°°

djebar (assia) les enfants du nouveau monde 771°°°°°°

haddad l'élève et la leçon 770°°

haddad je t'offrirai une gazelle 1249°°

haddad le quai aux fleurs ne répond plus 769°°

kane (cheikh hamidou) l'aventure ambiguë 617°°°

mammeri l'opium et le bâton 1252°°°°°°°

oyono chemin d'europe 755°°°

oyono le vieux nègre et la médaille 695°°°

IV - littérature anglo-saxonne

V - littérature française du XXᵉ siècle

vian derrière la zizique 1432°°°

vian l'écume des jours 115°°°

vian écrits pornographiques 1433°°

vian (sullivan) elles se rendent pas compte 829°°°

vian en avant la zizique 589°°°

vian (sullivan) et on tuera tous les affreux 518°°°

vian les fourmis 496°°°°°

vian je voudrais pas crever 704°°

vian j'irai cracher sur vos tombes 1000°°°°°

vian le loup-garou 676°°°

vian les morts ont tous la même peau 1114°°c

vian petits spectacles 1405°°°°°

vian le ratichon baigneur 1536°°°

vian textes et chansons 452°°°

+ vian théâtre t. I 525°°°°°°° t. II 632°°°°°°

vian trouble dans les andains 497°°°

● vian (costes) lecture plurielle de l'écume des jours 1342°°°°°°°

● vian (cerisy) t. I 1184°°°°°°° t. II 1185°°°°°°

VI - littérature italienne

voir dans la série **domaine étranger : brancati, buzzati, calvino, pasolini, soldati.**

VII - littérature slave

gombrowicz la pornographie 450°°°

soljénitsyne une journée d'ivan denissovitch 488°°°

soljénitsyne zacharie l'escarcelle 738°°°

voir également dans la série **domaine étranger : andritch boulgakov, gombrowicz, platonov, scepanovic.**

séries

1 l'appel de la vie

La collection l'**Appel de la vie** offre pour la première fois en France l'œuvre intégrale de Jack London.

Quelque cinquante volumes où l'action court des neiges du grand Nord aux atolls des mers du Sud, en passant par la jungle des villes, les championnats de boxe, l'univers pénitentiaire, la révolution socialiste ou la préhistoire de l'humanité.

Qu'il s'agisse de la préhistoire, de la recherche de l'or ou de la boxe, c'est chaque fois — sous la forme du roman ou du reportage, peu importe — le récit d'une seule et même vie intense et généreuse qu'on ne se lasse pas d'entendre raconter. Celle de Jack London. Un des rares romanciers de notre temps qui ait su concilier pillard d'huîtres, fermier, chercheur d'or, vagabond, chasseur de phoques, policier de la pêche, correspondant de guerre en Corée et au Mexique, ami des chiens, marin, militant socialiste. Jack London est l'un des rares romanciers qui, en puisant dans sa propre existence, ait réussi à captiver, de Moscou à New Delhi en passant par Paris, des dizaines et des dizaines de millions de lecteurs.

Francis Lacassin, 1985

2 l'aventure insensée

La collection l'**Aventure insensée** est le témoignage d'un temps où l'imagination était un pouvoir dans la littérature de fiction.

C'est à une vaste croisière à travers l'impossible que le lecteur est convié par les guides tels que Gustave Le Rouge (familier de la planète Mars et des vampires), Robert Louis Stevenson (ou le charme des îles perfides), Conan Doyle (avec un carnaval de prodiges et de mystères que seuls pouvait résoudre un Sherlock Holmes venu de l'au-delà).

Un univers où rien n'est vrai, où tout est possible sauf l'ennui.

Francis Lacassin, 1985

conan doyle les cinq pépins d'orange 1792

conan doyle la grande ombre 1480°°°

conan doyle mon ami l'assassin 1572°°°°°

conan doyle le mystère de cloomber 1641°°°°°

conan doyle rodney stone 1481°°°°°°

stevenson le cas étrange du docteur jekyll et de mister hyde et autres nouvelles 1044°°°°°°°

stevenson la flèche noire 1570°°°°°

stevenson voyages avec un âne dans les cévennes 1201°°°°°

malet l'ombre du grand mur 1810

le rouge todd marvel détective milliardaire 1797°°°°°°°/a.i.

le rouge l'amérique mystérieuse 1800°°°°°°°

3 bibliothèque médiévale

Le Moyen Age, depuis plusieurs années, est « à la mode », c'est-à-dire qu'un intérêt s'est éveillé et assez largement répandu, spécialement en France, pour cette période de notre histoire, perçue plus ou moins confusément comme la matrice de la civilisation moderne. Par ailleurs, on procure principalement des textes qui furent écrits en ancien ou « moyen » français, sans s'interdire d'en présenter parfois qui le furent en occitan, en latin, voire en d'autres langues.

Italo Calvino a montré, avec raison, que toutes nos lectures, au vrai, nous servent à mieux comprendre qui nous sommes et où nous sommes. Comment, après cela, nous empêcher d'aller lorgner du côté d'ailleurs, du côté de « Domaine Étranger » précisément.

Autrement dit : il convient, pour l'honnête homme d'aujourd'hui, de poser la question « Avez-vous lu Ben Hecht, Clemence Dane, Waugh, Buzzati et Mitford ? » — pour ne prendre que quelques exemples parmi nos cent auteurs — plutôt que d'affirmer « il *faut* avoir lu X ou Y » — et les autres maîtres à penser prétendus qui font la une des gazettes en vendant de l'intellect-spectacle.

D'oublis réparés en plaisirs partagés, de désirs exaucés en curiosités satisfaites, « Domaine Étranger » nous emmène au bout de nous-mêmes : je ne connais pas de plus belle invitation au voyage.

Jean-Claude Zylberstein, 1985

5 grands détectives

Pour Jean Paulhan, l'anarchie seule éclairait (« de sa pure lumière » disait-il) le monde de fous où nous vivons. Pour Borges, le roman policier sauve l'ordre dans un monde en désordre.

Au jeu du voleur et du gendarme, aussi bien, les méandres de notre imagination ont toujours conféré une splendeur inégalée. C'est elle que nous retrouvons dans les exploits de nos « Grands Détectives » et pour quoi l'univers où nous entraînent le Juge Ti, le père Brown, ou le rabbin Small, pour ne citer qu'eux, nous semble à la fois si proche de notre univers quotidien et pourtant si différent.

Plaisir ultime, ce monde est rassurant : les choses y sont meilleures, dangereuses, atroces, exaltantes, et l'effort du lecteur tendu vers la vérité chaque fois, ou presque, récompensé. C'est ainsi, grâce aux magies et sortilèges de nos « Grands Détectives » que le monde, enfin, nous appartient.

Jean-Claude Zylberstein, 1985

6 la poisse

7 grands reporters

L'audio-visuel a tué l'aventure en noyant ses amateurs sous le flot tiède des images, banalisées, servies pour être consommées (et oubliées) très vite.

On a peine à imaginer aujourd'hui que l'annonce d'un reportage de Joseph Kessel sur les trafiquants d'esclaves, d'un Albert Londres sur la traite des blanches ou d'une Titaÿna sur les coupeurs de têtes — faisaient grimper de 100 000 à 200 000 exemplaires le tirage du journal concerné.

Suivre la bataille pour Constantinople en 1915, la vie quotidienne des pêcheurs de perles ou celles des derniers coupeurs de têtes constituaient pour un reporter de l'entre-deux-guerres une aventure où il risquait parfois sa vie. Une aventure où la recherche des informations cachées et redoutables s'accompagnait de la quête d'un bateau, d'un cheval, d'un chamelier... ou d'un agneau qui permettait au reporter en difficulté de subsister pendant quelques jours.

C'est un musée de l'aventure même, en même temps qu'un mémorial des derniers aventuriers de l'écriture que veut constituer la collection « Grands Reporters ».

Francis Lacassin, 1985

8 fins de siècles

Cette série a pour vocation de faire surgir de l'ombre des auteurs dont le Purgatoire durait depuis un si long temps que cette attente devenait dommageable : elle était la marque de l'oubli. Dans ces années qui vont, en gros, de 1871 à 1914, un bouleversement complet s'est fait. Il s'agit d'un vertige à la fois social et culturel. Dès lors, les visées, les certitudes, les hésitations, et le fonctionnement de cette chose que Stéphane Mallarmé désignait comme étant la Littérature, bref ! ce « quelque chose comme les Lettres » fut pris d'un tremblement inouï, complexe et inoubliable. Il y a là, dans un beau pêle-mêle, digne d'une jeune étudiante anglaise, le Sâr Peladan, Remy de Gourmont le magnifique, les frères Goncourt qui sont des fantômes, Hugues Rebell l'érotomane au style majestueux, Marcel Schwob et son univers de fantasmes.

Mais il y a là, également, le regard d'aigle qui est celui de Jules Renard. Ensuite vient Alphonse Allais, qui écrit comme s'il nous parlait, et qui, arrivé d'hier, est de toutes les campagnes politiques d'aujourd'hui. Et que dire de Jean-Paul Toulet ? sinon qu'il est merveilleux, à la fois tragique et tendre. Il est vrai que cette série n'a qu'un but : redonner vie aux enchanteurs.

Hubert Juin, 1985

essais

revue d'esthétique

cinéma

musique

philosophie

- **descartes** discours de la méthode suivi de méditations métaphysiques/1 ooooo
- **hegel** la raison dans l'histoire 235 oooooo
- **jaspers** introduction à la philosophie 269 ooo
- **lyotard** dérives à partir de marx et freud 754 ooo
- **lyotard** rudiments païens 1187 oooooo
- **nietzsche** ainsi parlait zarathoustra 646 oooooo
- **nietzsche** contribution à la généalogie de la morale 886 ooooooo
- **nietzsche** le gai savoir 813 ooooooo
- **nietzsche** par-delà le bien et le mal 46 oooooo
- **schopenhauer** métaphysique de l'amour / métaphysique de la mort 207 ooo

+ théâtre
● inédit.
★ interdit à la vente aux mineurs et à l'exposition (t.v.a. 33%).

Hors collection

IMPRIMÉ EN FRANCE PAR BRODARD ET TAUPIN
58, rue Jean Bleuzen - Vanves.
6427-5 - Usine de La Flèche, le 30-09-1986.
N° d'édition : 1700.
Dépôt légal : octobre 1986.